PHONÉTISME
ET PRONONCIATI
DU FRANÇAIS

PHONÉTISME ET PRONONCIATIONS DU FRANÇAIS

PIERRE R. LÉON

6e édition

AVEC TRAVAUX PRATIQUES D'APPLICATION ET CORRIGÉS

CURSUS LETTRES

Conception graphique : Vincent Huet

www.armand-colin.com

Armand Colin est une marque de
Dunod Éditeur, 11 rue Paul Bert, 92247 Malakoff Cedex
ISBN 978-2-200-27431-3

DU MÊME AUTEUR

ESSAIS

- *Introduction à la phonétique corrective* (avec M. Léon), Paris, Hachette, 1962, 6ème éd. 1985.
- *Prononciation du français standard,* Paris, Didier 1966, 4ème éd. 1988.
- *Recherche sur la structure phonique du français canadien,* Ottawa-Paris-Bruxelles, Didier, Studia Phonetica 1, 1969.
- *Prolégomènes à l'étude des structures intonatives,* Ottawa-Paris-Bruxelles, Didier, Studia Phonetica 2, 1969.
- *Prosodic features analysis/Analyse des faits prosodiques* (avec G. Faure et A. Rigault), Ottawa-Paris-Bruxelles, Didier, Studia Phonetica 3, 1971.
- *Essais de phonostylistique,* Ottawa-Paris-Bruxelles, Didier, Studia Phonetica 4, 1971.
- *Interrogation et intonation* (avec A. Grundstrom), Ottawa-Paris-Buxelles, Studia Phonetica 8, 1973.
- *La Phonologie* (avec H. Schogt et E. Burstynsky), Paris, Klinsieck, 1977.
- *Toronto English, Studies in Phonetics* (avec P. Martin), Ottawa-Paris-Bruxelles. Studia Phonetica 14, 1979.
- *Les accents des Français* (avec F. Carton, M. Rossi et D. Autesserre), Paris, Hachette, 1981.
- *Interprétations orales* (avec R. Baligand et C. Tatilon), Paris, Hachette, 1984.
- *L'Accent en français contemporain* (avec I. Fónagy), Montréal-Paris-Bruxelles, Didier, coll. « Studia phonetica » 15, 1980.
- *Problèmes de prosodie* (avec M. Rossi), vol. 1, *Approches théoriques*, Montréal-Paris-Bruxelles, Didier, coll. « Studia phonetica » 17, 1980.
- *Problèmes de prosodie* (avec M. Rossi), vol. 2, *Expérimentation, modèles et fonctions*, Montréal-Paris-Bruxelles, Didier, coll. « Studia phonetica » 18, 1981.
- *Précis de phonostylistique. La parole expressive*, Paris, Nathan-Université, 1993.
- *Structure du français moderne* (avec P. Bhatt), Toronto, 3ème éd. 2005, Paris, Armand Colin, 2006.
- *La prononciation du français* (avec M. Léon), Paris, Nathan 128, 1997, Armand Colin 2007.
- *Phonétique du FLES* (avec M., F. Léon, et A. Thomas), Paris, Armand Colin, 2010.

AUTRES OUVRAGES

Pierre Léon est aussi directeur et co-auteur d'ouvrages sur l'analyse textuelle, l'analyse du discours, le conte, le dialogue, et la sémiolinguistique. Il est par ailleurs l'auteur d'ouvrages littéraires, parmi lesquels :

- *Grepotame, 250 drôles d'animaux Croisés,* Paris, Nathan 1980, (Prix Loisirs Jeune).
- *Les mots d'Arlequin,* poèmes, Sherbook, Naaman, 1983.
- *Les voleurs d'étoiles de Saint-Arbrousse-Poil,* contes, Montréal, Leméac, 1983.
- *Pigou, Fiflard et Compagnie,* contes, Saint-Boniface (Ma), 1993.
- *Sur la piste des Jolicoeur,* roman, Montréal-Paris, VLB, 1994 , (Prix Rabelais).
- *Le mariage politiquement correct du petit Chaperon rouge,* nouvelles, Toronto, GREF, 1996.
- *L'Odeur du pain chaud,* récit, Tours, Éditions de *La Nouvelle Républque,* 1997.
- *Collèges, amours et guerre,* récit, Chinon, L'Araignée, 1999.
- *La Nuit la plus courte,* drame en trois actes (avec M. Léon), Toronto, GREF, 1999.
- *Les rognons du chat,* nouvelles, Ottawa, *L'Interligne, 1999.*
- *Faut-il tuer Aline Merlin? Roman,* IllKirch, Le Verger, 2001, 2ème éd. 2002.
- *Le Pied de Dieu, lecture irrespectueuse de la Bible,* Toronto, GREF, 2001.
- *Un Huron en Alsace,* roman, Toronto, GREF, 2002, (Prix de la Société d'Histoire).
- *Le Papillon à bicyclette, croquis, bestiaire, fables,* Toronto, GREF. *2003 (Prix du Consulat de France).*
- *The Foot of God, A Disrespectful Reading of the Bible,* trad. Peter Seyffert, Victoria (B.C), Trafford, 2005.
- *Humour en coin, Chroniques canadiennes*, Toronto, GREF, 2006.
- *L'Effrontée de Cuba,* Nouvelles, Toronto, GREF, 2007.
- *La Nuit du subjonctif,* Nouvelles, Toronto, GREF, 2009.
- *Séduction des hommes et vertus des dieux,* chroniques, Toronto, CMC, 2010.

SOMMAIRE

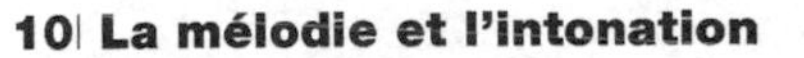

AVANT-PROPOS

La France est un pays de cinquante millions d'habitants qui, élevés dans la même langue, ne parlent pas le même langage.
Robert BEAUVAIS,
Le Français kiskose

Cette sixième édition reprend pour l'essentiel le contenu des précédentes. Mais il y avait lieu d'ajouter de nouvelles références. La recherche phonétique pour le français n'a pas cessé. Elle a pris un grand essor, en particulier dans tout ce qui concerne la prosodie, depuis l'infrastructure rythmique jusqu'à l'intonation. Il fallait aussi profiter des apports technologiques récents, en particulier pour les illustrations oscillographiques et spectrographiques des analyses acoustiques.

Dans ce dernier domaine, Philippe Martin – une vieille connaissance, puisqu'il a commencé ses recherches au laboratoire de phonétique de Toronto – a été une aide précieuse, avec son merveilleux analyseur de mélodie.

Ma dette est grande envers mes collègues, linguistes et phonéticiens, comme Fernand Carton, Mario Rossi, Albert Di Cristo, Gabrielle Konopczynski, Henriette Walter et plusieurs grands disparus tels André Martinet, Dwight Bolinger, Ivan Fónagy, et bien d'autres dont on verra les noms dans ma bibliographie.

Ce que l'on trouvera ici est un *choix* dans les notions de base pour montrer le *fonctionnement phonétique du français, dans son rapport avec la variation*. Il ne s'agit cependant pas d'une étude variationiste au sens où l'entendent les sociolinguistes. On se cantonne ici à la description phonétique. Lorsqu'on donne des chiffres, ils concernent le plus souvent des échantillons, significatifs mais sans prétention sociologique scientifique.

Choix implique lacunes et l'on en trouvera certainement beaucoup. On pourra regretter aussi une simplification des données acoustiques et physiologiques. Je n'en ai tenu compte qu'en raison de leur valeur explicative, pour une meilleure compréhension du rôle de la phonétique dans la langue parlée.

La langue n'est pas monolithique. Nous ne parlons pas de la même manière au bureau, sur un chantier, avec des camarades, en public ou à la maison en famille. On a souvent des idées reçues, des préjugés sur les manières de parler, un « imaginaire linguistique », comme le dit joliment Anne-Marie Houdebine. Or l'observation attentive de la prononciation est pleine de surprises. Qui aurait pensé, il y a quarante ans, qu'un jour les Français du Nord se mettraient à s'exclamer *« Arrê-teu! »*, en ajoutant un *e* final bien sonore, à « Arrête ». Cet *e*, on l'entend même là où il n'y en a jamais eu, comme dans *« Bonjour-eu ! »*.

Chaque parlure est constituée d'un réseau de particularités de ce genre, qui se structurent pour former des *indices sociaux* ou, lorsqu'ils sont perçus comme volontaires, des *signaux phonostylistiques*, caractéristiques de l'expressivité orale, tels que nous les décodons dans la prononciation des autres, qu'ils aient, eux, l'intention ou non de produire un effet. On en a traité en détail dans le volume intitulé *Précis de phonostylistique. La parole expressive.*

On a tenté, dans cet ouvrage, de rester sur un plan pédagogique aussi clair que possible. Les étudiants et le grand public trouveront donc ici une science modeste mais qui, nous l'espérons, incitera à chercher des compléments dans les références citées.

Un dernier mot pour rassurer les professeurs qui penseraient être privés d'un savoir personnel par les réponses aux questions des exercices. Une longue expérience m'a appris que les étudiants aiment se tester eux-mêmes et qu'il reste encore beaucoup à faire au professeur, à son tour, pour vérifier les connaissances nouvelles de ses apprenants lorsqu'il les retrouve dans sa classe ou son séminaire. L'époque n'est plus à garder jalousement un savoir mais à le partager. « Ce qui te fait riche, disait Giono, ce n'est pas ce que tu engranges mais ce que tu donnes » *(Que ma joie demeure).*

Les Roches Saint-Paul, septembre 2010
Toronto, mars 2011

Un dernier mot pour redire ma gratitude à Henri Mitterand, qui a accepté le premier cet ouvrage dans la collection Nathan-Université, dont il était le directeur, et qui m'a prodigué ses conseils savants et amicaux. Merci aussi à Monique Léon dont la grande expérience en phonétique et la perspicacité m'ont été un guide constant. Elle sait depuis longtemps tout ce que je lui dois.

CHAPITRE 1
GÉNÉRALITÉS SUR LES COMPOSANTES DU LANGAGE

S'il est *homo sapiens*,
C'est d'abord en tant qu'*homo loquens*.

Claude HAGÈGE,
L'Homme de paroles

Il n'est pas certain que sans le langage, j'aurais envie de sauter par-dessus la maison d'en face.

Brice PARAIN,
Petite métaphysique de la parole

1. CONTENU ET EXPRESSION

La langue véhicule des informations dont on interprète d'abord le sens. C'est ce que le linguiste danois Louis Hjelmslev propose d'appeler le *contenu.* L'énoncé « J'ai fini mon travail, je vais me promener » indique à mon interlocuteur une situation et des faits. « Je pense, donc je suis » formule une idée. Dans les deux exemples, le langage transmet la pensée que l'on peut décomposer en unités de sens plus petites, telles que : « fini, travail, pense ». Ce sont des unités de contenu. Si l'on poursuit l'analyse, on arrive à d'autres unités, plus petites, au-delà desquelles on ne peut plus aller dans le découpage perceptif de la langue. Hjelmslev les nomme unités du plan de l'*expression.* Ce sont les éléments *phonématiques*, voyelles et consonnes. Elles permettent d'*exprimer* un premier contenu sémantique. On y adjoint les éléments *prosodiques* que sont l'accentuation et la mélodie.

2. SUBSTANCE DU CONTENU : LES MONÈMES

Lorsqu'on divise la substance du contenu en unités de sens, les plus petites qu'on puisse trouver sont appelées *monèmes.* On les classe en deux catégories, *lexèmes* et *morphèmes.* Ainsi dans l'énoncé « l'avion partira », *avion* est une unité *lexicale* de substance, ou *lexème.* Dans *partira*, on a deux unités de substance du contenu : *parti*, qui est un lexème ; et *-ra*, qui est une unité de sens grammatical, appelée *morphème*, qui comporte à la fois les *marques* du futur, de la troisième personne et du singulier.

Il ne faut pas confondre *monème* et *mot.* En effet, un mot peut comporter plusieurs unités de sens. Le mot *maisonnette*, par exemple, est fait de deux monèmes, le lexème *maison* et le morphème *-ette*, qui ajoute un second sens, diminutif. Le mot *aimer* est composé de deux unités de sens, le lexème *aim* et le morphème *-er*, qui indique l'infinitif.

3. FORME DU CONTENU : L'ORGANISATION DES MONÈMES

La *forme du contenu* est la manière dont les unités de la substance sont organisées. Cette forme peut varier de bien des façons. L'exemple caricatural en serait l'énoncé du *Bourgeois gentilhomme*, manipulé par le maître de philosophie :

> Belle marquise, vos beaux yeux me font mourir d'amour.
> Marquise belle, d'amour me font mourir vos beaux yeux.
> Vos beaux yeux, belle marquise me font d'amour mourir…

Il s'agit ici d'une variation de type *stylistique.* Mais le réarrangement *syntaxique* des formes sert aussi souvent à créer un nouveau contenu sémantique, comme dans : *il sort* devenant *sort-il ?* Ou *vous avez faim* transformé en : *avez-vous faim ?*

4. SUBSTANCE DE L'EXPRESSION : LES MATÉRIAUX SONORES

Les matériaux sonores du langage sont appelés des *phones.* Ils représentent la *substance de l'expression.* La *phonétique* est la discipline qui étudie essentiellement la substance de l'expression. Elle montre la composition acoustique et l'origine physiologique des différents éléments de la parole. On observera, par exemple, dans *abricot*, une succession de six phones prononcés [abriko]. Du point de vue de leur substance, les phones se divisent en *voyelles, consonnes, semi-consonnes.* Ici, les voyelles sont [a], [i] et [o] ; les consonnes [b], [r] et [k]. Dans *voir* [vwar], [w] est une semi-consonne. Dans la terminologie européenne, les phones sont rangés sous l'appellation générale d'*éléments phonématiques.* Dans la terminologie nord-américaine, on les nomme *éléments segmentaux.* Il faut remarquer que le terme *phonétique* couvre l'ensemble des éléments *phonématiques* et *prosodiques.*

À côté de ces phones, la substance de l'expression langagière est également constituée d'éléments dits *prosodiques : durée, intensité, mélodie.* Ainsi on peut allonger et intensifier le son de la syllabe *for* dans *formidable !* tout en faisant monter le ton de la voix. Dans la terminologie nord-américaine, on parle parfois d'éléments *suprasegmentaux*, pour indiquer que la prosodie est quelque chose de superposé aux éléments *segmentaux* que sont les phones. En effet, on peut articuler une suite de phones comme : [ilpar] (Il part) sans modulation et sans accentuation. Si on décide de moduler l'énoncé, on peut en faire une constatation, une exclamation, une interrogation ou indiquer le doute, l'ironie, etc. Mais rien n'y sera changé du point de vue articulatoire, les marques prosodiques viendront simplement s'ajouter à celles des éléments phonématiques.

Dans la parole, tous les aspects phonématiques et prosodiques de la substance de l'expression se combinent sans cesse. On pourra prononcer *partira* avec un [p] et un [t] suivis ou non de souffle ; les voyelles [i] et [a] longues, brèves, intenses, montantes, descendantes, etc. Le *R* pourra être articulé « roulé », avec la pointe de la langue contre les dents, comme en espagnol, ou avec la pointe de la langue abaissée, comme en français standard. Tous ces aspects des variations de la substance de l'expression peuvent constituer des *variantes* individuelles, sociales, dialectales ou stylistiques.

Les poètes jouent beaucoup avec la substance de l'expression. Ils sont sensibles, par exemple, au fait que [i] comporte des harmoniques aigus. Le [a] leur paraît *éclatant* à cause de son intensité intrinsèque, les voyelles nasales *voilées*, etc.

5. FORME DE L'EXPRESSION PHONÉMATIQUE : LA FONCTION DISTINCTIVE DES PHONÈMES

Lorsque les *phones* sont envisagés du point de vue de la communication linguistique, on les appelle alors des *phonèmes.* La *phonologie* ou *phonétique fonctionnelle* (nommée aussi *phonémique*, sur un calque américain) est la discipline qui étudie la *forme de l'expression*, c'est-à-dire l'arrangement selon lequel s'établit la fonction *distinctive* des *phonèmes*, dans la structure de la langue. Ainsi dans *c'est le pont* et *c'est le bon*, c'est parce que /p/ s'oppose *formellement* à /b/ que l'on peut distinguer un énoncé de l'autre.

Du point de vue linguistique, les variations possibles de la substance phonique ne changeront rien tant que /p/ restera compréhensible comme tel. Qu'il soit soufflé, prononcé avec une forte explosion ou non, pourvu qu'on puisse le distinguer de /b/ il gardera sa *forme* de phonème. On dit alors que le décodage du phonème s'opère de manière *discrète.* C'est tout ou rien. Dans le processus de communication, on ne se pose pas la question de savoir si on a entendu un [p] qui ressemble plus ou moins à un [b]. On entendra /p/ ou /b/, *pas* ou *bas*, *pont* ou *bon*, mais rien d'intermédiaire. On note les phones entre crochets [ ] et les phonèmes entres barres obliques / /.

Au plan phonostylistique, le réarrangement formel des unités phonématiques peut créer des éléments esthétiques tels que rimes, allitérations, ou montrer l'expressivité ou l'émotivité de la parole spontanée.

6. FORME DE L'EXPRESSION PROSODIQUE

6.1 LA FONCTION DÉMARCATIVE

L'organisation formelle de la répartition de l'énergie articulatoire va créer des patrons acoustiques responsables, au plan linguistique, du système d'*accentuation.* Les énoncés des discours sont ainsi découpés par les proéminences accentuelles en groupes phoniques qui facilitent la perception. Si je dis sans marquer aucun découpage : [papaaaleaarl], on ne va peut-être pas comprendre tout de suite que je veux dire : « Papa a à aller à Arles. » Ce découpage, appelé *démarcation*, s'opère dans les phrases « bien formées », en *syntagmes* – unités de sens, ici trois groupes grammaticaux. Cette *démarcation* peut être assurée non seulement par l'accentuation mais aussi par les pauses. Mais, dans la parole spontanée, il est loin d'en être toujours ainsi.

Les pauses et l'accentuation jouent aussi un rôle important au plan phonostylistique. On verra que les orateurs en font grand usage. Les poètes utilisent l'accentuation à des fins esthétiques, en instaurant des structures rythmiques ordonnées, telles que dans cet hémistiche d'alexandrin, où chaque groupe comporte deux syllabes et un accent sur la dernière voyelle :

Pleu*rer*, pr*ier*, g*émir*...
2 2 2

Vigny

6.2 L'ORGANISATION DE LA MÉLODIE

Le matériau mélodique s'organise sous forme de patrons, ou *intonèmes*, qui constituent l'*intonation* de la langue. Dans l'énoncé suivant, les accents déterminent 7 *syntagmes*, unités syntaxiques de sens qui, sur le plan de la mélodie, constituent autant d'intonèmes :

Je pris/ une feuille de papier / et commençai / de rédiger/ un manifeste / pour la sauvegarde / des mouches.

Raymond Devos

6.3 FONCTION DISTINCTIVE DE L'INTONATION

Certaines structures intonatives sont aussi bien codées que celles du niveau phonématique. On distingue nettement : *Tu l'écoutes !* ↘ (impératif : mélodie descendante) de *Tu l'écoutes* ↗↘ (déclaratif : mélodie montante – descendante) et *Tu l'écoutes ?* ↗ (question : mélodie montante).

Mais ce rôle distinctif de l'intonation est extrêmement limité par rapport à celui des phonèmes et ne présente pas, de ce point de vue, une combinatoire semblable à celle des phonèmes, appelée *double articulation*.

6.4 FONCTION SIGNIFICATIVE DE L'INTONATION

Le plus souvent, l'intonation joue un rôle sémantique, c'est pourquoi les fonctionnalistes lui ont attribué le nom de fonction *significative*. Le sens ajouté par la mélodie aux éléments phonématiques – hors du domaine de l'émotion et des fonctions stylistiques – est généralement de structuration syntaxique et hiérarchisante. Ainsi dans l'énoncé suivant : « C'est l'histoire / du docteur Jacquot // qui reçoit / Marie-Chantal », la cohésion du sens est d'abord assurée par la prosodie de chaque groupe. Ensuite, la hiérarchisation de l'information se fait, dans l'oralité, par la mise en relief des groupes les uns par rapport aux autres : intonation de la phrase en 2 grandes parties, ou bien focalisation sur l'un des termes : *histoire*, *Jacquot*, *reçoit*.

On a parfois du mal à s'accorder sur le sens à donner à la montée mélodique finale qui différenciera *question/question surprise ; surprise/exclamation joyeuse ou non*, etc. On a souvent même de la difficulté à savoir si quelqu'un vient de poser une question ou bien a simplement émis un jugement avec une certaine nuance. C'est en ce sens qu'André Martinet et l'école fonctionnaliste ont pu dire que, d'un strict point de vue linguistique, l'intonation avait un rôle *marginal*. Les recherches modernes ont infirmé quelque peu cette assertion, montrant le rôle pragmatique important de la prosodie, lorsqu'il s'agit du décodage, dans les mécanismes de perception de la parole ordinaire avec ses ruptures, ses hésitations, ses reprises.

7. LA COMBINATOIRE PHONÉMATIQUE : DOUBLE ARTICULATION DU LANGAGE

Chaque langue possède un petit stock de phonèmes – rarement plus d'une cinquantaine. Les psychologues ont trouvé que l'homme ne peut pas former et distinguer plus de 100 sons parlés différents. Le français en a 37 : 18 consonnes, 3 semi-consonnes et 16 voyelles. Avec ces 37 unités phonématiques, on peut composer une infinité d'unités lexicales ou morphologiques. Ainsi avec les 4 phonèmes : /i/ /R/ /a/ /v/, on peut fabriquer les unités suivantes :

1. /Riva/ : *riva*
2. /vaRi/ : *varie*
3. /Ravi/ : *ravie*
4. /aRiv/ : *arrive*
5. /viRa/ : *vira*

Ce type de combinaison s'appelle la *double articulation du langage*. Les fonctionnalistes considèrent, avec Hjelmslev et Martinet, que les *monèmes* constituent la *première* articulation, parce que c'est la couche du langage que l'on appréhende en premier. C'est elle qui véhicule le sens. Les *phonèmes* constituent la *seconde* articulation, ainsi nommée parce qu'on ne la découvre qu'en second lieu, par une analyse des énoncés en éléments ultimes, voyelles et consonnes qui n'ont pas de sens en eux-mêmes.

8. VARIANTES PHONÉTIQUES : LANGUE ET PAROLE

Le linguiste Ferdinand de Saussure a défini le système de la *langue* comme une organisation abstraite, par rapport à son utilisation concrète, *la parole.*

Les phonèmes sont les éléments les plus stables du système linguistique. On ne peut pas ajouter un phonème au système de la *langue*, comme on ajoute un terme lexical. Cependant, dans la réalisation de la *parole*, les phones sont sujets à de nombreuses distorsions. Les plus remarquables pourraient être celles du parler d'un intoxiqué qu'on arrive encore à comprendre malgré les déformations de son articulation. Sans aller aussi loin, on peut noter, dans la prononciation quotidienne, de nombreuses *variantes*.

On appelle ainsi les réalisations concrètes, dans la *parole,* des phones par rapport à l'abstraction que représente le *phonème* dans la *langue*. Prononcer *quai* avec le *é* de *été* ou avec le *ê* de *ê*tre, constitue deux variantes possibles du même phonème. Elles seront interprétées comme dialectales, sociales ou autres mais ne gêneront pas la compréhension.

Les variantes peuvent être également prosodiques. Il y a des questions surprises, dubitatives, des intonations « chantantes », des accentuations « rudes », graves, joyeuses, etc.

9. VARIATIONS ET CONTRAINTES

Les variantes ne peuvent exister que dans les marges définies par le *code* de la langue. Pour reprendre l'exemple du mot *quai*, on acceptera *é* ou *ê*, que l'on interprétera comme « provincial », « snob », « jeune » ou « vieux », mais si l'on remplaçait la voyelle par *i*, *a*, ou *u*, on aurait des problèmes de compréhension !

Le français populaire du Canada prononce le *è* devant *r* comme un *a*. *Mon père* sera entendu par un Français de France comme *mon « par »*, ce qui ne posera pas trop de problème en contexte. Par contre le *a* suivi de *r* devenant un *o* ouvert ne sera pas toujours compris par un Français, entendant *cor* au lieu de *car* ou *bord* à la place de *bar.* Cette dernière variante canadienne n'est pas acceptée dans le système phonologique du français de France.

10. CODE ET SIGNES

La langue peut être envisagée comme un code, c'est-à-dire un système de signes ; en l'occurrence phonèmes, monèmes, règles de composition morphologique et syntaxique. Le code morse, le code écrit ou le braille sont des substituts du code oral de la langue, dont les signes sont différents mais les règles combinatoires analogues. Par contre, le code de la route est basé sur un système autre.

Mais tous ces codes ont en commun de reposer sur un *accord* entre les membres d'une même communauté. Personne ne peut décider que le feu rouge voudra dire que l'on peut passer, sans que tous les conducteurs soient d'accord. De même, personne ne dira que tous les [o] du français seront désormais remplacés par des [i].

Les linguistes qui ont mis en évidence la *structure de la langue* ont fondé le mouvement dit *structuraliste.* D'autres écoles linguistiques ont fleuri pendant les dernières décennies. Le fonctionnalisme est une branche du structuralisme. Mais le générativisme s'en est écarté.

11. NATURE DU SIGNE LINGUISTIQUE

11.1 LE SIGNE LINGUISTIQUE EST CONVENTIONNEL

La première propriété du signe linguistique est d'être *conventionnel.* Toute infraction à la règle admise est sanctionnée socialement. En français, quelqu'un qui appelle *chat* ce que la communauté désigne par le terme *automobile* sera considéré comme anormal ou s'il prononce « c'est ça » comme « ch'est cha » sera classé comme auvergnat, normand, picard, ou comme ayant un défaut de prononciation.

11.2 LE SIGNE LINGUISTIQUE A DEUX FACES

Le linguiste suisse Ferdinand de Saussure définit le signe linguistique comme une unité à deux faces qu'on pourrait représenter ainsi :

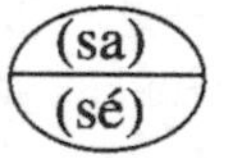

(sa) signifiant (les phonèmes)
(sé) signifié (les monèmes)

Le signifiant se situe donc au niveau de l'expression. Et le signifié (le sens) au niveau du contenu. On peut schématiser ainsi l'illustration du signe linguistique *bateau* :

forme sonore de la représentation
image mentale

Saussure ne faisait pas la distinction *forme/substance* de Hjelmslev. Et la terminologie *phonèmes/monèmes*, avec l'acception qu'on lui a donnée ici, est celle des fonctionnalistes modernes dont le chef de file était André Martinet.

11.3 LE SIGNE LINGUISTIQUE EST UNE ABSTRACTION

Le signe linguistique est une abstraction pratique de la réalité. Le signifiant et le signifié sont des « images mentales ». Quand on parle d'*éléphants*, on n'a pas besoin d'en voir. On peut même n'en avoir jamais vu. Le signe linguistique permet de parler de choses absentes ou imaginaires. Il n'adhère ni à l'objet qu'il nomme, ni à la situation. En ce sens, le signe linguistique est semblable à tous les autres signes des systèmes sensoriels humains. Lorsque nous voyons un éléphant, la perception que nous en avons est sous la forme d'une image mentale de l'éléphant et non l'éléphant lui-même.

Le *signifiant* s'actualise, se réalise concrètement, dans la *parole*, selon le code phonique de la *langue*. Mais l'auditeur, à son tour, *abstrait* cette réalisation sonore, grâce aux mécanismes de perception. Le signifiant redevient *image mentale*. On pourrait schématiser ainsi le *processus* de la communication entre deux sujets parlants A et B : Pour A, on aura les phases :

– *cérébrale* : encodage de l'image mentale par le cerveau et commande neurologique aux organes de la phonation ;
– *physiologique* : réalisation articulatoire du message ;
– *acoustique* : réalisation sonore des phones, de l'accentuation et de la mélodie du message.

Pour B, on aura alors les phases :

– *auditive* : réception du message acoustique ;
– *perceptive* : décodage du message acoustique, transformé en image mentale ;
– *cérébrale* : commande neurologique aux organes de la phonation, etc. Le processus recommence comme pour A, les deux sujets A et B devenant, tour à tour, émetteur et récepteur.

11.4 LE SIGNE LINGUISTIQUE EST TYPIQUEMENT HUMAIN

Le pouvoir d'abstraction du signe linguistique est l'une des propriétés qui distingue le langage humain de celui des animaux. On a trouvé qu'un gorille possédait 22 cris différents. Mais chacun d'eux est associé à une situation particulière. Pas plus qu'aucun autre animal, il ne saura raconter, évoquer un événement du passé, simuler par la voix des sentiments divers en l'absence du stimulus qui aurait pu les provoquer.

De plus, les animaux ne connaissent pas la double articulation du langage. Chez certains animaux, on trouve un embryon de combinatoire qui ressemble à cette double articulation humaine. Un oiseau qui possède cinq notes de musique différentes peut former, par exemple, dix messages différents. Mais là s'arrête le processus. Cet oiseau ne composera jamais un onzième message. Il ne saura pas même transformer un énoncé déclaratif en question ou en ordre.

12. LE SIGNE LINGUISTIQUE EST ARBITRAIRE ET NÉCESSAIRE

Il est intéressant de noter un caractère particulier que Saussure met en évidence, le fait que le signe linguistique est *arbitraire*. Il veut dire par là que le lien entre signifiant (Sa) et signifié (Sé) n'est pas justifié. Il n'y a pas plus de raison d'appeler un *chien, dog* que *perro* ou *Hund*. Chaque langue a sa propre façon de nommer le réel.

Le lien arbitraire entre signifiant et signifié est senti comme *nécessaire* par l'ensemble d'une même communauté. La plupart des gens n'imaginent pas qu'une notion ou un objet puissent avoir une autre appellation que la leur.

13. SIGNES MOTIVÉS

Pour l'étude phonostylistique, il est important d'observer qu'il y a, dans chaque langue, malgré le grand nombre de signes arbitraires, des signes dont le lien entre signifiant et signifié est évident. C'est le cas des *onomatopées* et de tous les mots qui en sont dérivés. Ainsi, en français, *coucou, cocorico, meuh!* qui imitent respectivement le chant d'un oiseau, du coq et le meuglement d'une vache ou des mots tels que *tic tac, froufrou, piqueter, picoter, murmurer,* etc. On dit alors que ces signes sont *motivés.*

14. NATURE DE LA MOTIVATION

La motivation du signe peut concerner le plan de *l'expression*, comme dans les exemples précédents où la structure phonique du mot imite la réalité à laquelle on se réfère.

La motivation du signe peut également se situer au plan du *contenu*. Ainsi les mots : *portemanteau, château fort, chaise longue, pique-assiette, porc-épic, sans-gêne, cheval-vapeur, porte-jarretelles,* présentent-ils encore, à des degrés divers, une part de motivation.

15. DEGRÉ DE CONVENTION DES SIGNES MOTIVÉS

15.1 PHONÉMATIQUE

Dans les onomatopées, on trouve de nombreuses structures phonématiques analogues entre des langues fort diverses, prouvant qu'il y a bien des *universaux* du langage. Cependant, on relève toujours des divergences. Si le français a *cocorico* pour imiter le chant du coq, l'anglais a *cock-a-doodle-do*, l'italien *chichirichi,* prononcé [kikiriki], l'espagnol *quiquiriqui* [kikiriki], le japonais *kokekokko*, le hollandais *kukeleku.* Cela montre que chaque langue interprète le réel selon ses propres habitudes phonologiques. Le signe linguistique, même motivé, reste conventionnel à l'intérieur d'une même communauté. La substance de l'expression phonématique prend une forme imposée par la structure de la langue.

15.2 PROSODIQUE

La motivation prosodique est apparente dans l'expressivité. Mais il y a toute une série de degrés. La motivation la plus forte se manifeste dans les *émotions.* Ainsi l'exclamation de joie ou de douleur s'exprime-t-elle par une tension physiologique forte qui va faire augmenter l'intensité vocale, monter la mélodie, etc.

Plus un signe prosodique est motivé, plus on a de chances d'en retrouver des manifestations analogues dans d'autres langues. Il y a, ici aussi, des *universaux.* On les trouve surtout dans l'*accentuation* et l'*intonation* des émotions brutes, fortes, comme une explosion de colère ou de joie.

On a même pu prouver qu'il existe des universaux de l'expression des émotions, partagés par les mammifères humains et non humains. Les chercheurs Deijo Aulanko, Lea Leinonen, Ikka Linnankoski et Maija Laakso ont montré que des sujets humains pouvaient reconnaître, par les seuls enregistrements de vocalisations de singes macaques *(Macaca actoïdes)* la colère, la peur, l'excitation sexuelle, la dominance, la soumission, le contentement, l'appel, avec des taux d'identification relativement élevés.

Par contre, à mesure qu'on va de l'émotion à l'attitude et de l'attitude à un signe proprement linguistique, les signes prosodiques sont comme ceux du plan phonématique, passés au moule phonologique propre à chaque langue. C'est ainsi que si l'émotion de la *colère* s'exprime de manière analogue en français, en italien, en anglais, etc., par une forte tension glottique et une ligne mélodique brisée, par contre, comme l'a montré Fónagy, une attitude comme le *doute* peut s'exprimer par une intonation différente en français et en hongrois.

16. PROCESSUS DE MOTIVATION ET DÉMOTIVATION

Certaines *théories,* comme celle de Paget, font remonter l'origine du langage à l'imitation de bruits, de cris, ou de gestes articulatoires dont la mimésis aurait été à la base de la symbolique de la communication verbale.

Par la suite, le langage se serait plus ou moins *démotivé.* On connaît dans l'évolution linguistique des exemples de démotivation. Ainsi le mot français *pigeon*, dont la forme sonore n'évoque en rien le roucoulement de cet oiseau, vient de l'onomatopée latine *pipio.* On voit qu'on est allé d'un terme *motivé* à un autre devenu *arbitraire.* On peut remarquer, au passage, que la perception de ce que les Français appellent le *roucoulement* des pigeons, ne correspond pas à l'interprétation des Latins. En français, ce sont les moineaux qui pépient.

Au plan de l'expression, la création d'un terme *motivé* peut s'opérer soit par imitation d'une forme sonore, cri d'animal ou autre, tel que *cocorico* ou *murmurer,* soit par redoublement d'une forme marquée, comme dans *bébête, titi, doudoune.*

Toutes les formes d'accentuation peuvent s'expliquer par un processus naturel d'augmentation d'énergie articulatoire, pour souligner d'abord l'emphase, avant de servir de marque linguistique. Les formes d'intonation ont vraisemblablement aussi une origine motivée. La question serait d'abord une tension qui appelle une réponse ; l'ordre, avec son intonation descendante, pourrait être envisagé comme la mimique d'un geste impératif, etc.

L'évolution de la langue fait que les signes linguistiques peuvent se motiver ou se démotiver, selon leur usage et le degré de conscience que l'on a de leur formation et de leur expressivité. On verra, au chapitre 10, comment se sont poursuivies les recherches sur *l'intonation non motivée*, pour aboutir à une présentation phonologique de la prosodie du français.

Problématique et questions

1. Imaginons une langue où chacun des phonèmes du français ne pourrait signifier qu'un message particulier, *o*, par exemple, voudrait dire *bonjour*, *a* serait employé pour *comment allez-vous*, etc. Quels seraient les inconvénients d'une telle langue? Comment pourrait-on ajouter la possibilité d'obtenir d'autres messages en gardant le même nombre de phonèmes isolés?
2. Pourquoi peut-on dire qu'une voyelle diphtonguée concerne la substance de l'expression?
3. Une variante prosodique, comme une intonation de surprise ou d'ironie, appartient-elle à la forme du contenu ou de l'expression?
4. Les feux de signalisation (vert, rouge, orange) sont-ils *motivés* ou *arbitraires*? Et la signalisation du croisement?
5. Parmi les mots suivants, lesquels vous paraissent motivés : *porte-plume*, *court-circuit*, *court-bouillon*, *ronron*, *micmac*, *tic-tac*, *bataclan*, *macadam*, *tintamarre*, *grommeler*? Dites pourquoi.
6. Trouvez le cri du mouton et du chien en anglais et en français. Que peut-on remarquer?
7. Le signe linguistique est abstrait. Il fonctionne comme tel dans la communication parlée. Mais c'est aussi un relais qui permet de décrire et d'observer de nombreux comportements psychologiques ou pathologiques qu'on ne pourrait pas quantifier autrement, tels les rêves. Expliquez.
8. Un perroquet peut apprendre jusqu'à cent mots différents, qu'il peut associer à certains types de situations. Mais on n'a jamais réussi à dresser un perroquet à dire «À manger!» quand il a faim, «À boire!» quand il a soif. Commentez.
9. Divisez les énoncés suivants en monèmes, lexèmes et morphèmes selon le code écrit : *Les jeunes directrices occupaient des postes administratifs importants*. Est-ce que les marques du genre et du nombre sont les mêmes dans le code oral, dans ces énoncés? Montrez-le.
10. Quels sont le signifiant et le signifié du mot *carré?* Le signe linguistique de ce mot est-il motivé ou arbitraire? Pourquoi?
11. Donnez dix exemples d'onomatopées tirées d'une bande dessinée. Et commentez l'extrait de Chateaubriand cité ci-après p. 29.

(Réponses p. 259)

BIBLIOGRAPHIE

AULANKO R., LEINONEN L., LINNANKOSKI I. et LAAKSO M. (1991), «Comprehension of Vocalizations across Species», in *Actes du XIIe Congrès international de sciences phonétiques*, Aix-en-Provence, vol. 2 : 202-205.

BALLY C. (1965) *Linguistique générale et linguistique française,* Bern, Francke.

BENVENISTE E. (1966) *Problèmes de linguistique générale et de linguistique française*, Paris, Gallimard.

BUHLER K. (1933) L'Onomatopée et la fonction représentative du langage, *Journal de Psychologie normale et pathologique*, 33 : 103-119.

BUSNEL, R.G. (1963), «Les signaux acoustiques chez les animaux», in Moles A. et VALLANCIEN B., *Communications et langages*, Paris, Gauthier-Villars : 95-127.

FÓNAGY I. (1979), *La Métaphore en phonétique*, Montréal-Paris-Bruxelles, Didier, coll. «Studia phonetica» 16, 1979.

FÓNAGY I. (1983), *La Vive Voix*, Paris, Payot.

FÓNAGY I. (2000) *Languages within language. An evolutive approach*, Amsterdam, Philadelphia, John Benjamin Publishing Company.

FÓNAGY I. (2005) *Dynamique et changement,* Louvain, Paris, Peeters.

GRAMMONT M. (1939), *Traité de phonétique générale*, Paris, Delagrave.

HAGÈGE C. (1985) *L'homme de paroles, contribution linguistique aux sciences humaines,* Paris, Fayard.

HJELMSLEV L. (1968), *Prolégomènes à une théorie du langage*, Paris, Éditions de Minuit.

JAKOBSON R. (1963), *Essais de linguistique générale*, Paris, Éditions de Minuit.

LAZISCIUS G. (1966) *Selected Writings*, Sebeok A. (ed.) The Hague, Mouton.

LÉON P. (1971), *Essais de phonostylistique*, Montréal-Paris-Bruxelles, Didier, coll. «Studia phonetica» 4.

LÉON P. et Nemni M. (1968), «Français canadien et français standard : problème de perception des oppositions vocaliques», in *Structure phonique du français canadien*, Montréal-Paris-Bruxelles, Didier, coll. «Studia phonetica» 1, p. 18-35.

MALMBERG B.(ed.) (1968) *Manual of Phonetics*, Amsterdam, North-Holland Publising Company.

MARTINET A. (1960), *Éléments de linguistique générale*, Paris, Colin.

MARTINET A. (1969), *Le français sans fard*, Paris, Colin.

MOLES A. et VALLANCIEN B. (1966), *Phonétique et phonation*, Paris, Masson.

MOUNIN G. (1971), *Clefs pour la linguistique*, Paris, Seghers.

PAGET R. (1930), *Human Speech*, Londres, Trubner.

PARAIN B. (1969), *Petite métaphysique de la parole*, Paris, Gallimard.

PERROT J. (ed., 2000) *Polyphonie pour Ivan Fonagy*, Paris, Harmattan.

SAUSSURE F. de (1916), *Cours de linguistique générale*, Paris, Payot.

Comment éternuez-vous ?

La symbolisation phonétique de l'éternuement, qui est une explosion sonore plutôt informe, montre bien comment – tout en suivant un patron phonématique et prosodique analogue : [h] +V + C + C – chaque langue interprète le réel à sa façon :

Atchoum, en français : [atʃum]

Hacsjoe, en hollandais : [hatʃu]

Hat-sinq, en tagalog (Philippines) : [hatsiŋ]

Hapiuc, en roumain : [haptjʃu]

Il faut distinguer ici entre l'onomatopée, qui imite les sons de la nature, et le symbolisme que les poètes et certains psychologues attribuent aux sons du langage : le [i] petit, le [a] large, etc. Platon, dans son *Cratyle*, fait dire à Socrate combien les sons des langues sont adaptés à exprimer des idées. Ainsi, dit-il, « le [r] semble être bien fait pour exprimer toutes sortes de mouvements ».

Chateaubriand – mais c'était un poète – soutiendra, lui, que le *a* est la meilleure voyelle pour exprimer l'idée de la campagne puisqu'on le trouve dans les mots suivants : *charme, vache, cheval, labourage, vallée, montagne, arbre, pâturage, laitage*, etc. et dans les épithètes qui ordinairement accompagnent ces noms, tels que *pesante, champêtre, laborieux, grasse, agreste, frais, délectable.* Cité par Charles Nodier dans son *Dictionnaire raisonné des onomatopées françaises* (Paris, 1808).

Les nouvelles onomatopées du français

Les exclamations de joie, de surprise ou de douleur étaient stylisées dans l'écrit du français, sous forme onomatopéiques de *Oh !* ou de *Ah !* Maintenant, empruntons à une publicité diffusée à la télévision française (en 1992 et répétée depuis), le petit dialogue suivant :

– On va chez Mac Donald !

– Ouaaaoooh !

Et la Ginette du comédien Jean Roucas ne s'exclame pas en faisant « Oh! » mais « Aow » (*Les Roucasseries,* Paris, J'ai lu, 1992).

Il est évident que la forme de l'interjection française s'est modifiée au contact de l'anglais à qui la triphtongue est empruntée, peut-être par effet de mode, mais aussi par expressivité. L'intonation modulée s'accommode mieux de trois timbres vocaliques successifs. Comme le faisait remarquer Jakobson (1969 : 29) « qu'il s'agisse d'exclamations spontanées ou conventionnelles, de créations originales ou d'onomatopées, la nature de ces productions phoniques exige un sens relativement poussé de leurs configurations sonores ». Et il ajoutait qu'on les doit plutôt à la valeur expressive de l'exceptionnel qu'à l'imitation acoustique fidèle du modèle réel.

On peut remarquer encore, à ce sujet, que les bandes dessinées ont enrichi considérablement le stock onomatopéique du français. Voici quelques exemples, notant des bruits, dans *Astérix chez les Normands :*

Tchrrriii (démarrage rapide d'un char, p. 6), *Glub!* (étranglement, p.7), *Bang!* (coup de poing sur une table, p.7), *Woouaff, wouaff, wouaff !* (aboiement, p. 8), *Ouaaaaah!* (effroi, p. 10), *Plaf!* (chute, p.11), *Tchof!* (démarrage d'une course, p.11), *Bouhouhou!* (peur, p. 16), *Pok! Pok!* (coup de maillet sur un pieu, p. 22), *Tchak!* (coup de poing, p. 24), *Clonk!* (coup de massue, p.25), etc.

Aucune de ces transcriptions n'est encore inscrite dans un dictionnaire en 2011. L'influence de l'anglais semble prépondérante. *Waff,* par exemple, est une onomatopée courante en anglais.

On retrouve, presque toujours, la structure de base des onomatopées : C-(C)-V-C, comme l'a remarqué Yaguello (1991), mais le stock phonématique s'est renouvelé.

CHAPITRE 2

DU SON À LA GRAPHIE : LA TRANSCRIPTION PHONÉTIQUE

Les premiers écrits n'ont pas été des manifestations de mémoire et de réflexion collectives mais ont répondu à d'humbles besoins de transmission et de publicité.

Marcel COHEN, *L'Écriture*

1. LES SYMBOLISATIONS ÉCRITES DE L'ORAL

Toutes les langues sont d'abord parlées. Le code écrit n'est, au départ, qu'un substitut du code oral. Parmi les quelques 7 000 langues existantes, environ 3 000 ont été analysées par les linguistes. Quelques centaines seulement ont une représentation symbolique écrite.

L'écriture est un moyen de transmettre des informations à travers le temps et l'espace. Mais elle est aussi un relais de la mémoire, que traduit le vieil adage : « Les paroles s'envolent, les écrits restent. » Les inventions modernes du téléphone et des appareils d'enregistrements sonores ont redonné à l'oral une importance nouvelle. Dans les cultures où ni ces moyens technologiques, ni l'écriture n'ont encore pénétré, la mémoire collective repose sur des procédés mnémotechniques beaucoup plus employés que dans les cultures de l'écrit. Dans les cultures orales, on apprend davantage de proverbes, de contes, de chansons, dont les structures rythmiques et mélodiques permettent une rétention plus facile que celles de la parole ordinaire.

Lorsqu'on a tenté de représenter graphiquement le langage, on a vraisemblablement dessiné d'abord des représentations d'objets, de personnages ou d'actions, comme le faisaient encore récemment les Indiens des plaines en Amérique du Nord. Ces dessins, que l'on appelle *pictogrammes*, étaient une symbolisation d'une réalité visuelle et non sonore. Ainsi, la séquence : ♂♂♂♂♂**xx** aurait pu signifier : « 7 ennemis sont venus, 2 ont été tués. » Ce n'est que par une abstraction beaucoup plus sophistiquée que viendra la représentation *sonore* du langage.

C'est pour des raisons pratiques que sont apparus des substituts des marchandises échangées au cours du troc, sous forme symbolique de monnaie, et de ceux de la parole sous forme d'écriture. Les inventeurs en ont été les marchands sumériens et égyptiens, quelques 3 000 ans av. J.-C. Pour l'écriture, l'étape essentielle a été le passage au *phonogramme*, à partir de l'*idéogramme*, pictogramme représentant une idée, une action ou un objet. Le phonogramme résulte d'un *rébus à transfert*. Un exemple serait, en français, l'image d'un *chat*, suivie de celle d'un *pot*, dont la lecture à haute voix donnerait *chapeau*.

Les Phéniciens perfectionnèrent, treize siècles av. J.-C., les écritures phonographiques, en inventant l'écriture alphabétique, dont ils ne notaient que les consonnes. Ils ont senti que les consonnes étaient les éléments porteurs d'intelligibilité pour la transmission du message. Elles sont en effet nécessaires et suffisantes à la compréhension écrite. On retrouve relativement facilement, dans : « Els strctrnt ls mts », écrit, ou prononcé à voix haute en intercalant une voyelle neutre : *Elles structurent les mots*. Alors que : « E uu eo », qui sont les voyelles écrites des mêmes mots, sont impossibles à déchiffrer.

Les Grecs apporteront un dernier perfectionnement en ajoutant les voyelles à la transcription écrite qui se trouvait ainsi beaucoup plus facile à décoder, tout en devenant moins économique. Il y a là, dans l'écriture, un jeu entre un surcroît d'information (ou *redondance*), opposé à brièveté et économie d'effort. C'est une dualité que l'on retrouve partout en linguistique.

À côté de ces écritures de commerçants, vite employées par les scribes et les écrivains de tout le Moyen-Orient, d'autres systèmes sont nés ailleurs. Le grammairien hindou Panini, qui a vécu vers le Ve ou VIe siècle av. J.-C., avait écrit un traité de phonétique du sanscrit et proposé une transcription phonétique basée sur la syllabation. De leur côté, les Chinois, à date incertaine (entre 2 000 et 4 000 ans av. J.-C.) avaient inventé un système mélangeant pictogrammes, idéogrammes et phonogrammes, extrêmement complexe, qui a subsisté dans son ensemble jusqu'à nos jours.

Si les écritures du Moyen-Orient avaient une motivation pragmatique, celles de Chine et de l'Inde avaient des fonctions religieuses, qu'on retrouve ailleurs, connotées par les appellations de « textes sacrés », « Saintes Écritures », etc. C'est, en même temps qu'un code ésotérique pour les profanes, un moyen pour les mandarins de garder le pouvoir, d'occulter leurs rites et leur savoir. À un degré moindre que le bien savoir parler, le bien savoir écrire reste un instrument de domination dans toutes les cultures.

2. GRAPHIE ET ÉVOLUTION LINGUISTIQUE

Quoique l'orthographe soit un frein aux changements phonétiques, les langues ne cessent jamais d'évoluer. Les plus grands bouleversements du français se situent au Moyen Âge, époque à laquelle l'écriture était très peu répandue. L'invention de l'imprimerie ne s'est malheureusement pas accompagnée du « nettoyage » graphique qui aurait été nécessaire. C'est pourquoi le français d'aujourd'hui s'écrit à peu près de la même manière que sous Philippe Auguste, qui vivait au XIIIe siècle.

Il y avait alors de nombreuses diphtongues, comme *au*, *ou*, *eu*, *ei*, *ai*, *oi*, et des triphtongues, comme *eau*, dont les lettres représentaient des phones différents, prononcés en une seule syllabe. La plupart de ces groupes de voyelles se sont réduits à un seul phone. Ainsi *ou* se prononce [u], *eau* [o], *-aient* [ɛ], *ain* [ɛ̃], etc. Ces *digraphes*, *trigraphes* ou *quadrigraphes* ne sont cependant pas totalement inutiles puisqu'ils permettent de retrouver plus facilement les étymologies. En outre, ils facilitent le repérage de plusieurs variantes. Ainsi, pour certains francophones, le même phonème E représente un timbre ouvert [ɛ] pour les graphies *-ais*, *ait*, *aient*, *-aix*, etc. et un timbre fermé [e] pour les graphies *é*, *-ez*, *-er*, etc.

Le système consonantique du français est moins divergent de la graphie que celui des voyelles. Cependant, il est tout de même bien peu adéquat à représenter la prononciation. On ne dispose pas de lettres dans l'alphabet orthographique pour noter par un même symbole les sons qui s'écrivent *ch*, *j* ou *ge*, ou les semi-consonnes que représentent le *i* de *bien*, le *u* de *lui*, le *ou* de *oui*. Un même son peut avoir plusieurs graphies, comme [k] : *k*, *ck*, *cq*, *qu*, *cc*... De nombreuses lettres, autrefois représentatives de phones prononcés, sont devenues muettes. On ne prononce pas le *s* du pluriel, le *r* de l'infinitif, les *e, es* ou le *t* des terminaisons verbales. Dans la liaison, *s* devient [z], comme dans *les amis* [lezami], *d* devient [t], comme dans *quand il pleut*, etc.

3. TRANSCRIPTION ET PHONOLOGISATION

On remarque, dans l'évolution des techniques pour les représentations graphiques des sons, que l'on est passé d'une symbolisation grossière à des raffinements aboutissant à une transcription assez fidèle. Lorsque les Grecs transcrivaient *BARBAROS*, c'était une bonne représentation de ce qu'ils prononçaient. Les Grecs avaient aussi inventé des signes pour figurer les tons aigus ou graves.

De même, aujourd'hui, des langues comme le turc, l'allemand, l'espagnol, le portugais, l'italien, ont une graphie qui correspond, de manière sinon parfaite, du moins très adéquate, à la réalité de la prononciation. Quand un Espagnol écrit : *filosofico*, il note tous les sons du mot, sans ajouter de graphies superflues, comme cela se passe avec le mot français *philosophique*.

Mais aussi fidèles que puissent être les représentations sonores dans une transcription écrite, elles sont toujours une *phonologisation* de la réalité. On entend par là une abstraction de la réalisation sonore. Deux Français prononçant le mot *mes* avec l'intention de produire le même timbre fermé que dans *thé*, vont probablement produire deux réalisations différentes, même si l'on s'accorde pour dire qu'ils n'ont pas prononcé un timbre ouvert, comme celui du E de *mère*. Écrire phonétiquement [e] ou [ɛ], c'est donc toujours simplifier, phonologiser la réalité phonétique.

4. DES TRANSCRIPTIONS PHONÉTIQUES PRÉCISES

À la fin du XIXe siècle, plusieurs systèmes de représentations phonétiques ont été proposés, dont ceux utilisés par Rousselot, Bourciez, Gilliéron, Dauzat, Straka. Ils sont basés sur la graphie et utilisent les accents et d'autres marques – ou *signes diacritiques* – pour préciser les timbres. C'est ainsi qu'on peut trouver parfois des distinctions subtiles dans des relevés d'enquêtes dialectologiques, notant trois sortes de *é* et trois sortes de *è*, en position accentuée et autant en position inaccentuée. Rousselot, dans son *Précis de prononciation française*, distingue quatre timbres différents pour le A, en position accentuée : *a* moyen, dans *lac*, *a* fermé, dans *âcre*, *a* mi-ouvert, dans *cave*, *a* ouvert, dans *car*. L'intention est certes bonne mais un tel luxe est bien souvent sujet à caution et la manipulation des données difficile.

La transcription phonétique internationale adoptera une attitude plus réaliste et plus pratique. Son critère essentiel est de tenir compte des différences sonores *fonctionnelles* de la langue. Un tel système de transcription sera donc plus phonologique que phonétique, même si les distinctions faites n'ont pas la même pertinence pour tout le monde.

5. L'ALPHABET PHONÉTIQUE INTERNATIONAL

L'alphabet phonétique international (API), créé par des professeurs de langue étrangère, Paul Passy, Edward Sievers et Henry Sweet, à la fin du XIXe siècle, avait pour premier objectif d'être un instrument capable de noter la prononciation avec une graphie rationnelle, adaptée aux besoins de l'enseignement. Il n'y avait pas lieu, pour eux, de noter les quatre A de Rousselot, puisque les Français n'utilisaient linguistiquement que deux timbres, pour opposer *patte* /pat/ à *pâtes* /pat/. En fait, ils auraient pu choisir de ne tenir compte que des sons du système minimal commun, nécessaire et suffisant à l'intercompréhension de tous les Français.

Cependant l'API devait permettre une transcription assez *étroite*, c'est-à-dire précise, non seulement pour rendre compte de tous les timbres fonctionnels des phonèmes d'une même langue, mais aussi des timbres divers du plus grand nombre de langues possibles.

6. LE PRINCIPE DE L'API

Le principe fondamental de l'API, alphabet phonétique international est : *un phonème ne peut être représenté que par un seul symbole et inversement.* On transcrira donc *ph* et *f* par le même symbole, le plus simple, [f]. Dans les mots *orchestre*, *quai*, *accusé*, les graphies *ch*, *qu*, *cc* qui représentent le même phonème, seront symbolisées uniquement par [k], etc.

7. SIGNES DIACRITIQUES

Les auteurs de l'API, ainsi que les usagers d'autres systèmes, ont ajouté à l'alphabet phonétique international un certain nombre de signes *diacritiques*, pour préciser des variations de *timbres vocaliques* ou *consonantiques* ; des *nasalisations*, des changements d'*aperture*, la *palatalisation*, ou des phénomènes de phonétique combinatoire, appelés *assimilation* ; ou encore pour noter les *durées*, l'*accentuation*, les *pauses*, etc. Les signes diacritiques concernant les phénomènes les plus courants sont les suivants :

7.1 TIMBRES

Le tilde [~] marque la nasalité. Un timbre plus fermé que celui auquel on se réfère d'habitude est représenté par un petit point [.] sous la voyelle et un timbre plus ouvert par une sorte d'accent grave [̀] sous la voyelle. Un É fermé [e], très fermé sera noté : [ẹ] et très ouvert : [e̖].

7.2 PALATALISATION

C'est une articulation du dos de la langue au centre de la voûte du palais. Elle produit un son qui ressemble au *yod* [j] comme dans la prononciation du *i* de *bien* et qui modifie la réalisation de la consonne. On dit alors aussi, d'après l'impression auditive, qu'il s'agit d'une *mouillure*, que l'API note comme [ç] pour le [k] palatalisé avec bruits de frictions comme dans *ch*, et comme [j] pour le [g] palatalisé avec bruits de friction, comme dans *je*. On en a des exemples dans les prononciations faubouriennes de Paris, dans des mots comme *qui*, *gui*, etc. Mais on indique aussi parfois le phénomène de palatalisation, comme les romanistes, par une apostrophe après la consonne ['] ou par l'ajout d'un petit yod après le phone palatalisé, comme dans *quai*, prononcé [kʲe].

7.3 ASSIMILATION DES CONSONNES

Les deux types principaux sont la *sonorisation* ou « voisement » et l'*assourdissement* ou « dévoisement ». Le voisement était noté par un petit v [̬] sous la consonne, comme lorsqu'on prononce le mot *anecdote* et que le *c* n'est plus prononcé [k] mais presque comme un [g]. Le dévoisement était noté par un petit v renversé sous la consonne, comme dans le mot *absent* [ab̭sɑ̃], où le *b* est devenu presque [p]. En français moderne, cette assimilation est maintenant presque toujours totale. On prononce le plus souvent [anɛgdɔt] et [apsɑ̃]. (Voir p. 99.)

7.4 DURÉES

Le signe [:] indique une voyelle longue dans une syllabe accentuée, comme dans *Il ose* [ilo:z]. Un seul point note un demi-allongement, en syllabe peu accentuée, comme dans *Il n'ose pas* [ilno.zpa]. Une voyelle abrégée est notée par [˘] au-dessus de la voyelle. Un [a] très bref sera noté [ă] dans les transcriptions des dialectologues.

7.5 ACCENTUATION

Elle est notée par une petite barre oblique, placée avant la syllabe qui doit porter l'accent, comme dans le mot suivant : *décider* [desiˈde].

Bien que Passy ait fait de pertinentes remarques sur le rôle des contours intonatifs, aucun signe conventionnel n'a été retenu pour les représenter dans l'alphabet phonétique international. Aujourd'hui encore, les éléments prosodiques sont rarement notés dans les transcriptions phonétiques de l'alphabet international.

8. LES ÉLÉMENTS PHONÉMATIQUES DU FRANÇAIS ET LEUR TRANSCRIPTION

On trouvera dans le tableau 1, ci-dessous, la liste des voyelles qui n'ont qu'un seul timbre en français, avec leur transcription dans l'alphabet phonétique international. On les divise en voyelles *orales* et *nasales*. On verra, dans les chapitres suivants, la justification acoustique et physiologique de ce classement.

Tableau 1. Voyelles à timbre unique.

La notation du timbre des voyelles nasales diffère selon les auteurs pour les deux timbres postérieurs. Selon les auteurs et aussi selon les polices de caractères des logiciels, on peut avoir la notation A postérieur [ɑ̃] ou A antérieur [ã] et O ouvert [ɔ̃] ou O fermé [õ]. Ces variations témoignent de la fluctuation des timbres pour ces deux nasales. Quant à la nasale [œ̃], elle reste encore notée ainsi même si son timbre est souvent réalisé [ɛ̃].

1. Voyelles orales	2. Semi-voyelles correspondantes
I [i] comme dans s*i*, *î*le, st*y*le... [si] [il] [stil] **U** [y] comme dans s*u*, s*û*r, e*u*... [sy] [sy:ʀ] [y] **OU** [u] comme dans s*ou*s, c*oû*te, *où*... [su] [kut] [u]	**YOD** [j] comme dans sc*ie*r, n*ie*r, a*i*lle... [sje] [nje] [aj] **UÉ** [ɥ] comme dans s*ue*r, n*uée*, l*ui*... [sɥe] [nɥe] [lɥi] **OUÉ** [w] comme dans s*ouh*ait, n*oue*r, L*oui*s... [swɛ] [nwe] [lwi]
3. Voyelles nasales	
IN [ɛ̃] comme dans v*in*, f*aim*, p*ain*... [vɛ̃] [fɛ̃] [pɛ̃] **UN** [œ̃] comme dans *un*, parf*um* [œ̃] [paʀfœ̃]	**AN** [ɑ̃] comme dans *an*, *en*, c*am*pe.... [ɑ̃] [ɑ̃] [kɑ̃p] **ON** [õ] comme dans b*on*, c*om*pris... [bõ] [kõpʀi]

Le tableau 2, ci-après, indique les voyelles dites « à double timbre ». On appelle ainsi des voyelles dont le timbre est proche et qui sont parfois confondues par des groupes sociaux, géographiques, ou encore dans certains contextes linguistiques.

Tableau 2. Voyelles à double timbre.

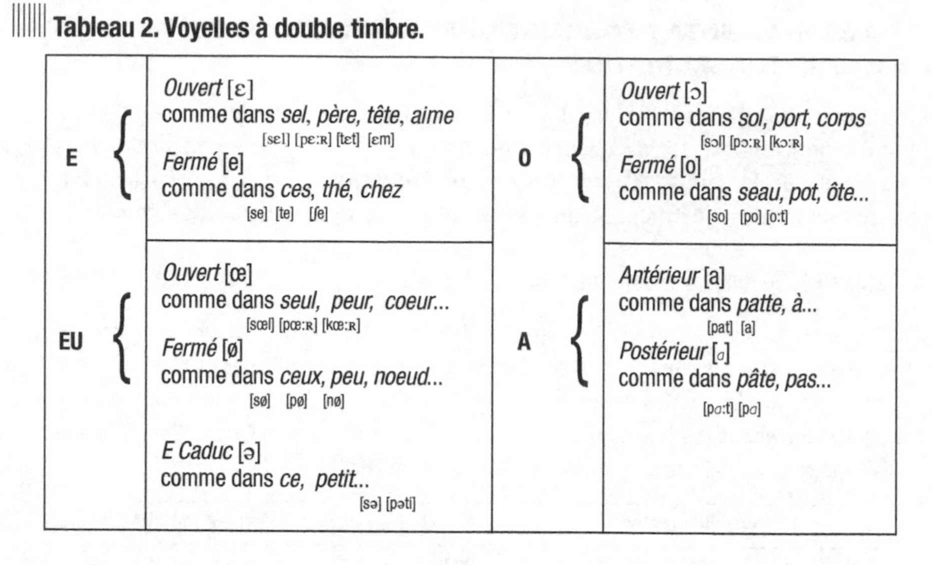

E	*Ouvert* [ɛ] comme dans *sel, père, tête, aime* [sɛl] [pɛ:ʀ] [tɛt] [ɛm] *Fermé* [e] comme dans *ces, thé, chez* [se] [te] [ʃe]	**O**	*Ouvert* [ɔ] comme dans *sol, port, corps* [sɔl] [pɔ:ʀ] [kɔ:ʀ] *Fermé* [o] comme dans *seau, pot, ôte...* [so] [po] [o:t]
EU	*Ouvert* [œ] comme dans *seul, peur, coeur...* [sœl] [pœ:ʀ] [kœ:ʀ] *Fermé* [ø] comme dans *ceux, peu, noeud...* [sø] [pø] [nø] *E Caduc* [ə] comme dans *ce, petit...* [sə] [pəti]	**A**	*Antérieur* [a] comme dans *patte, à...* [pat] [a] *Postérieur* [ɑ] comme dans *pâte, pas...* [pɑ:t] [pɑ]

On a vu qu'un mot comme *mais* peut être prononcé avec un E ouvert à Paris et un E fermé à Marseille ou qu'une même personne pourra le prononcer tantôt avec E fermé, tantôt avec E ouvert, selon la position du mot dans l'énoncé. La variation e/ɛ devra être notée comme deux possibilités de réalisations, deux *variantes* d'un même phonème. On examinera plus loin le jeu de ces variantes.

Par contre, pour certains groupes dont la prononciation se rapproche du modèle théorique du français *standard*, la différence entre E fermé et E ouvert peut être *pertinente*, avoir une valeur phonologique, et servir à distinguer des *paires minimales*. On nomme ainsi des unités qui ne peuvent être distinguées que par un seul phonème, du type : *j'irai* /e/ (futur) et *j'irais* /ɛ/ (conditionnel). Il en est de même pour les oppositions d'autres voyelles « à double timbre », A, EU, O, dans des exemples comme : *patte/pâte*, *jeûne/jeune*, *sol/saule*. Ces oppositions sont fragiles. Tous les Français ne s'accordent pas pour les respecter, comme on le verra plus loin. Elles font partie d'un système idéal, vers lequel tend la standardisation de la langue.

8.1 CONSONNES

On a classé les exemples des consonnes selon leur distribution : initiale, médiale et finale. On notera que les consonnes doubles, attestées par la graphie, se sont réduites à une consonne simple dans la prononciation. Mais des phénomènes d'emphase ou l'influence de l'écriture font que l'on entend parfois des consonnes doubles, dites aussi *géminées*, dans des mots comme *illisible*, *immotivé*, *irrésistible*.

Tableau 3. Consonnes, selon leur distribution graphique.

[p] comme dans *p*ont [põ]	é*p*ais [epɛ]	a*pp*eler [aple]	cou*pe* [kup]	ca*p* [kap]
[b] “ ” *b*on [bõ]	ha*b*it [abi]	a*bb*é [abe]	ro*be* [rɔb]	sno*b* [snɔb]
[t] “ ” *t*on [tõ]	é*t*é [ete]	a*tt*ends [atɑ̃]	pâ*te* [pɑːt]	sep*t* [sɛt]
[d] “ ” *d*ont [dõ]	ai*d*er [ede]	a*dd*ition [adisjõ]	ai*de* [ɛd]	su*d* [syd]
[k] “ ” *c*ou [ku]	*qu*el*qu*n [kɛlkœ̃]	a*cc*user [akyze]	*c*lair [klɛːʀ]	ba*c* [bak]
[g] “ ” *g*oût [gu]	dé*g*oût [degu]	a*g*rès [agrɛ]	ba*gue* [bag]	*g*ro*g* [grɔg]
[f] “ ” *f*ou [fu]	ca*f*é [kafe]	e*ff*et [efɛ]	éto*ffe* [etɔf]	neu*f* [nœf]
[v] “ ” *v*ous [vu]	re*v*u [ʀəvy]		rê*ve* [ʀɛːv]	
[s] “ ” *s*es [se]	*c*es [se]	a*ss*ez [ase]	hau*ss*é [ose]	as [ɑːs]
[z] “ ” *z*èbre [zɛːbʀ]	o*s*é [oze]	Bra*zz*a [bʀaza]	ga*ze* [gɑːz]	gaz [gɑːz]
[ʃ] “ ” *ch*ou [ʃu]	a*ch*ète [aʃɛt]		ca*che* [kaʃ]	
[ʒ] “ ” joue [ʒu]	â*g*é [aʒe]		ca*ge* [kaːʒ]	
[l] “ ” *l*a [la]	ma*l*ade [malad]	a*ll*er [ale]	ba*lle* [bal]	ba*l* [bal]
[ʀ] “ ” *r*at [ʀa]	ma*r*i [maʀi]	a*rr*êt [aʀɛ]	ba*rre* [baːʀ]	bar [baːʀ]
[m] “ ” *m*es [me]	ai*m*er [eme]	fe*mme* [fam]	ai*me* [ɛm]	da*m* [dam]
[n] “ ” *n*ez [ne]	aî*n*é [ene]	a*nn*eau [ano]	hai*ne* [ɛn]	Eden [edɛn]
[ɲ] “ ” « *gn*ôle » [ɲoːl]	a*gn*eau [aɲo]		pagne [paɲ]	
[ŋ] “ ”				camp*ing* [kpiŋ]

La consonne prononcée en finale correspond soit à une consonne suivie d'un E devenu muet, soit à une consonne terminale d'un mot souvent monosyllabique ou d'origine savante ou étrangère, comme dans *femme* [fam] ou *gag* [gag].

On peut toujours modifier la transcription phonétique à l'aide des signes diacritiques. Les symboles donnés ci-dessus représentent ceux qui sont nécessaires et suffisants à représenter la prononciation du *français standard*, dit encore *standardisé, modèle pédagogique*, reproduit dans les manuels d'orthoépie, qui donnent les principales règles de prononciation des normes en usage dans le parler ordinaire.

On devra en particulier ajouter à la liste de consonnes le [r] dit *roulé*, articulé avec la pointe de la langue vibrant contre les alvéoles. La transcription le distingue de [ʀ], qui est un R articulé avec le dos de la langue contre la luette et d'autres types de R, pharyngal, uvulaire, etc., que l'on décrira au chapitre 6.

La consonne [ŋ] n'est prononcée qu'en finale, dans des mots d'emprunt, comme *camping* ou *pingpong*. On note également que certaines finales ne se trouvent pas à l'oral, comme dans beaucoup de terminaisons verbales, tels le S de *je fais*, *je dors*, le S des marques du pluriel, des noms, des adjectifs, etc.

9. DIFFÉRENCIATION PHONOLOGIQUE ET PHONÉTIQUE EN TRANSCRIPTION

Rappelons qu'on indique une transcription phonologique entre barres obliques. Ainsi les transcriptions /pa/ et /ba/ montrent que l'on ne se soucie pas d'autre chose que de représenter les sons fonctionnels. En l'occurrence, on veut montrer que /p/ et /b/ sont considérés avec leur valeur de phonèmes. Par contre, si l'on transcrit entre crochets, il s'agit d'une transcription phonétique, qui tente d'être aussi « étroite » que possible. Ainsi [p^ha] indique que le /p/ a été réalisé phonétiquement avec un souffle.

10. MOTS PHONIQUES, GROUPES RYTHMIQUES ET GROUPES DE SOUFFLE

10.1 MOTS PHONIQUES

Dans la parole, les éléments du discours s'enchaînent pour former des blocs de sons homogènes, que l'on appelle des *mots phoniques*. On ne sépare généralement pas, en parlant, les noms et les verbes de leurs déterminants. Dans la transcription phonétique, on les garde donc ensemble, comme dans les exemples suivants : *les amis* [lezami] ; *deux autres* [døzo:tʀ] ; *deux grands amis* [døgʀɑ̃zami] ; *ils arrivent* [ilzaʀi:v] ; *elles ont soif* [ɛlzɔ̃swaf] ; *vous aimez ça* [vuzemesa].

10.2 GROUPE RYTHMIQUE

Un mot phonique se termine par une syllabe *accentuée*, en français standard de la conversation. C'est l'accentuation qui crée le rythme ; d'où le nom de *groupe rythmique* donné aux unités terminées par un *accent*. (Notez que le terme *accent* devrait être remplacé par celui, moins ambigu, d'*accentuation*, puisque le mot *accent* désigne aussi une parlure étrangère et un signe graphique.)

Les groupes rythmiques coïncident généralement avec les syntagmes grammaticaux, que l'on peut envisager à leur tour, à un autre niveau, comme des unités sémantiques importantes.

10.3 GROUPE DE SOUFFLE

Quand une pause est introduite, le groupe qu'elle délimite, quelle que soit sa longueur, est appelé *groupe de souffle*.

Voici un exemple d'accentuation en groupes rythmiques, que l'on note, rappelons-le, par une petite barre oblique avant l'accent [\]. Les *pauses*, que l'on peut réaliser ou non, selon le débit ou l'emphase, sont marquées par une *barre verticale* [|]. Les groupes de souffle sont indiqués par une double barre verticale [||]. Mais tout cela est affaire de convention :

Le de\ssin | peut être emplo\yé | seule\ment comme aide-mé\moire | ser\vant à déclen\cher | une récita\tion ||.

10.4 ACCENT D'INSISTANCE

Pour noter l'*accent d'insistance*, destiné à mettre une unité en relief, on utilisera une double barre oblique avant l'accent, comme dans : *c'est fantastique* [sɛ\\fɑ̃:tastik].

11. ORTHOGRAPHE ET TRANSCRIPTION PHONÉTIQUE

Bien des gens, très forts en orthographe, s'imaginent encore que le français ne possède que les cinq voyelles léguées par l'alphabet latin. Le système de l'alphabet phonétique international permettrait d'apprendre beaucoup plus vite la langue réelle. Un code intermédiaire, l'*alphonic*, a été mis au point par André et Jeanne Martinet. Il n'utilise qu'une seule graphie pour le double timbre des voyelles. Mais ce système économique se heurte, comme l'API, à l'opposition des conservateurs.

Nina Catach a fait ainsi le classement suivant des graphies du français en fonction de leur distribution et de leur rôle dans la prononciation. Les *graphèmes*, lettres ou groupes de lettres, représentent la plus petite unité graphique isolable, *a*, *e*, *i*, *o*, *u*, *b*, *c*, *d*, etc. On les divise en sous-unités fonctionnelles :

– **phonogrammes :** graphèmes représentant un ou plusieurs phones : *i*, *é*, *oi*, *in*, etc.;
– **morphogrammes :** graphèmes des marques morphologiques: *es*, *ent*, etc.;
– **logogrammes :** de mots indissociables : *sept*, *lys*, *thym*, etc.

Catach ajoute les *archigraphèmes*, unités graphiques d'un ou plusieurs graphèmes, représentant un phonème susceptible d'avoir plusieurs timbres, et appelé alors *archiphonème*, comme dans les voyelles à double timbre, A, EU, O, E.

12. JEUX DE LETTRES

Tentatives de réformes de l'orthographe ou essais de rendre, dans l'écrit, le parler oralisé, ont été nombreux au cours des siècles. Raymond Queneau rêvait d'une *ortograf fonétik*. Mais on a montré qu'il en a surtout fait un jeu dans son roman *Zazie dans le métro*. Greg Lessard a étudié de la même manière la transposition des prononciations de personnages de roman, qui donne une bonne idée du phonétisme québécois. Phyllis Wrenn a fait de même pour les textes acadiens de Marichette. Vincent Lucci (1992) a relevé de nombreux cas où la graphie de textes publicitaires comportait un « double codage », comparable à celui de la parole.

Problématique et questions

1. Que devra-t-on faire pour obtenir, à partir d'un rébus, l'énoncé : *Il ne faut pas* ? Expliquez.

2. L'usage courant de l'écriture chinoise exige la connaissance de 6 000 à 8 000 caractères différents. Le système des signes de cette écriture repose sur un classement des idées. Les pictogrammes originels ont été stylisés en idéogrammes (chaque caractère est un signe mot) mais ils sont également des phonogrammes, puisqu'ils symbolisent des prononciations conventionnelles (de type syllabique). Montrez comment le système des écritures latines, par exemple, réalise une grande économie par rapport à celui du chinois.

3. Commentez cette opinion de Jean-Jacques Rousseau, dans son *Essai sur l'origine des langues* : « Plus l'écriture est grossière, plus la langue est antique. »

4. Notez l'accentuation, les pauses et les groupes de souffle, dans le texte suivant :

> Les perroquets ont des organes vocaux qui permettent un langage articulé ; et comme le montre leur poids cérébral, ce sont des oiseaux intelligents. Leur mémoire est excellente. Von Lukamus en possédait un, célèbre par ses mots. Il vivait avec une huppe apprivoisée du nom de Höpfchen et le perroquet s'était vite approprié ce nom. À la mort de la huppe, le perroquet ne prononça plus jamais son nom. Neuf ans plus tard, von Lukamus acquit une nouvelle huppe et le perroquet la première fois qu'il l'aperçut s'écria immédiatement, à plusieurs reprises : Höpfchen, Höpfchen.
>
> Busnel : 115.

5. En vous aidant des tableaux des symboles phonétiques du français, transcrivez :
1) Dessine une île sur le mur ou sous la voûte.
2) Donnez-moi un bon vin blanc.
3) Lui et Louis vous souhaitent un bon voyage.
4) Elle aime les gâteaux secs.
5) Donnez un peu de beurre à Paul.
6) Ôte le seau d'eau.
7) Voilà des pattes de poulet aux pâtes.
8) Laissez-moi l'addition, Xavier.
9) Achetez quelque chose de beau pour Jean et Julie, chez Joseph.
10) Agnès aime bien le camping à la montagne.
11) Relevez des jeux de graphies publicitaires. Et écrivez, selon l'orthographe académique les exemples de Queneau, ci-après p. 45.

(Réponses p. 260)

BIBLIOGRAPHIE

BUSNEL R.G. (1963), «Les signaux acoustiques chez les animaux», *in* Moles A. et VALLANCIEN B., *Communications et langages*, Paris, PUF, coll. «Que sais-je ?».
CALVET L.-J. (1984), *La Tradition orale*, Paris, PUF, coll. «Que sais-je ?».
CARTON F. (1974), *Introduction à la phonétique du français*, Paris, Bordas, 2e éd.
CATACH N. (1978), *L'Orthographe*, Paris, PUF, coll. «Que sais-je ?», n° 685.
COHEN M (1953), *L'Écriture*, Paris, Éditions sociales.
HAGÈGE Cl. (1985), *L'Homme de parole*, Paris, Fayard.
HIGOUNET Ch. (1955), *L'Écriture*, Paris, PUF, coll. «Que sais-je ?», n° 653.
LÉON P. (1971), «Phonétisme, graphisme et zazisme», *in Essais de Phonostylistique*, OTTAWA, Didier, coll. «Studia phonetica» 4 :158-173.
LESSARD G. (1992), «Portraits phonétiques de trois personnages littéraires», *in* Martin Ph. (dir.), *Mélanges Léon*, Toronto, Mélodie et CSP : 255-283.
LUCCI V. (dir.) (septembre 1989), «L'orthographe en liberté», *in LIDIL*, revue de l'université de Grenoble, n° 1 : 67-74.
LUCCI V. (1992), «Double codage graphique», *in* Martin Ph. (dir.), *Mélanges Léon*, Toronto, Mélodie et CSP : 286-292.
LUCCI V. (1994), *L'Orthographe de tous les jours*, Paris, Champion.
MARCHAL A. (1978), *Les Sons et la Parole*, Montréal, Guérin.
MARCELLO-NIZIA Chr. (2003), «Le français dans l'histoire», *in* Yaguello M., *Le Grand Livre de la langue française*, Paris, Seuil : 11-90.
MARTINET A. (1960), *Éléments de linguistique générale*, Paris, Colin, éd. augmentée, 1968.
MARTINET A. (1972), «Une graphie phonologique à l'école», *in Études de linguistique appliquée*, n° 8 : 27-36.
PASSY P. (1906), *Petite phonétique comparée des principales langues européennes*, Leipzig et Berlin, Teubner.
PASSY P. (1932), *Les Sons du français*, Paris, Didier.
PILCH H. (1992), «À quoi bon la transcription phonétique?», *in* Martin Ph. (dir.), *Mélanges Léon*, Toronto, Mélodie et CSP : 395-407.
QUENEAU R. (1959), *Zazie dans le métro*, Paris, Gallimard.
ROUSSELOT P. et LACLOTTE (1902), *Précis de prononciation française*, Paris, Walter.
VENDRYES J. (1979), *Le Langage*, Paris, Albin Michel.
WRENN Ph. M. (1992), «Écriture dialectale et poésie orale», *in* Martin Ph. (dir.), *Mélanges Léon*, Toronto, Mélodie et CSP : 551-568.
YAGUELLO M. (1990), *Histoires de Lettres*, Paris, Seuil.

Orthographe moderne ou jeux de langage ?

Raymond Queneau faisait semblant d'avoir inventé une *ortograf fonétik*. Il en a fait un jeu où les inconséquences ne le gênaient pas ! En voici quelques exemples, glanés dans son roman farfelu, *Zazie dans le métro :*
Itipstu. Lagoçamilébou. Doukipudonktan ? Dakor. Sé'kékchose. J'menfous. Faut sméfier. Meussieu qu'elle dit vzêtes zun mélancolique. Voui vuvurre Zazie. Kwavouar ?Aboujplu. Un cornèdebif et un cacocalo. Astage, ilupu.

Le jeu des graphies est très employé dans la publicité. Il est depuis longtemps utilisé en anglais, surtout en Amérique du Nord, où : *4 U* signifie *« For you »* et *2 U* : *« To You. »* Mais les Français s'y sont mis aussi. Vincent Lucci, dans son « Orhographe en liberté », a établi un répertoire des procédés actuels en France :
Vers l'oral : *En Z, c'est plus Z amusant*; *Avec l'agrafeuse Peugeot, y'a qu'à.*
Morpho-phonographique : *Axion (action)*, *Siclair (Si clair)*, *Onouga* (chocolat au nougat), *Boutic'Décor*, *Huilor*, *Moulinex.*
Phonographique : *K7* (cassette), *K store* (grand magasin Castor).
Idéographique : *Je suis bien dans mon Lee* (dans mon lit), *Un aspirateur Sup'Air*, *J'(dessin d'un cœur) Shell* (j'aime Shell).

La bosse de l'orthographe

Les recherches de Michel Habib, à l'hôpital de la Timone, à Marseille, ont révélé l'existence d'une zone cérébrale, située dans l'aire de Broca (responsable du langage). Cette zone assure la coordination des sons de la parole avec l'orthographe. De la grandeur de cette zone dépend l'aptitude à écrire « correctement » ou non. Voilà qui va réconforter les pas doués pour les dictées !
Mais pourquoi se tracasser puisque les logiciels modernes comportent maintenant des correcteurs d'orthographe, que l'on trouve également sur Internet !

CHAPITRE 3
LA NATURE PHYSIQUE DES SONS DE LA PAROLE

Il ne faut pas confondre les signaux physiques avec les sensations qu'ils suscitent, comme on le fait trop souvent. La sensation est de l'ordre de la représentation mentale.
Colin CHERRY, *On Human Communication*

1. NATURE DES SONS

D'un point de vue physiologique, le son est la sensation perçue par l'oreille. Cette sensation est produite, physiquement, par les oscillations d'un corps vibrant qui se trouve être, dans le cas de la parole, les cordes vocales en mouvement.

Les sons se propagent à l'oreille de l'auditeur par le milieu élastique de l'air ambiant, à la vitesse de 340 mètres à la seconde. Dans le vide, les sons ne se propagent pas.

Lorsqu'on évalue un son, on le fait selon quatre critères : sa *durée*, son *intensité*, sa *hauteur* et son *timbre*.

2. INTENSITÉ ET AMPLITUDE

La sensation sonore d'intensité dépend de l'amplitude physique du mouvement vibratoire. Imaginons une corde de violon, attachée en x et y (fig. 1). On la tend, de sa position de repos A, jusqu'à B. Lorsqu'on la lâche, elle fait un mouvement de va-et-vient qui produit une *onde sonore*, dont le cycle complet est ABCA. L'onde se propage concentriquement en poussant les molécules d'air jusqu'à notre oreille.

La distance AB mesure l'*amplitude* du son. Plus l'amplitude est grande, plus la sensation d'intensité est forte. Deux vibrations de même *phase* (commençant et se terminant en même temps) renforcent l'intensité du son.

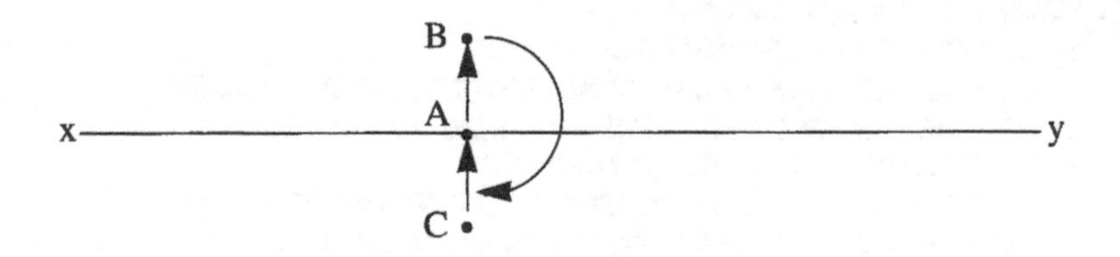

Figure 1. Création d'une onde sonore (ABCA) = 1 cycle. AB = amplitude.

Supposons maintenant qu'au milieu de la corde, au point représenté par les trois phases du mouvement A, puis B, puis C, on fixe un stylet enregistreur et que l'on fasse défiler une bande de papier derrière la corde. Le stylet va tracer le mouvement de va-et-vient sous forme d'une onde, qui pourrait être celle de la figure 2. Dans la réalité, les frottements du corps vibrant contre les molécules d'air font qu'un son finit toujours par *s'amortir.* C'est-à-dire que son amplitude diminue et que sa perception s'estompe.

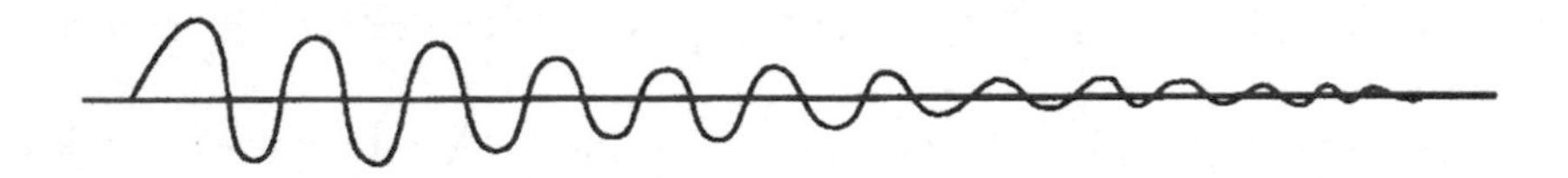

Figure 2. Enregistrement d'une onde sonore.
L'amplitude décroît : l'onde sonore s'amortit.

3. HAUTEUR ET FRÉQUENCE

La sensation de *hauteur* d'un son dépend de la *fréquence* de la vibration. Plus la fréquence est rapide, plus le son est perçu comme *aigu*. Plus lente est la fréquence, plus *grave* le son paraîtra.

On appelle *vibration double*, ou *cycle*, un mouvement de va-et-vient complet du corps vibrant (fig. 3). La période T = cd est le temps du cycle.

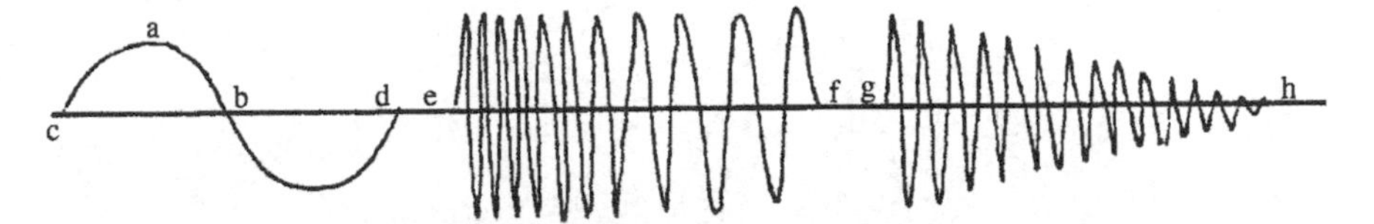

Figure 3. À gauche, un cycle, c a b d et sa période; au centre, l'amplitude de l'onde e-f est constante mais sa fréquence diminue; à droite, la fréquence de la courbe g-h ne change pas mais c'est l'amplitude qui diminue.

La *fréquence* F d'un son est alors définie comme l'inverse de la période. Si une période T = 1/10e de seconde, la fréquence est 10. La fréquence indique donc le nombre de cycles par seconde. On la mesure en hertz, du nom du physicien allemand Heinrich Hertz, qui a défini cette unité de mesure. *Un hertz (Hz) est un cycle par seconde.*

Les voyelles sont perçues *graves*, par rapport aux consonnes *aiguës*, comme le [s] (fig. 7 et 8). Dans la parole ordinaire, on oppose les voix graves des hommes (en moyenne de 80 à 120 Hz) aux voix plus hautes des femmes (généralement à l'octave supérieure : de 160 à 240 Hz).

4. TIMBRES ET TYPES D'ONDES

Le *timbre* d'un son, c'est la qualité qui nous permet de distinguer le *la* d'une clarinette de celui d'une trompette ou la vocalisation de [i] de celle de [o]. En anglais, on désigne plutôt le timbre par le terme de « couleur » du son. On indique par là que le son n'est pas seulement une réalité physique mais aussi physiologique, dont la perception est analogue à celle des couleurs, dans le domaine de la lumière. D'où, peut-être, la perception colorée de certains poètes, comme Rimbaud, avec son célèbre *Sonnet des voyelles.*

Acoustiquement, le timbre résulte de plusieurs facteurs : l'onde est *simple*, *complexe*, *périodique* ou *apériodique.*

Le son *simple*, comme celui du diapason, est grêle, sans timbre spécifique. On le représente par une courbe sinusoïdale (fig. 3, ci-dessus).

5. LE SON COMPLEXE : FONDAMENTAL ET HARMONIQUES

L'appareil phonatoire humain produit des sons *complexes* (fig. 4). Le mathématicien français Fourier a montré que tout son complexe peut être analysé en une série de sons simples, sinusoïdaux.

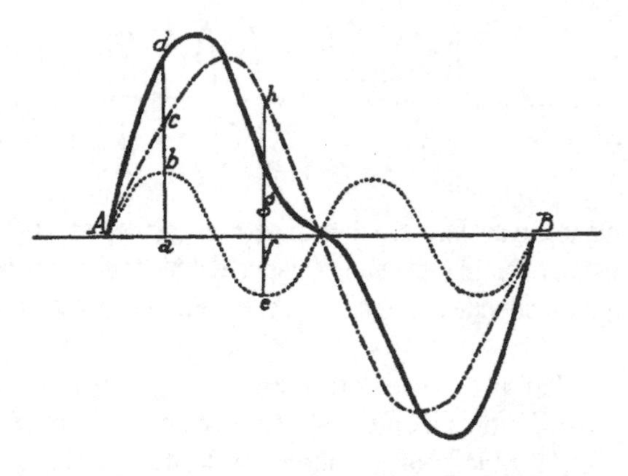

Figure 4. Représentation d'un son complexe (d'après Tarneaud et Borel-Maisonny, p. 5).

Dans la figure 4, la courbe non sinusoïdale (en trait noir) du son complexe résulte ici de la superposition de deux sons simples, sinusoïdaux, dont les courbes sont construites ainsi :

$$ab + ac = ad$$
$$fh - fe = fg$$

Le plus grave des sons d'une série d'un son complexe ainsi décomposé en ses éléments simples est appelé *fondamental* ; les autres, que l'on nomme *partiels* ou *harmoniques*, sont dans un rapport simple avec le fondamental. Si la fréquence du fondamental F_0 est 100 Hz, le premier harmonique F_1 sera à 200 Hz, le deuxième F_2 sera à 300 Hz, F_3 à 400, F_{10} à 1 100, etc. On aura par exemple :

F_{10} = 1 100 : 10e harmonique = 100 × 11, etc.

....

F_3 = 400 : 3e harmonique = 100 × 4
F_2 = 300 : 2e harmonique = 100 × 3
F_1 = 200 : 1er harmonique = 100 × 2
F_0 = 100 : son fondamental

À l'aide d'un spectrographe, appareil qui transforme les signaux acoustiques en schémas lumineux, on peut voir le déploiement des *harmoniques des voyelles* sur un spectrogramme, comme dans l'exemple suivant « Comment allez-vous… », obtenu avec le logiciel WinPitch de Philippe Martin (fig. 5).

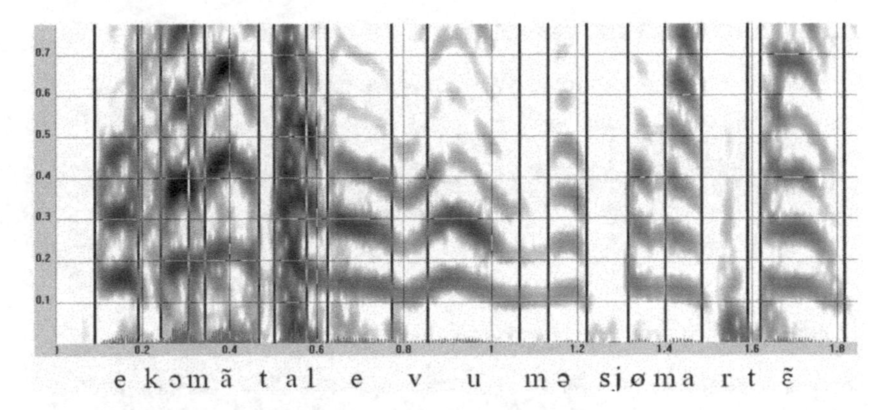

Figure 5. Spectrogramme amplifié de l'énoncé :
« Et, comment allez-vous, monsieur Martin ? » par une voix masculine.

Les barres noires, horizontales montrent le fondamental F_1 et les deux harmoniques suivants des voyelles, F_2 et F_3. On peut évaluer l'évolution des hauteurs en se référant à l'échelle verticale. Le fondamental culmine ici vers 220 Hz. F_2 est bien au double de cette hauteur, soit 440, et F_3 à 660.
Les intensités sont représentées par la présence et le degré de noirceur des spectres, ce qui n'est ni précis ni pratique mais peut être calculé automatiquement par le logiciel WinPitch, à partir de la courbe oscillographique, dont on trouvera des exemples plus loin, figure 7.

6. SONS COMPLEXES PÉRIODIQUES : LES VOYELLES. NON PÉRIODIQUES : LES CONSONNES

Lorsque la forme de l'onde présente une certaine rythmicité, elle est dite *périodique*. C'est le cas des sons musicaux et des voyelles (fig. 6a) et de certaines consonnes qui se vocalisent souvent comme les [m n ʀ l v]. Si l'onde est *non périodique*, elle constitue un bruit, fait de vibrations plus ou moins aléatoires. C'est le cas général des consonnes (fig. 6b).

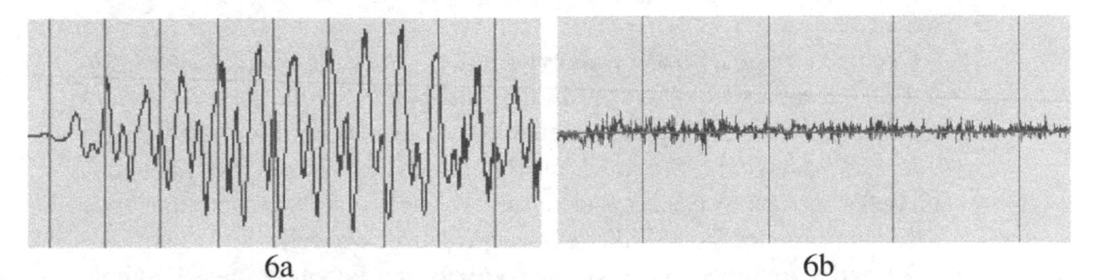

Figure 6. Oscillogramme d'un fragment de voyelle en 6a et de consonne en 6b.

7. LES CRITÈRES DE PÉRIODICITÉ ET D'INTENSITÉ

L'analyse oscillographique (fig. 7) montre plusieurs faits intéressants.

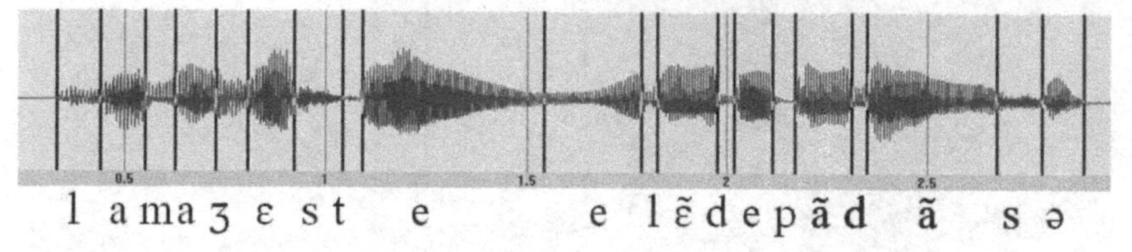

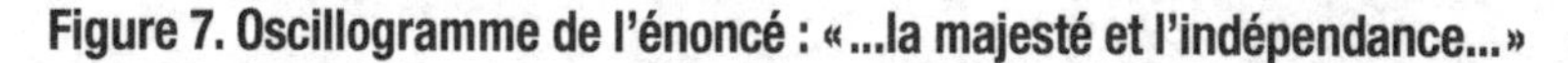

Figure 7. Oscillogramme de l'énoncé : « ...la majesté et l'indépendance... »

Les traits verticaux indiquent les divisions de temps, de 10 en 10 cs. Les traits verticaux en pointillé marquent la séparation d'un phone à un autre. La durée très longue des syllabes accentuées montre qu'il s'agit d'une diction emphatique.

On découvre là, de manière rudimentaire mais très visible, les différences de périodicité et d'intensité entre voyelles et consonnes et entre les divers types de consonnes dont on étudiera le classement de manière plus précise au chapitre suivant.

En voici quelques exemples :

– **Occlusives sans vibrations laryngiennes** : [p t k]. Exemples (fig. 7) : l'onde sonore est interrompue pour le [t] de *majesté*, bien qu'il subisse l'influence du [s] précédent ; bruit d'explosion très visible. De même, [p] dans *indépendance* : flot sonore interrompu et explosion.

– **Fricatives sourdes** [f s ʃ] **sans vibrations laryngiennes**. Exemple (fig. 7) : les [s] dans *majesté* et *indépendance*. Bruits de friction très aigus ; les vibrations sont si rapprochées que le spectre est un bloc noir compact. L'intensité est très forte, puisque l'amplitude (la largeur de l'enveloppe sonore) est presque aussi importante que celle des voyelles les plus fortes.

– **Occlusives avec vibrations laryngiennes** : orales : [b d g] ; nasales : [m n ɲ ŋ]. Exemples (fig. 7) : les [d] dans *indépendance* : le premier surtout montre des vibrations qui témoignent de celles des cordes vocales, alors que le canal buccal est fermé. Le [m] de majesté, fermé au niveau buccal, laisse les vibrations nasales s'échapper. Elles se manifestent par une trace assez importante. Sa périodicité le rapproche des voyelles.

– **Fricatives sonores** [v z ʒ] **avec vibrations laryngiennes**. Exemple (fig. 7) : [ʒ] dans *majesté*. Ses vibrations apériodiques sont assez aiguës

(spectres rapprochés) mais beaucoup moins que celles du [s]. Intensité assez importante aussi, la largeur de l'enveloppe indique une amplitude plus grande que celle des voyelles inaccentuées, comme le premier [a].
– **Fricatives sonores très vocalisées** : [l ʀ]. Exemples (fig. 7) : les [l]. Le premier, dans *la*, est faible et se distingue mal du [a] qui le suit. Le second, dans *l'indépendance*, est assez périodique et plus intense.
– **Voyelles** : ici, [a a ɛ e e ɛ̃ e ɑ̃ ɑ̃]. Toutes montrent une onde très périodique. Dans l'ensemble, leur intensité est beaucoup plus importante que celle des consonnes. L'intensité des voyelles se manifeste surtout dans les fréquences graves, en dessous de 4 000 Hz, alors que l'énergie des consonnes les plus fortes, comme [s] et [ʃ] est surtout dans les aigus (fig. 8, p. 57 et fig. 1, p. 69).

Les harmoniques des voyelles se détachent nettement par leur grande amplitude. On peut les compter. Le [a] de la syllabe [ma] comporte ainsi 12 vibrations en une période de 10 cs. Cela indique donc que cette voyelle a été émise à une hauteur de 120 Hz.

8. LA RÉSONANCE ET LES FORMANTS VOCALIQUES

Toute cavité a une *fréquence de résonance propre* qui se met à vibrer chaque fois qu'une fréquence voisine lui est fournie. Si on entre dans une salle de bains, on a souvent envie de chanter une note bien déterminée, car on sait qu'elle sera immédiatement renforcée par la résonance de la salle. Mais on constate que la zone de renforcement est relativement limitée.

Il en est de même pour les cavités de la phonation. Les deux principales sont la cavité pharyngée et la cavité buccale. Selon la position de la langue et l'intervention des résonateurs secondaires (nasal et buccal), chacune de ces deux cavités de résonance va amplifier, dans la série des harmoniques qui lui est fournie, une zone de fréquences correspondant à sa résonance propre. Cette zone renforcée se nomme *formant* et couvre une largeur d'environ 200 Hz.

Les voyelles ont plusieurs formants mais les plus importants, pour la formation des timbres, sont les deux premiers. Si ces deux premiers formants sont rapprochés, on a une voyelle dite acoustiquement *compacte*, s'ils sont écartés, une voyelle *diffuse*. On constate que ce sont les voyelles articulées vers l'avant de la cavité buccale qui sont les plus diffuses (et perçues comme les plus aiguës, à cause de leur second formant haut) alors que les voyelles d'arrière sont plus compactes et plus graves (fig. 8).

Les travaux de Pierre Delattre et autres, sur la synthèse de la parole, avaient montré, dès les années 1950, que les deux premiers formants étaient nécessaires et suffisants pour produire les voyelles correspondantes. Mais les recherches de Gunnar Fant (1960), confirmées par Delattre lui-même, ont montré que les formants résultent en réalité de l'interaction des différentes cavités du conduit vocal et non d'une cavité particulière : « Tout formant dépend plus ou moins de la somme des cavités, et cela d'autant plus que la cavité totale (somme) est éloignée d'une section uniforme » (1966, p. 250).

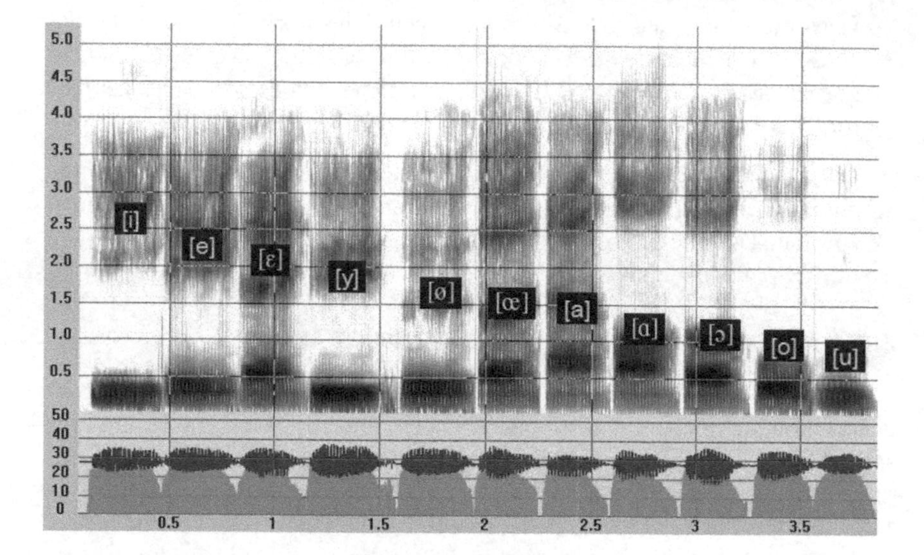

Figure 8. Spectrogramme des voyelles orales françaises, à filtrage large, qui cache les harmoniques mais détache les formants.

Les barres verticales noires représentent les harmoniques de chaque voyelle. Leur spectre s'étale ici d'une centaine d'hertz à environ 4 000. Le renforcement des intensités, qui détermine les formants, se manifeste par un noir plus sombre. On voit que les formants du [i] sont les plus diffus (les plus écartés : F_1 = 250 Hz, F_2 = 2 500 Hz). De ce [i], qui est la voyelle la plus antérieure, à [u], la plus postérieure, les deux formants de chaque voyelle se rapprochent de plus en plus. Les voyelles les plus compactes (dont les formants sont les plus rapprochés) sont [a] et [ɑ] et surtout [ɔ], [o], [u]. Les formants du [u] se confondent presque, se situant à F_1 = 250 et F2 = 750 Hz, à tel point que, à la synthèse de la parole, un seul formant intermédiaire suffit à reproduire cette voyelle. On voit, par ce spectrogramme, que les formants représentent bien des zones d'harmoniques et non des points précis. (Voir les chiffres de tous les formants vocaliques p. 114.)

9. LA STRUCTURATION ACOUSTIQUE DES CONSONNES

En dehors des critères de périodicité et d'intensité, d'autres paramètres se combinent pour faire des consonnes des sons très complexes. On peut résumer ainsi les principaux traits consonantiques dont on trouvera d'autres illustrations ci-dessous, à la figure 9 :

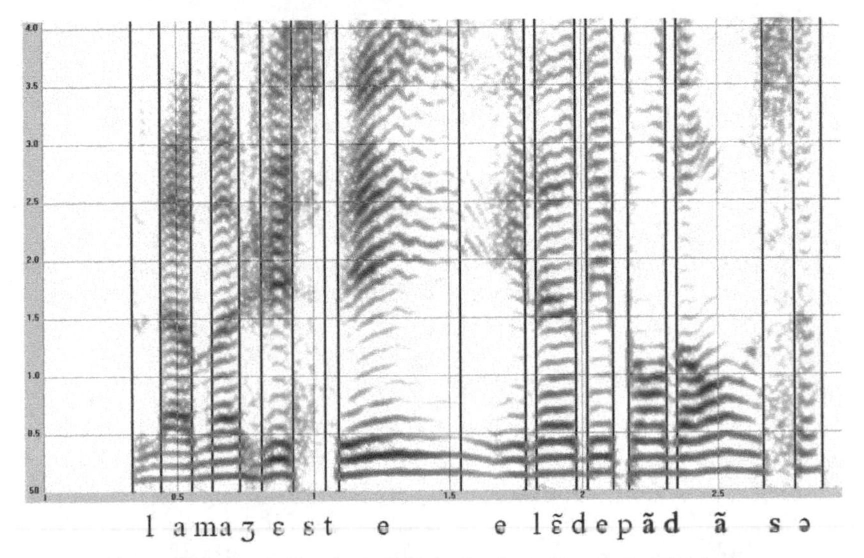

Figure 9. Spectrogramme (à bande étroite : fenêtre 46 ms) de l'énoncé : «...la majesté et l'indépendance...» dit d'un ton emphatique (les voyelles finales de groupes sont très longues).

9.1 DEGRÉ DE PÉRIODICITÉ

– *Bruits totalement apériodiques :* les consonnes dites *sourdes* [p t k f s ʃ].
– *Bruits mélangés de périodicité du ton laryngien :* les consonnes dites sonores [b d g v z ʒ].
– *Bruits avec beaucoup de périodicité :* [ʀ l m n] : elles sont proches des voyelles. Elles comportent même des formants, comme les voyelles.

9.2 DEGRÉ D'INTERRUPTION DU FLOT VOCALIQUE

– *Bruits interrompus et explosion de haute fréquence :* [p t k], ou de plus basse fréquence : [b d g].

– *Bruits continus de friction de haute fréquence:* [f s ʃ] et [v z ʒ].

Dans ce dernier groupe, [f] est caractérisé par sa faible intensité et l'étendue de son spectre (0 à 10 000 Hz), [s] a une forte intensité et haute fréquence (entre 4 000 et 8 000 Hz), [ʃ] a une concentration de bruit moyenne (entre 2 000 et 4 000 Hz). Les sonores correspondantes ont une énergie atténuée (fig. 9).

9.3 EFFET DES TRANSITIONS CONSONANTIQUES SUR LES FORMANTS DES VOYELLES (SURTOUT SUR LE SECOND FORMANT)

– *Les transitions des dentales* [t d n] sont reliées à des notes hautes. C'est-à-dire que la voyelle contiguë à l'une de ces consonnes aura son deuxième formant infléchi vers le haut.
– *Les transitions des labiales* [p b m] s'opèrent vers les notes basses.
– *Les transitions des palatales* [k g] s'effectuent vers des notes moyennes.

9.4 VITESSE DES TRANSITIONS

Elles sont rapides pour les occlusives, lentes pour les fricatives. La direction dans laquelle s'infléchissent les formants des voyelles se nomme le *locus* de la consonne et joue un rôle surtout pour les occlusives.

On a refait, figure 9, l'analyse oscillographique de l'énoncé précédent : « la majesté et l'indépendance », cette fois avec le spectrographe, comme pour l'analyse des voyelles de la figure 8. On retrouve les traits décrits, à partir de l'oscillogramme de la figure 7, vus d'une autre perspective puisque le spectrogramme montre la composition de l'onde sonore et non plus seulement sa forme, son enveloppe. On voit les interruptions du flux sonore pour les occlusives [t] et [p]. Les petites taches verticales qui les suivent sont des bruits de friction de l'explosion. La fricative sonore [ʒ] a une bande de voisement, à la hauteur du premier harmonique des voyelles, qui indique que l'air laryngien a vibré. On retrouve la même indication de voisement pour [l] et [d]. Pour cette dernière consonne, la bande blanche verticale indique l'arrêt de l'air buccal mais la sonorité laryngienne continue à se manifester, ce qui n'est pas le cas pour la non-voisée correspondante, le [t]. Pour le [m], également sonore (il a une bande de voisement), son occlusion n'est pas parfaite (un peu d'air passe par le nez), les traces légères en sont visibles sur la bande verticale de l'occlusion.

Les consonnes fricatives ont des bruits de friction beaucoup plus élevés que les harmoniques des voyelles. Le [ʒ] et le [s] couvrent ici tout le spectre, jusqu'à 8 000 Hz, alors que les harmoniques les plus hauts des voyelles ne dépassent guère 4 000 Hz.

10. SONS DE FRICTION, SEMI-PÉRIODIQUES : SEMI-CONSONNES OU SEMI-VOYELLES

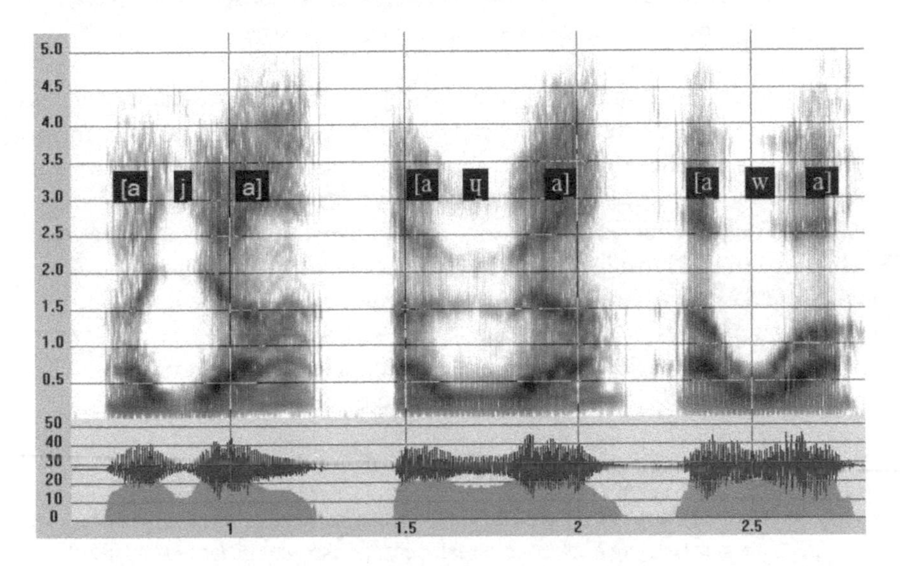

Figure 10. Semi-consonnes ou semi-voyelles : [j], [ɥ], [w].
Leur caractère vocalique vient de leur structure formantique qui ressemble à la voyelle correspondante. Leur caractère consonantique vient de leur structure transitionnelle et des bruits qui les accompagnent.

Cette figure 10 est un spectrogramme à filtrage large des séquences [aja aɥa awa]. Les formants du [a] se situent ici vers 750 Hz pour F_1 et 1 500 Hz pour F_2.On voit que, pour le yod, le formant du [a] s'infléchit vers 250 Hz, ce qui correspond au formant bas du [i], et que le second formant monte vers 2 500 Hz, ce qui est la hauteur du second formant du [i]. On constate, grâce à la bande de formant (horizontale, en bas du spectre), que ce yod est vocalisé. Rappelons que, sur ce type de spectrogramme, les stries verticales représentent les vibrations des cordes vocales (le noir indique le passage de l'air, le blanc son interruption par la fermeture des cordes vocales).

On voit que ce yod est peu voisé dans la partie inférieure de son spectre, jusque vers 4 000 Hz. Il a des bruits de friction beaucoup plus élevés, non visibles ici, comme ceux du [s]. On peut faire des remarques analogues sur les deux autres semi-consonnes : formants à la hauteur de la voyelle correspondante (F_1 = 250 Hz pour [i], [y] et [u] et F_2 respectivement 2 500, 1 800 et 750 Hz); barre de voisement, bruits de friction dans le spectre. Mais le caractère le plus évident est la nature transitionnelle, instable des trois semi-consonnes. Grâce à la courbe oscillographique, au-dessous des spectres, les semi-consonnes montrent une intensité faible par rapport aux voyelles puisque leur enveloppe se rétrécit. On constate que le yod est le moins vocalisé; le ué l'est un peu plus et le oué davantage encore.

En résumé, ces séquences [aja aɥa awa] présentent les caractéristiques acoustiques des semi-consonnes, *yod* [j], *ué* [ɥ] et *oué* [w]. Elles ressemblent aux sons des voyelles dont elles proviennent. Elles en ont la mélodicité qui vient d'une certaine périodicité du son. Mais elles ont, en même temps, des bruits de friction apériodiques et sont de véritables transitions sans période stable. Le fait que le yod soit acoustiquement le plus proche d'une consonne le rend apte à jouer parfois un rôle phonologique, comme dans les oppositions : *pays /pei/ - paye /pɛj/*; *abbaye /abei/ - abeille/abɛj/.* Les autres semi-consonnes ne jouent jamais ce rôle et n'apparaissent jamais en finale. Le nom de *semi-voyelle* leur convient davantage de ce point de vue.

Problématique et questions

1. Quelles sont les quatre caractéristiques communes aux sons de la parole et à ceux que l'on trouve dans la nature ? Qu'est-ce qui est spécifique aux sons du langage humain ?
2. Dessinez l'onde d'un son pur et celle d'un son complexe.
3. Quelle est la fréquence du son représenté par l'onde suivante, si l'on suppose que la longueur totale de la courbe représente une période de 5 centisecondes ?

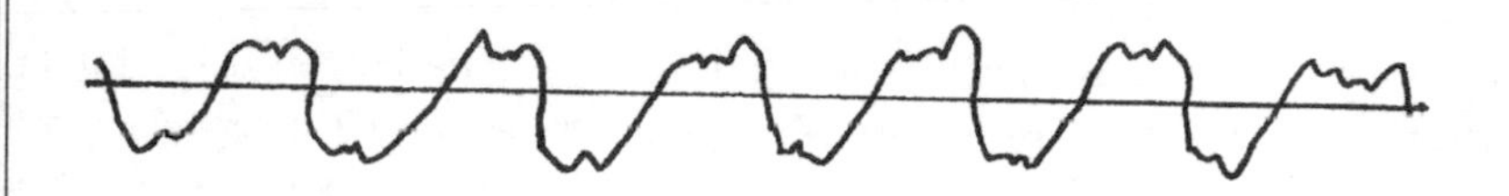

4. S'agit-il d'un son aigu ou grave par rapport à celui de la même onde dont la période serait de 20 centisecondes ?
5. Quelles sont les fréquences des 5 premiers harmoniques d'une voix dont le fondamental usuel est à 250 Hz ?

6. Représentez l'onde sonore d'un son de 100 Hz et la même onde avec une intensité plus forte.
7. D'un point de vue acoustique, quelle est la différence majeure entre voyelles et consonnes ?
8. Transcrivez en phonétique les énoncés suivants : *Les formants ne sont pas à des hauteurs fixes. Il existe des zones assez larges, responsables du timbre des voyelles.*
9. Quelle différence y a-t-il entre un oscillogramme et un spectrogramme ?
10. Quel est le rôle des formants pour les voyelles et les consonnes ?
11. Donnez des exemples de sons de la nature, proches des voyelles et proches des consonnes.

(Réponses p. 261)

BIBLIOGRAPHIE

Boë L.J. et Vilain C. M. (dir.) (2010) *Un siècle de phonétique expérimentale*, Lyon, ENS éditions.

Carton F. (2010) Préface de Boë. *Op.cit.*

Chailley J. (1984), *Précis de musicologie*, Paris, PUF.

Cherry C. (1957), *On Human Communication*, Boston, MIT Press ; New York, Wiley ; Londres, Chapman.

Delattre P. (1958), « Les indices acoustiques de la parole », *Phonetica*, vol. 2, 1-2 : 108-118, 3-4 : 226-251.

Delattre P. (1966), *Studies in French land Comparative Phonetics*, Londres, La Haye, Paris, Mouton.

Dobrovolsky M. (1992), « Joy », in Martin Ph. (dir.), *Mélanges Léon*, Toronto, Mélodie et CSP.

Fant G. (1966), *Acoustic Phonetics*, La Haye, Mouton.

Fónagy I. (2001), *Languages within Language, An evolutive Approach*, 5: 87-173.

Jakobson R., Fant, G. et Halle M. (1952), *Preliminaries to Speech Analysis, the Distinctive Features and their Correlates*, Cambridge, Mass., Acoustics Laboratories of MIT.

Liénard J.-S. (1977), *Les Processus de la communication parlée*, Paris, Masson.

Malmberg B. (1974), *Manuel de phonétique générale*, Paris, Picard.

Martin Ph. (1996), « WinPitch, un logiciel d'analyse en temps réel de la fréquence fondamentale fonctionnant sous Window », *Actes des XXIVe journées d'étude sur la parole,* Avignon, mai 1996 : 224-227. Site Web : http://winpitch.com

Martin Ph. (2009) *Phonétique acoustique*, Paris, Armand Colin.

MARTIN Ph. (2010) « Éléments d'histoire de l'analyse de la fréquence laryngienne », in BOË L. J. et Vilain C. M. (dir.) *Op.cit.*

MOLES A. et Vallancien J. (dir.) (1966), *Communications et langages*, Paris, Gauthier-Villars.

PETURSSON M. et Neppert T.J. (1991), *Elementarbuch der Phonetik*, Hambourg, Helmut Buske.

RUWET N. (1972) *Langage, Musique, Poésie*, Paris, Seuil.

TARNEAUD J. BOREL-MAISONNY S. (1961), *La Voix et la Parole*, Paris, New York, Barcelone, Maloine.

VAISSIÈRE J. (1976), «La structuration acoustique de la phrase française», *Annali della scuola superiore di Pisa*, Pise, Pacini-Maariotti : 530-560.

Musique et parole

Jacques Chailley, acousticien et musicologue, rappelle que parole et musique sont des phénomènes de même nature. Chailley a observé, à l'aide du synthétiseur de parole de Delattre, que plus on ralentit la parole, plus on la rapproche du chant. «Un même dessin, dit-il, passé à des vitesses différentes, peut reproduire tantôt une parole compréhensible, tantôt un morceau de musique et vice versa. Une fois suffisamment ralenti, mon nom, Jacques Chailley, prononcé recto tono, a pu ainsi être transformé en une séquence justifiable d'une dictée musicale.» D'autres expériences, dont les résultats sont confirmés par Delattre, font considérer les consonnes comme des arpèges plutôt que comme des bruits.

C'est dans l'expression des émotions que la musique est la plus proche de la parole, comme l'ont bien montré Ruwet, Fónagy et Dobrovolsky. Le chant privilégie les voyelles par rapport aux consonnes. La musique est plus stylisée que la parole dont elle n'a pas l'énorme redondance, la multiplicité des bruits. La musique est pour cela plus facile à décoder. D'où le plaisir de l'écoute d'un morceau de musique qui a, de plus, une gamme de tonalités dont la parole est loin d'avoir l'étendue.

CHAPITRE 4
LA PERCEPTION DES SONS DE LA PAROLE

La nature a donné à l'homme une langue,
mais deux oreilles afin qu'il puisse
entendre deux fois plus qu'il ne parle.

ÉPICTÈTE, *Discours.*

1. PROBLÈMES GÉNÉRAUX DE PERCEPTION

L'oreille humaine a une très grande sensibilité. Un déplacement d'amplitude de la membrane du tympan de 0,000 000 001 cm suffit à provoquer une sensation auditive. Miller affirme que si l'oreille était plus sensible, elle percevrait le déplacement des molécules de l'air.

On considère que l'oreille peut percevoir 1 600 fréquences et 350 intensités différentes. La combinaison des deux paramètres conduit à penser que l'on est théoriquement capable de distinguer 340 000 sons. Cependant la discrimination des sons ne peut s'opérer efficacement, dans la réalité, que par comparaison entre deux ou plusieurs sons. D'autre part, toutes sortes de bruits viennent produire des effets de *masque* en perturbant l'audition et par là même la perception.

Dans la parole, les sons les plus sûrs, reconnus avec le maximum de chances, comportent des spectres de fréquences nettement caractérisés par la répartition de leurs intensités. Ces combinaisons réduisent le nombre des phones utilisés dans toutes les langues du monde à environ 80. Mais, à côté de cette possibilité de décodage sans problème, on constate que la plupart des langues augmentent leur marge de sécurité en ne retenant, pour leur codage, qu'un beaucoup plus petit nombre de phonèmes. En général, on en compte entre 30 et 50 ; 37 pour le français standard.

Il faut distinguer entre l'*audition*, qui relève de la sensibilité de l'oreille à entendre et la *perception*, qui procède d'une activité mentale de reconnaissance. Les personnes âgées entendent souvent mal les fréquences aiguës des consonnes, comme *f* et *s*. Mais elles peuvent les reconstruire grâce au contexte. Dans le premier cas, il s'agit d'audition, dans le second, de perception linguistique. La perception concerne également l'interprétation de la réalité physique des sons, comme on va le voir tout particulièrement pour les phénomènes de l'intensité et de la fréquence.

2. PERCEPTION DE L'INTENSITÉ

La perception de l'intensité est logarithmique. L'expérience montre que la sensation d'intensité s'accroît de la même manière quand l'intensité du stimulus passe de 1 à 10 et de 10 à 100 pour une même fréquence. D'où la loi de Fechner qui vaut également pour la hauteur des sons : « La sensation croît en progression arithmétique quand l'excitation croît en progression géométrique ». On dit encore que la sensation varie comme le logarithme de l'excitation.

La *force* vocale peut se mesurer en *dynes* (terme physique), ou en watt/ cm^2 (terme d'énergie). Mais cela donne des nombres trop grands et le physicien anglais Graham Bell a proposé d'exprimer le rapport des intensités par le logarithme des énergies, ce qui correspond d'ailleurs ainsi au mécanisme de la perception.

Du son le plus faible qu'on puisse percevoir au son le plus intense que l'oreille puisse tolérer, l'échelle des *bels* va de 0 à 14. On a créé alors une unité plus raffinée, le *décibel* [dB], qui représente un dixième de bel. La puissance de la voix se situe entre une dizaine de décibels pour le murmure ou la voix chuchotée et 60 à 80 décibels pour les voix de chanteurs les plus fortes. Un bruit intense, comme celui d'une turbine de jet, à quelques mètres, dépasse le seuil tolérable de 140 dB. Le volume des postes de radio est en général gradué de trois en trois décibels.

Le degré de « sonorité » – impression d'intensité sonore – d'un son est également fonction de sa complexité harmonique et les sons dont l'énergie est concentrée dans les graves (comme les voyelles) demandent moins d'amplification que les autres (c'est le cas des consonnes) pour atteindre au même degré de perception sonore.

À une intensité moyenne de parole de 25 dB, on distingue nettement les voyelles mais non les consonnes. On voit très bien sur un oscillogramme, (comme ceux de la figure 7, p. 52, ou celui du bas de la fig. 8, p. 54), les différences d'intensité entre les divers types de sons. Les voyelles forment des blocs sonores importants alors que les consonnes sont des interruptions, comme les occlusives [p t k] ou des rétrécissements plus ou moins importants des plages sonores, comme les fricatives [f s ʃ v z ʒ l ʀ m j ɥ w].

3. PERCEPTION DE LA DURÉE

D'une manière générale, une certaine durée est nécessaire à la perception des phones mais aussi à celle des accents et de l'intonation.

La *longueur* physique d'un son nous donne la perception de sa *durée*. On mesure la longueur d'un son en centièmes de seconde [cs]. L'oreille tend à surestimer la durée des sons brefs et à sous-estimer celle des sons longs. L'acousticien nord-américain Martin Joos soutenait que 5 cs suffisent à une oreille exercée pour percevoir les variations de hauteur. Il ajoutait que si la pente de la courbe est rapide, le changement de hauteur est perçu en un temps plus court encore.

La durée des voyelles et des consonnes est très variable dans la parole spontanée. L'énoncé : *Tu n'sais pas encore tu verras*, dit à vitesse plutôt rapide, a été prononcé ainsi, par l'actrice Sylvie Joly : [tɥ̃ 4 cs/ nse 12 cs/ pa 17 cs/ ɑ̃ 6 cs/ kɔʀ 7 cs/ ty 16 cs/ ve 10 cs/ ʀa 15 cs]. Ces chiffres indiquent la durée des syllabes en centisecondes. Ils montrent ici une grande irrégularité, parfois contraire au patron rythmique attendu. Cependant, on sait que, dans le parler ordinaire, la longueur d'une inaccentuée (en général de 8 à 15 cs) représente une durée habituelle, nécessaire et suffisante à la perception des énoncés, même si une « bonne oreille » peut faire mieux.

4. PERCEPTION DE LA HAUTEUR

Dans la perception de la hauteur, l'oreille opère une double sélection. Elle néglige les consonnes, qui ont des fréquences instables, et ne retient des voyelles que la fréquence la plus grave, celle du fondamental. *Rappelons que le fondamental est produit par la vibration des cordes vocales.* Ses harmoniques proviennent du renforcement produit dans les diverses cavités buccales et nasales. La note moyenne habituelle du fondamental pour chaque individu se nomme *fondamental usuel*. C'est à sa hauteur que s'exprime, en général, le *euh* d'hésitation.

C'est l'évolution du fondamental qui nous donne ainsi la mélodie du discours. Cette mélodie structure l'énoncé en coordonnant et hiérarchisant les unités. Elle est alors appelée *intonation* par les linguistes.

Il peut arriver que le fondamental soit faible (pour certaines voyelles) ou même absent (dans quelques types de communication, celle du téléphone, par exemple) – on constate alors que la perception mélodique s'effectue également à l'aide de la différence de fréquence entre deux harmoniques consécutifs. Ainsi dans une série telle que celle de la troisième syllabe, dans l'exemple de la figure 5, p. 51, à ce point de la courbe, le [ã] de *Comment* : F_1 = 220 Hz, F_2 = 440, F_3 = 660, etc., la hauteur peut être perçue soit par le fondamental, 220, soit par la différence entre le 3e et le 2e harmonique (660 – 440 = 220), etc.

La perception de la hauteur varie de façon sensiblement logarithmique. Lorsque la fréquence d'un son s'accroît ainsi, en multipliant chaque fois la fréquence par 2 : 100, 200, 400, 800, 1 600... Hz, la perception de la hauteur est ressentie à chaque passage comme un accroissement linéaire : 1, 2, 3, 4, 5...

Lorsqu'on augmente la fréquence d'un son dans cette proportion : 100, 200, 300, 400, 500 les intervalles ne sont plus sentis comme égaux mais semblent diminuer.

5. PERCEPTION DES TIMBRES

5.1 VOYELLES

La formation des timbres vocaliques s'effectue en partie par les deux premiers formants, comme le prouve la synthèse de la parole ; mais c'est l'ensemble du conduit vocal qui est finalement responsable du timbre perçu. Ce conduit fonctionne comme un tube bouché à une extrémité. On a vu, dans le chapitre précédent (fig. 8 et 10), la représentation spectrographique des timbres isolés des voyelles et des semi-consonnes ainsi que l'analyse acoustique de fragments d'énoncés (fig. 5, 7 et 9). On a découvert ainsi, sommairement, la complexité de la structure de ces timbres.

5.2 CONSONNES

Rappelons que les consonnes occlusives sont caractérisées par une présence de bruit pour les sourdes [p t k] et un léger voisement pour les sonores [b d g]. Mais on a noté, en outre, que les consonnes sont perçues par les transitions des formants qui les relient aux voyelles contiguës. Ces transitions se dirigent vers un lieu virtuel, appelé le *locus* de la consonne (pluriel : des *loci*), qui a été étudié, pour le français, par Pierre Delattre (1966 : 248-275).

Le spectrogramme suivant donne une idée des principaux traits acoustiques responsables de la perception des consonnes fricatives et montre bien les transitions formantiques (fig. 1).

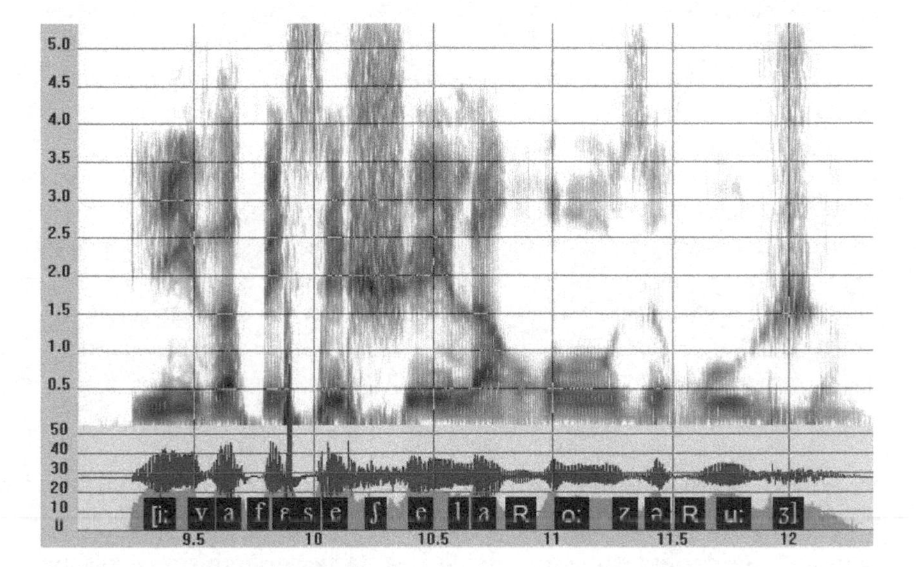

Figure 1. Spectrogramme (fenêtre 46 ms) de l'énoncé :
« Yves a fait sécher la rose rouge. »

Ce type de spectrogramme permet de bien voir les *formants* et leurs transitions – la manière dont ils s'infléchissent – et la période stable pendant laquelle nous percevons le timbre des voyelles. Il suffit, en français, d'une brève période stable pour que l'on perçoive la voyelle comme non diphtonguée, même si elle est suivie d'une zone de transition.

Le [i] de *Yves*, par exemple, a été perçu comme « voyelle pure », bien que le formant haut, F_2, s'abaisse et le formant bas, F_1, s'élève. C'est ce mouvement de *transition* qui nous fait percevoir le [v] qui suit. Ce dernier, fricative sonore, est très vocalisé, comme le montre la barre de voisement, située au niveau du premier formant des voyelles qui l'entourent. Les fréquences hautes de ce [v] sont de très faible intensité.

La consonne fricative [f] est très vulnérable. Son spectre est ici presque tout blanc, c'est-à-dire sans autre indice acoustique que les loci déterminés par les formants du [a] et du [ɛ] qui

l'entourent. Mais il manque ici le haut du spectre du [f] dont les bruits de friction se situent vers 11 000 Hz – une fréquence que l'on entend mal en vieillissant.
La distinction entre [s] et [ʃ] s'opère par les bruits de friction du haut de leur spectre; ceux de [ʃ] commencent vers 1 800 Hz, ceux du [s] ne deviennent intenses qu'au-dessus de 4 000 Hz.
Comme le [f], le [v] a des bruits de friction très faibles. C'est une consonne qui tombe facilement dans un parler spontané rapide. Les stries du bas du spectre indiquent le voisement de la consonne sonore [v], par rapport à la sourde correspondante articulatoirement, le [f], sans barre de voisement. Le [z] a un spectre qui ressemble à celui du [s] mais on voit que les bruits de friction, beaucoup moins intenses, indiquent que le [z] est une consonne plus douce. La barre de voisement dénote, ici aussi, son caractère sonore.
Le [ʒ] se distingue du [z] comme le [ʃ] du [s], par un spectre où les bruits de friction commencent beaucoup plus bas, sont moins intenses et le [ʒ] fait, lui aussi, partie des sonores comme le montrent, là encore, les stries horizontales de sa barre de voisement, au bas du spectre.
Le [l] est très vocalisé, comme le révèle sa barre de voisement, aussi intense que celle des voyelles. Le [R] qui est lui aussi une consonne dite « liquide » et alterne comme variante de [l] dans certaines langues, est aussi très vocalisé mais de manière moins intense ici.

6. TIMBRE INDIVIDUEL

Chaque voyelle comporte un autre *formant particulier* F_3, principal responsable des caractéristiques individuelles de la voix, ainsi que d'autres indices acoustiques. Il permet d'identifier, par la voix seule, même au téléphone et souvent au simple « allo », tous les gens que l'on connaît. On a pu ainsi comparer le timbre des voix aux empreintes digitales. Mais la complexité des empreintes vocales est telle qu'il est difficile de les distinguer avec sûreté, tant est grande la richesse en information d'un spectrogramme.

Dans le chant, si la voix s'élève au-dessus de la limite des formants des voyelles, leur timbre devient incompréhensible. Cela arrive souvent dans le registre haut de la voix de soprano.

L'oreille humaine *analyse* mal les harmoniques. Elle ne les perçoit généralement que par la coloration d'ensemble qu'ils donnent aux sons de la parole, en leur attribuant un timbre plutôt *aigu* ou *grave*, *« chaud »* , *« grêle »*, etc. Mais l'oreille synthétise très bien les harmoniques des phones utiles à la communication.

7. CONTRAINTES DE PRODUCTION ET DE PERCEPTION

Les organes de la production de la parole imposent à la voix certaines limites quant à la durée (souffle pulmonaire), la hauteur (fréquence des vibrations des cordes vocales) et l'intensité (force expiratoire et tension musculaire).

De son côté, l'oreille a également ses limites. Elle ne perçoit pas les sons trop faibles, trop graves ou trop aigus. Les deux facteurs intensité et hauteur se conjuguent pour déterminer des *seuils de perception.* Ainsi, on voit sur la figure 2 qu'un son de 64 Hz nécessite, pour être entendu, une intensité d'environ 50 dB alors qu'un son de 1 000 Hz est perçu avec une intensité de 10 dB.

De même, l'oreille ne supporte pas les sons trop intenses. Il y a des *seuils de douleur* ou de *traumatismes* au-dessus de 140 dB.

Les *fréquences où se produisent* les sons de la parole se situent, pour une audition normale moyenne, dans une *zone de perception plus large* (fig. 2, ci-dessous). Mais cette zone peut fluctuer beaucoup selon l'âge et l'état de santé de chaque individu. La totalité des sons théoriquement audibles se situe entre 20 et 20 000 Hz, soit une étendue d'environ 10 octaves.

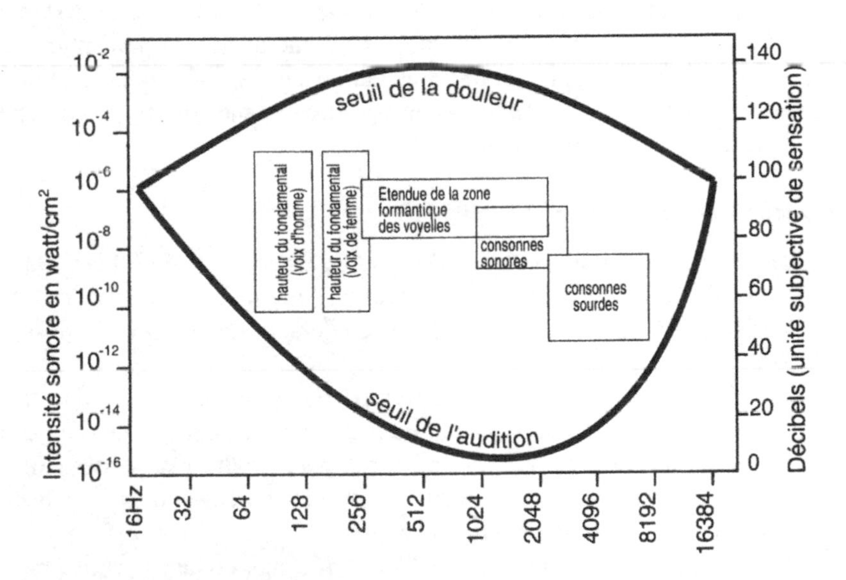

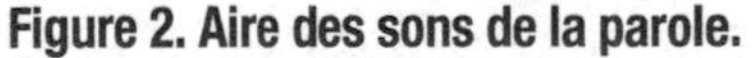

Figure 2. Aire des sons de la parole.

8. RELATION ENTRE PERCEPTION ET PRODUCTION

Les sourds de naissance ne parlent pas parce qu'ils n'entendent pas. La voix de quelqu'un qui devient sourd finit par s'altérer dans les mêmes fréquences que celles qu'il n'entend plus. Les personnes qui travaillent dans le bruit ou les musiciens et auditeurs de musique moderne dont l'intensité dépasse 85 dB deviennent partiellement ou totalement sourds et leur voix se modifie.

Les sourds qui ont appris à parler ont une voix mal posée, rauque, un débit irrégulier, heurté, auquel manque la rythmicité de la parole de l'entendant. La mélodie et l'accentuation sont inexistantes ou déformées, comme l'ont montré Aimard et Morgan. Le bébé sourd émet des sons mais son babil s'éteint vers 5 ou 6 mois. Au contraire, le bébé entendant apprend très vite à reproduire les sons que l'on prononce autour de lui. Otto Jespersen divise cette acquisition en trois périodes : *cris, babil, parole.* Chacune de ces périodes correspond à un développement progressif de l'audition. Gabrielle Konopczynski a bien étudié le processus de ce qu'elle appelle joliment « le langage émergent », qui va du rythme à la mélodie, avant d'atteindre le langage articulé en sons.

Le lien entre production et perception de la parole est extrêmement complexe. Il ne fonctionne pas seulement comme *feed back* dans le système physiologique d'un même individu, mais il s'étend aussi à la perception du discours de l'autre. On a pu montrer ainsi qu'un sujet dont le tempo est habituellement rapide a plus de facilité à comprendre des énoncés rapides qu'une personne dont l'élocution est lente.

9. AUDIBILITÉ ET INTELLIGIBILITÉ

Pour un sujet normal, l'audition est assurée entre 16 et 16 000 Hz. Dans cette zone, l'oreille est très sensible. En réalité, cette sensibilité s'atténue très vite à partir de 10 ans pour les fréquences en dessous de 60 Hz et au-dessus de 10 000 Hz.

En vieillissant, l'oreille reste longtemps bonne dans la zone des fréquences des voyelles. La surdité commence généralement par la zone des consonnes, autour de 4 000 Hz. Les sourds perçoivent ainsi souvent uniquement les voyelles dont les fréquences sont plus basses et dont l'intensité sonore est plus forte que celle des consonnes.

Les voyelles donnent au message de l'*audibilité* mais ce sont les consonnes, par leur structuration sonore, qui sont responsables de l'*intelligibilité*. De la voyelle la plus forte à la consonne la plus faible, il y a un écart d'environ 30 à 40 dB. Les personnes âgées perçoivent, grâce aux voyelles, la mélodie de la parole mais réinterprètent, souvent mal, l'information linguistique. C'est ainsi qu'un énoncé comme: «J'ai eu chaud» pourra être interprété comme «J'ai vu l'eau», «J'ai du veau», etc., selon le contexte ou la situation. Une amie écrivaine, âgée, à qui je disais : «Vous avez des problèmes d'audition?» me répondait : «Oh, non, je n'ai pas de problème d'édition!» Le théâtre populaire, au temps pas encore politiquement correct, a beaucoup joué sur ce type d'ambiguïté dont sont victimes les sourds et on a raconté bien des histoires scabreuses et politiquement incorrectes sur ce thème.

10. LA PERCEPTION DU FLUX SONORE

Dans les chapitres suivants, on étudiera séparément voyelles et consonnes et le système phonologique dans lequel les éléments phonématiques fonctionnent. On examinera ensuite leur structuration rythmique et mélodique.

Il est difficile de rendre compte de la réalité du flux sonore qui opère le syncrétisme de l'ensemble. Dans un parler spontané, familier, rapide ou relâché, de nombreuses distorsions apparaissent. On verra que des voyelles changent parfois de timbre ou disparaissent, que des consonnes modifient certains de leurs caractères ou disparaissent aussi. Pourtant nous arrivons à reconnaître «Monsieur» dans [psjø] et «Tu vas voir!» dans [taa :ʀ], etc. – à condition toutefois d'avoir déjà une bonne connaissance de patrons sonores semblables. C'est que la perception linguistique est un phénomène de *reconnaissance globale*. Quand nous voulons l'isoler, un phone est, certes, reconnu par ses traits descriptifs propres et son appartenance à un système de relations phonologiques et sémantiques, mais aussi parce qu'il fait partie d'un contexte distributionnel, rythmique, intonatif, dont notre cerveau connaît la probabilité d'occurrence. De nombreux travaux récents de Linda Shockey et Anthony Watkins confirment cet aspect pragmatique de la parole.

Problématique et questions

1. Quand devient-il impossible d'identifier clairement les voyelles dans les notes aiguës, chantées par les chanteurs d'opéra ?
2. Lorsque les enfants s'amusent à remplacer, dans une comptine, toutes les voyelles par une voyelle unique, qu'est-ce qui permet de reconnaître le texte ainsi transformé ?

Exemple :

« Une poule sur un mur
qui picote du pain dur
Picoti, picota
lève la patte et puis t'en vas »

devenant :

« i ni pili sir i mir... ki piki ti di pi dir », etc.

3. Pourrait-on imaginer une langue qui n'aurait que des consonnes ou que des voyelles ? Pourquoi ?
4. Quels sont les phones les plus faciles à entendre ? Pourquoi ?
5. En consultant le schéma la figure 2, p. 65, dites quelle est la hauteur optimale pour percevoir le son le plus faible possible.
6. Pour un son d'une hauteur de 16 000 Hz, quelle est l'intensité nécessaire à sa perception ? Et pour un son de 16 Hz ?
7. Comment varie le seuil de la douleur pour l'oreille ?
8. À quelle zone de fréquences correspondent les voyelles ?
9. Quelles sont les fréquences qui nécessitent une intensité importante pour être perçues ?
10. Transcrivez : *L'audition facile se situe dans une zone qui va de soixante à dix mille hertz, à une intensité de quarante à quatre-vingts décibels.*
11. Amusez-vous à dire la comptine de la poule, ou toute autre connue, en remplaçant successivement toutes les voyelles par une voyelle unique : e, a, i, o, des nasales, etc. Quel effet se produit-il ? Y a-t-il des voyelles qui donnent l'impression que c'est un ou une snob, un rural, etc. qui parle ?

(Réponses p. 262)

BIBLIOGRAPHIE

AIMARD P. et MORGAN A. (1984), *Approche méthodologique des troubles du langage chez l'enfant*, Paris, Masson.

CARTON F. (1974), *Introduction à la phonétique du français*, Paris, Bordas, 2e éd. 1979.

CARTON F. (1995), « Compte rendu de P. Léon, *Phonétisme et prononciations du français* », *Le Français moderne*, n° 2 : 213-216.

CHERRY C. (1959), *On Human Communication*, Boston, MIT Press ; New York, Wiley ; Londres, Chapman.

DELATTRE P. (1966), *Studies in French and Comparative Phonetics*, La Haye, Mouton.

DUCCINI A. (1998) H. *La Télévision et ses mises en scène*, Paris, Armand Colin.

FANT G. (1960), *Acoustic Theory of Speech Production*, La Haye, Mouton.

GRIBENSKI A. (1982), *L'Audition*, Paris, PUF, coll. « Que sais-je ? », n° 123.

KONOPCZYNSKI G. (1966), *Du pré-langage au langage : acquisition de la structure prosodique*, thèse de doctorat d'État, Strasbourg, 1 220 p.

KONOPCZYNSKI G. (1991), *Le Langage émergent : aspects vocaux et mélodiques*, Hambourg, Buske Verlag.

LAFON J.-Cl. (1961), *Message et phonétique. Introduction à l'étude acoustique et physiologique du phonème*, Paris, PUF.

LÉON P. (1987), « Voyelles/consonnes : hiérarchie phonématique », in CJL/RCL, 32/3 : 235-244.

LÉON P. et MARTIN Ph. (1969), *Prolégomènes à l'étude des structures intonatives*, Montréal-Paris-Bruxelles, Didier, coll. « Studia phonetica », 2.

MARTIN Ph. (2008) *Phonétique acoustique*, Paris, Armand Colin.

MILLER G.A. (1956), Langage et communication, trad. par Colette Thomas, Paris, PUF.

SHOCKEY L. et WATKINS A. (1995), « Reconstruction of Base Forms in Perception of Casual Speech », in *Work in Progress*, n° 8 : 71-77.

L'élasticité des mots

La quantité d'information des sons de la parole est telle que les distorsions des bruits qui la masquent en public n'empêchent pas des taux de reconnaissance élevés. En plus des bruits, les perturbations de la parole – vitesse d'élocution, bredouillage, phonème absent ou tronqué – sont compensées par le contexte. « Dans le discours suivi, dit Miller, nous sommes liés par des règles de la syntaxe. Par exemple dans la phrase : "Il jeta… par la fenêtre", nous pouvons immédiatement rejeter toutes les parties du discours à l'exception des substantifs. Puis nous pouvons rejeter tous les substantifs qui désignent des objets qu'on ne peut pas jeter. Puis nous pouvons donner la préférence à certains objets que les gens ont l'habitude de jeter – ballons, pierres, bombes, etc. Nous arrivons ainsi à un petit nombre de possibilités. Si le schéma acoustique nous fournit le plus petit indice, nous pouvons choisir une des quelques possibilités. S'il arrive qu'il ait lancé quelque chose d'invraisemblable tel une vache ou un coup d'œil, nous nous serons trompés. Mais les chances sont en notre faveur » (p. 109).

La perception auditive des spots publicitaires à la télévision

Selon Hélène Duccini, les spots publicitaires travaillent leur bande-son de telle sorte qu'elle réveille l'attention de l'auditeur. Contrairement à l'impression partagée par le plus grand nombre, il ne s'agit pas là d'intensité supérieure, c'est-à-dire d'augmentation de décibels mais d'un jeu sur trois facteurs subjectifs de la perception. On baisse les graves et les aigus, ce qui donne une impression d'augmentation des fréquences moyennes, déjà mieux perçues spontanément.

CHAPITRE 5
LA PRODUCTION DES SONS DE LA PAROLE

> La voix est le son que fait l'animal par le moyen de l'artère vocale, du larynx, de la glotte et autres parties, avec l'intention de signifier quelque chose.
>
> Morin MERSENNE,
> *Traité de la voix*, 1636

1. LES APPAREILS DE PRODUCTION VOCALE ET LES SONS DE LA PAROLE

Il est curieux de constater qu'il n'y a pas d'organe spécifiquement phonatoire. La phonation est une adaptation secondaire de l'appareil respiratoire et des organes de la déglutition, de la mastication, etc.

Dans le processus de la phonation, les poumons fonctionnent comme une soufflerie et ce sont les interruptions du flot d'air, passant entre les cordes vocales, qui créent des vibrations de la même fréquence. Ces vibrations sont ensuite modulées par les positions des différents organes articulatoires, *larynx, pharynx, langue, voile du palais, palais dur, fosses nasales, dents, lèvres* (fig. 1, page suivante).

Le nom de *cordes vocales*, pour désigner les muscles crico-aryténoïdiens, responsables de la phonation, est impropre. Notre système phonatoire n'est pas du modèle de celui des instruments à cordes mais de celui des *instruments à vent*.

La théorie classique, dite *myo-élastique*, de la phonation fait dépendre la vibration des cordes vocales de la seule pulsion de l'air pulmonaire. La théorie *neuro-chronaxique* de Raoul Husson rend le flux neuronal seul responsable de ces mêmes vibrations. En réalité, il paraît évident que la commande des vibrations est d'origine cérébrale et que l'air des poumons sert ensuite à créer la phonation. La vibration est entretenue par les pulsions de l'air expiratoire et facilitée par l'élasticité des cordes vocales.

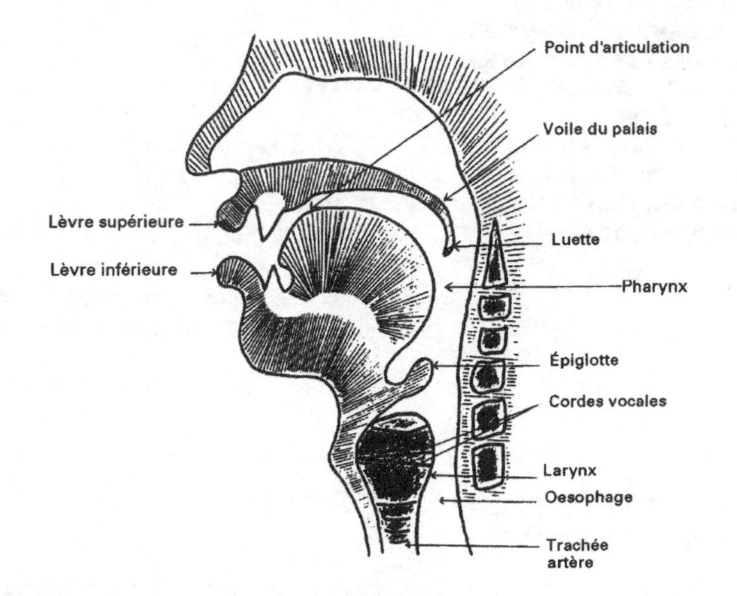

Figure 1. Les organes de la phonation.

2. LA SOUFFLERIE DANS LA PAROLE

2.1 ON PARLE SUR L'EXPIRATION

L'inspiration est toujours brève par rapport à l'expiration. C'est sur l'expiration que se produit la phonation. C'est surtout dans les sanglots qu'on peut entendre une phonation sur l'inspiration, ou lorsque celui qui parle a de longs moments d'inspiration, provoquée par la hâte ou une forte émotion. Notons au passage que le [h], dit « aspiré », est toujours en réalité un souffle, donc une expiration.

Parmi les animaux, le coq chante et le chat miaule sur l'inspiration, l'âne braie sur l'inspiration et l'expiration, alors que la plupart des autres animaux ont une phonation sur l'expiration, comme les humains.

Il existe, dans quelques groupes de langues africaines, des consonnes dites *ingressives*, prononcées sur l'inspiration, comme les *clicks*, qui se font en décollant brusquement la langue du palais. D'autre part, en français comme dans d'autres langues occidentales, les clicks sont parfois utilisés à des fins expressives, en particulier pour dénier ce que quelqu'un vient de dire. On le note parfois par « ts ts ts ! »

2.2 EXPIRATION ET PUISSANCE SONORE

La puissance de la voix dépend en partie de la force de l'air expulsé par les poumons. Mais en réalité c'est un savant dosage de tension musculaire des cordes vocales, de contrôle expiratoire et d'utilisation des cavités de résonances buccales, nasales et labiales qui permet un usage optimal de la voix. Trop d'air écrase le son, trop peu l'étrangle.

3. L'ANCHE : LE LARYNX ET LES CORDES VOCALES

3.1 LE LARYNX ET LES CORDES VOCALES

Le larynx est une boîte cartilagineuse, qui fait saillie à l'avant du cou de l'homme. Ce cartilage, appelé *thyroïde*, est plus connu sous le nom de « pomme d'Adam ». Chez les femmes, cette proéminence est peu ou pas visible. On dit qu'elles ont un « cou de colombe ».

L'air pulmonaire est conduit au larynx par la *trachée artère*. La figure 2, ci-dessous, montre une coupe horizontale du larynx et son mécanisme phonatoire.

Partant de l'os thyroïde, deux muscles appelés *cordes vocales* rejoignent à l'arrière deux petits os, dits *aryténoïdes*, eux-mêmes pivotant sur deux apophyses appelées *cricoïdes*. Les cricoïdes s'écartent en B pour l'inspiration ou l'expiration maximale. Pour la phonation, les aryténoïdes se tournent vers A, rapprochant les cordes vocales. C indique une position intermédiaire de respiration.

L'espace par lequel l'air s'échappe au niveau des cordes vocales s'appelle la *glotte*. Il faut bien noter que la glotte n'est pas un organe mais un passage.

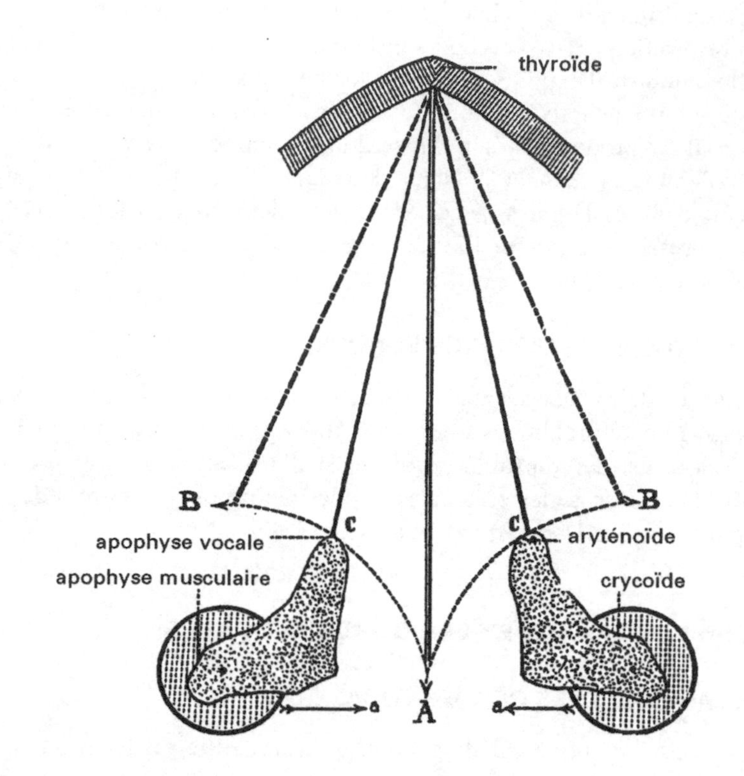

Figure 2. Fonctionnement de l'ouverture glottique, d'après Tarneaud (1961 : 35).

La figure 3a, p. 77, montre, de profil, le fonctionnement des cordes vocales sous la pression de l'air expiré. Le larynx fonctionne comme un instrument à anche, du type hautbois. La pression d'air fait écarter le clapet formé par les cordes vocales. Leur élasticité les ramène en place, aidée par la dépression causée par l'air échappé. Et le cycle recommence.

La figure 3b indique, selon une coupe horizontale, diverses positions des cordes vocales selon différents types de phonation : A respiraton normale, B profonde, C chuchotement (cordes vocales accolées mais pas complètement), D phonation normale. L'attaque des occlusives, en français, se fait à glotte fermée, les fricatives sourdes, comme [f s ʃ], à glotte ouverte.

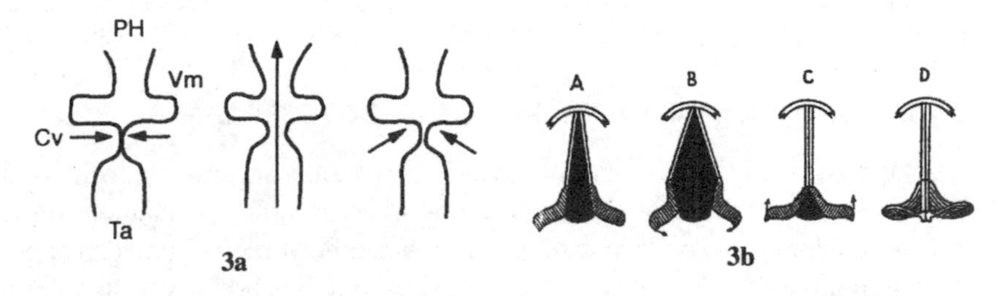

Figure 3. Position des cordes vocales selon les divers modes de phonation.

À gauche, en 3a, mode de fonctionnement général. (Les flèches indiquent les différentes pressions exercées ; Ta = trachée artère ; Cv = cordes vocales ; Vm = ventricules de Morgagni). À droite, en 3b, divers types d'ouvertures glottales, selon Forchhammer, cité par Malmberg (1974 : 116).

3.2 LES CORDES VOCALES ET LA HAUTEUR DE LA VOIX

La longueur des cordes vocales est un facteur anatomique, en grande partie responsable de la hauteur de la voix. Les voix d'hommes se situent en moyenne autour de 120 Hz ou vibrations doubles des cordes vocales ; celles des femmes à l'octave supérieure, vers 240 Hz ; celles des enfants vers 350 Hz ; celles des bébés peuvent être très aiguës et aller jusqu'à 3 000 Hz dans les premiers cris de douleur.

Tarneaud et Borel-Maisonny donnent, pour un groupe de chanteurs, les longueurs suivantes des cordes vocales, mesurées en millimètres, par procédé optique :

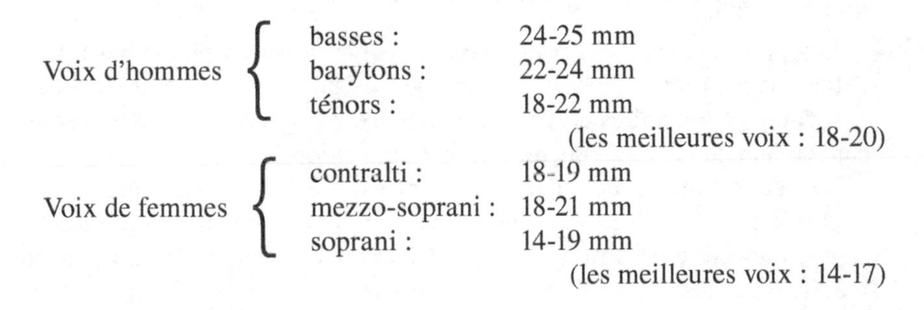

Voix d'hommes	basses :	24-25 mm
	barytons :	22-24 mm
	ténors :	18-22 mm
		(les meilleures voix : 18-20)
Voix de femmes	contralti :	18-19 mm
	mezzo-soprani :	18-21 mm
	soprani :	14-19 mm
		(les meilleures voix : 14-17)

D'autres facteurs physiologiques entrent en jeu et peuvent modifier ces chiffres : la tension des cordes vocales et la pression sous-glottique.

En vieillissant, les voix de femmes deviennent plus basses et celles des hommes plus hautes.

3.3 FONDAMENTAL USUEL, REGISTRE, ET TESSITURE

Rappelons que la hauteur habituelle à laquelle se situe la voix d'un individu se nomme le *fondamental usuel*. C'est la note sur laquelle on rit naturellement et où se place également le *euh* d'hésitation. Elle correspond approximativement à la hauteur moyenne des syllabes non accentuées de la parole spontanée. Chaque individu a son propre fondamental usuel, à partir duquel l'oreille d'un auditeur va repérer l'évolution de la courbe mélodique.

La *tessiture* de la voix est l'étendue des notes où l'on parle ou chante sans difficulté.

Le *registre* est la zone où l'on parle ou chante naturellement. Un ténor sera plus à l'aise dans le registre aigu, dit « voix de tête », que dans le registre grave ou « voix de poitrine ». Ce sera l'inverse pour une basse.

4. LES SONS ET LES PHONES LARYNGIENS

Les sons que peut émettre l'appareil phonatoire sont loin d'être tous utilisés dans la parole. On peut émettre avec le larynx toute une série de borborygmes, de soupirs, de raclements de gorge, qui ne sont jamais utilisés dans la phonation humaine de la parole.

Les phones produits au niveau du larynx sont de deux types, « l'aspiration » et « le coup de glotte ».

4.1 « L'ASPIRATION » EST UNE EXPIRATION

Les phonéticiens anciens ont appelé « aspiration » un phone qui est en réalité une expiration. Il s'agit du son noté par un *h* dans l'écriture, comme dans l'anglais *hello*. Les cordes vocales ne se rapprochent que très légèrement et l'air, en passant, produit un bruit de friction.

Ce phone existe encore dans plusieurs variétés de français *dialectaux*, en particulier de l'Ouest. Les vieux paysans disent encore *en haut* avec un *h* prononcé, en Lorraine, Poitou, Charentes, Normandic, ainsi qu'en Acadie et en Beauce au Canada. On en trouve deux réalisations, la plus courante non voisée [h] dite aussi *sourde*, prononcée sans vibration des cordes vocales et l'autre voisée [H] dite aussi *sonore*, prononcée avec vibrations des cordes vocales.

Ces deux dernières réalisations peuvent provenir soit d'un *h* étymologique, issu de mots empruntés au fond germanique ou d'origine étrangère récente, ou encore d'un affaiblissement de l'articulation des consonnes *ch* [ʃ] et *j* [ʒ]. Ainsi le Saintongeais et l'Acadien diront-ils *j'ai une chemise* comme [Heynhmi:z].

Le *h* était traditionnellement employé dans l'emphase dramatique par les anciens comédiens. On trouve encore des manuels de diction dans lesquels on conseille de bien faire entendre ce *h* dans des mots expressifs comme la *haine*. Hors d'un contexte dialectal, c'est maintenant un effet d'archaïsme ou d'emphase comique quand on l'emploie au théâtre.

4.2 LE RÔLE PHONOLOGIQUE DU « H ASPIRÉ »

Ce H qui n'est pas prononcé a gardé un rôle phonologique : 1. Il empêche la liaison, comme dans : les halles [leal] et non : [lezal] ; ainsi que l'élision, comme dans : la halte [laalt] [et non : lalte]. 2. Il oblige à garder l'E caduc, comme dans : *le hamster* [leamster] [et non : lamster]. (Voir chapitre 12, la liste des mots les plus courants, avec H aspiré).

4.3 LE COUP DE GLOTTE

Le coup de glotte, noté par un ? sans point au-dessous [ʔ], est une fermeture brusque des cordes vocales. Cela peut être le résultat d'un effort, comme lorsqu'on se prépare à soulever quelque chose de lourd, ou si on veut contracter les muscles du ventre, ou encore dans la toux et dans le bégaiement.

Il s'agit, dans tous les cas, d'un phénomène physiologique de contraction, volontaire ou involontaire. Mais le coup de glotte peut également être un phone faisant partie du répertoire des signes linguistiques ou expressifs.

En français, le coup de glotte fonctionne comme *signe d'expressivité*, lorsqu'il s'agit de mettre en valeur un mot commençant par une voyelle, comme l'initiale de *Encore !* On le trouve souvent dans les discours politique et militaire. La voyelle est alors précédée d'une *attaque* brusque – le coup de glotte – alors que dans la phonation ordinaire française, les voyelles commencent par une attaque douce.

Dans les langues germaniques, le coup de glotte est l'attaque normale des mots à initiales vocaliques.

Dans certaines langues, comme l'arabe, le coup de glotte fonctionne en tant que consonne à valeur de *phonème*. C'est par le coup de glotte que l'on distingue ainsi en arabe, deux énoncés autrement semblables, /θaara/ = *il s'est révolté* et /θaˀara/ = il s'est vengé.

5. LE RÔLE GÉNÉRAL DES CORDES VOCALES DANS LE LANGAGE : VOISEMENT ET NON VOISEMENT

En dehors de son rôle articulatoire, le larynx a une autre fonction, beaucoup plus importante au plan linguistique, c'est de permettre la distinction entre deux grands types de sons *voisés/non voisés.*

Lorsque les cordes vocales vibrent, elles produisent des sons voisés, appelés également *sonores.* Lorsqu'elles ne vibrent pas, les sons émis sont *non voisés* ou *sourds.*

On peut prendre conscience de la différence entre les deux modes de fonctionnement en mettant le dos de la main contre le larynx (ou en se bouchant les oreilles) et en prolongeant alternativement [f v] ou [f i]. On a déjà vu que les *voyelles* sont des sons voisés. Les *consonnes* et les *semi-consonnes* peuvent être également voisées comme m, l, R, v, z, b, d, g... ou non voisées, comme f, s, p, t, k... (cf. tableaux du chapitre suivant, p. 94).

6. LA VOIX CHUCHOTÉE

Lorsqu'on chuchote, la glotte est fermée tout en laissant un passage de l'air entre les aryténoïdes, comme on le voit sur le schéma de la figure 3b (c), p. 77. Les cordes vocales ne vibrant plus, on a alors des *phones non voisés.* On note phonétiquement le non voisement par un petit *v* inversé ou un [̭] comme signe diacritique placé sous le phone. Mais il n'existe pas de signe pour noter l'ensemble de la voix chuchotée.

La voix chuchotée, qui a une faible intensité, est utilisée dans le secret, la confession, la timidité, la coquetterie, le bavardage des écoliers en classe ou des amoureux dans diverses circonstances.

Le voisement des voyelles permet de les moduler et de créer ainsi *l'intonation* de la phrase. Lorsqu'on parle à voix chuchotée, la *mélodie* est supprimée. Des phénomènes de compensation se produisent alors au niveau de la résonance des cavités buccales. Le père Giet, missionnaire en Chine, rapporte même qu'il pouvait parfaitement comprendre les confessions – à voix basse – de ses fidèles, qui lui parlaient en mandarin. Or ce dialecte utilise des *tons*, c'est-à-dire des hauteurs à valeur lexicale. Le contexte jouait probablement aussi un rôle.

Marguerite Durand a émis l'hypothèse que la hauteur perçue dans le cas de la voix chuchotée est en rapport avec l'intensité des formants hauts. Néanmoins la perception des changements de hauteur est difficile en l'absence de vibrations des cordes vocales, comme le montre l'étude de Fónagy sur cette question.

7. DÉVOISEMENT ET VOISEMENT

On a déjà signalé que certaines consonnes voisées perdent leur voisement au contact d'une consonne non voisée. Ce phénomène n'est généralement pas perçu dans le discours. Ainsi peu de gens s'aperçoivent que le *d* de *médecin* [med̥sẽ] se prononce dévoisé ou même comme un *t* dans la prononciation courante.

Inversement, le *k* prononcé dans *anecdote* se sonorise : [anɛk̬dɔt]. Personne ne remarque que le mot devient souvent *anegdote.*

On examinera ces problèmes plus en détail dans la partie sur la phonétique combinatoire des consonnes au chapitre 6.

8. PULSATIONS LARYNGIENNES : SYLLABATION, ACCENTUATION ET PAUSES

L'air expiré par les poumons est contrôlé par le larynx qui le transforme en pulsations pour constituer des *syllabes.* Chaque syllabe est alors perçue comme une succession de tensions croissantes et décroissantes. On pourra ainsi découper l'énoncé suivant en syllabes, en notant par le signe [+] la *joncture interne* (que Carton appelle aussi *jointure*), marquant le passage entre deux syllabes. La *joncture externe* [#] sépare les unités de sens :

J'ai # dé + ci + dé # de # res + ter # a + vec # toi #

À un second niveau de *démarcation* on introduira une *accentuation* [ˋ] manifestée par une proéminence acoustique, résultat d'une pression expiratoire, et éventuellement suivie d'un arrêt du flot sonore constituant une *pause* [|]. On trouve parfois la pause notée par le signe de joncture externe [#]. Exemple :

J'ai + dé + ci + ˋdé # de + resˋter + a + vec + ˋtoi #

9. L'ARTICULATION

Le flux vocal, après son passage par la glotte, possède déjà une intensité et une hauteur particulière, selon l'amplitude et la fréquence des vibrations des cordes vocales.

Il reste alors à moduler ce flot d'air laryngien en lui donnant des timbres particuliers, vocaliques ou consonantiques. C'est le rôle de l'articulation, consistant à créer, grâce aux mouvements de la langue et des lèvres, des résonateurs particuliers.

10. TYPES ARTICULATOIRES

On va distinguer alors trois grands types articulatoires (fig. 4) essentiellement selon leur *aperture* (articulation plus ou moins ouverte ou fermée), bien que la division entre chaque classe ne soit pas nettement tranchée :

- *Les voyelles* qui ont une articulation dite *libre* parce que le passage entre le résonateur d'avant à celui d'arrière est toujours assez important. Une voyelle est un phone à passage *ouvert* par rapport à une consonne. On peut le constater en comparant, par exemple, la voyelle la plus fermée, le [i], avec une des consonnes les plus fermées le [p], le [t] ou le [k].
- *Les consonnes dites constrictives ou continues*, comme [f, s, ʃ, v, z, ʒ, l, R]. L'obstacle au passage de l'air laryngien est devenu beaucoup plus important, entraînant des bruits de friction (d'où le nom de *fricatives* qu'on leur donne aussi). Par rapport aux voyelles se sont des *phones relativement fermés* mais pas tout à fait, puisque l'air continue à s'écouler, pendant toute leur émission.
- *Les consonnes occlusives ou momentanées*, comme [p, t, k, b, d, g]. L'air est alors arrêté totalement pendant un moment au cours de leur émission qui se fait en 3 temps : *implosion* (le canal buccal se ferme); *tenue* (le canal reste fermé pendant un moment); *explosion* (le canal buccal s'ouvre et laisse partir l'air).

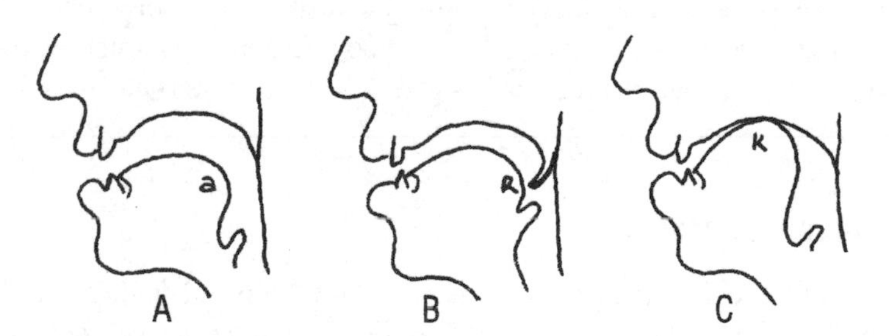

Figure 4. Exemples de types articulatoires.

A : Passage libre vocalique [a]; B : Passage rétréci dorso-uvulaire [R]; C : Passage arrêté dorso-vélaire [k].

11. LES LIEUX D'ARTICULATION

On appelle *lieu* (ou traditionnellement, de manière erronée, *point* d'articulation) l'endroit où le passage de l'air laryngé est le plus étroit, par suite du resserrement des lèvres ou du rapprochement de la langue vers une partie du palais ou du pharynx.

Ce rapprochement crée les cavités *pharyngale, buccale et labiale* et l'abaissement du voile du palais crée une cavité de résonance *nasale.*

En regardant la figure 1, page 74, on voit que l'épiglotte fonctionne comme une sorte de couvercle qui vient empêcher la nourriture de descendre dans la glotte et la trachée artère. Cependant, l'épiglotte est utilisée aussi dans l'articulation de certaines langues caucasiennes, comme l'avar et l'agul.

Le palais comporte deux grandes parties : le *palais dur*, immobile, et le *palais mou*, appelé aussi voile du palais, mobile et qui peut s'abaisser pour que l'air expiré prenne une résonance nasale. S'il est relevé, la résonance reste *orale.*

Le palais mou se termine par une languette appelée l'*uvule* ou *luette.* Les autres divisions du palais sont indiquées sur la figure 5, ainsi que celles de la langue. Chaque fois que la langue se déplace, elle détermine des résonateurs de formes spéciales. On nommera alors, en fonction des *lieux d'articulation*, le phone émis (fig. 5).

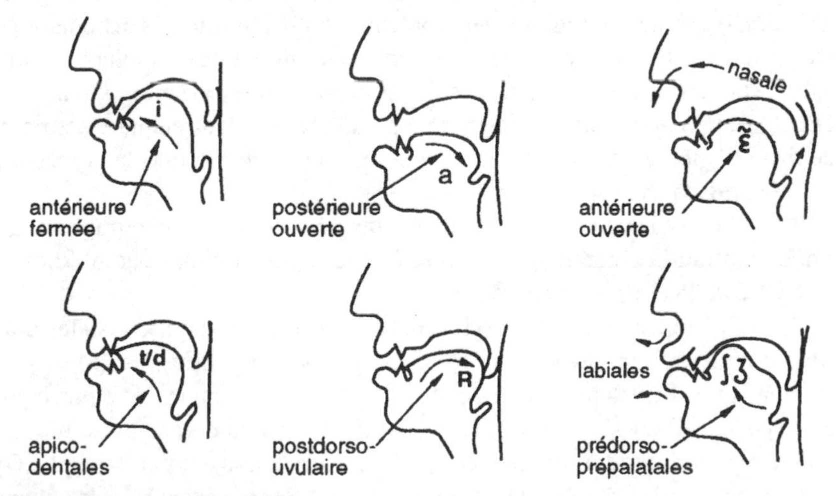

Figure 5. Lieux d'articulation.

Pour les *voyelles*, le « lieu » d'articulation peut être plus ou moins *antérieur, postérieur, ouvert ou fermé*, selon que la langue s'avance, recule, s'écarte ou se rapproche du palais (cf. chapitre 7).

Pour les *consonnes*, les articulations sont beaucoup plus précises. Ainsi, si la partie postdorsale de la langue se rapproche de la luette, on dira qu'on a une articulation *postdorso-uvulaire*. Si la pointe de la langue (apex, en latin) se rapproche des dents on aura une *apico-dentale*. Si la partie avant du dos de la langue se rapproche de la région prépalatale et que les lèvres s'avancent, on aura une *prédorso-prépalatale-labiale*. On en donne le classement détaillé dans le chapitre suivant.

12. ÉTUDE PHYSIOLOGIQUE DES CONSONNES

Pierre Rousselot avait imaginé l'étude des articulations à l'aide de palais artificiels qui laissaient l'empreinte de la langue sur la voûte du palais. Georges Straka, dans son *Album phonétique*, a montré, de cette manière les articulations types du français (fig. 6).

Bothorel, Simon, Wioland et Zerling ainsi que Brichler-Labaeye ont étudié ces mêmes articulations par la cinéradiographie, produisant cette fois des coupes sagittales des articulations, comme celles de la figure 5, ci-dessus.

Quelles que soient les précisions que l'on puisse obtenir dans ce genre d'études, on se heurte toujours au problème de l'instabilité des articulations. De plus, on ne trouve jamais deux morphologies humaines semblables. S'il y a des articulations types, chaque réalisation en est une variante individuelle. On constate d'autre part qu'une même personne n'articule jamais deux fois de suite le même son de la même manière, malgré le fait que sa perception lui en paraisse chaque fois identique.

Mais le problème le plus irritant est sans doute que la palatographie classique, comme la cinéradiographie, ne donne jamais qu'une vue unidimensionnelle de la réalité articulatoire.

Les différences d'articulation importantes que l'on peut constater d'un sujet à un autre témoignent surtout du rôle des compensations qui se produisent dans l'ajustement des cavités de résonance, buccale, pharyngale et laryngale. Pour s'en convaincre, il suffit de prononcer, selon le modèle donné par la cinéradiographie, le son [y], comme dans *vu*, par exemple. On sait que l'articulation *idéale* s'effectue avec les lèvres avancées. Or on peut très bien réussir à produire le même son avec les lèvres écartées. Si cela est possible, c'est grâce à la grande flexibilité d'accommodation des cavités phonatoires.

Néanmoins, la cinéradiographie reste la meilleure illustration des processus articulatoires, en attendant la mise au point de procédés hologrammiques. En ce sens, les recherches de William Jones et celles d'Alain Marchal semblaient prometteuses. Ils employaient une technique d'électropalatographie très sophistiquée, permettant une analyse des données par ordinateur, qui montrait le rôle des volumes des cavités de résonance.

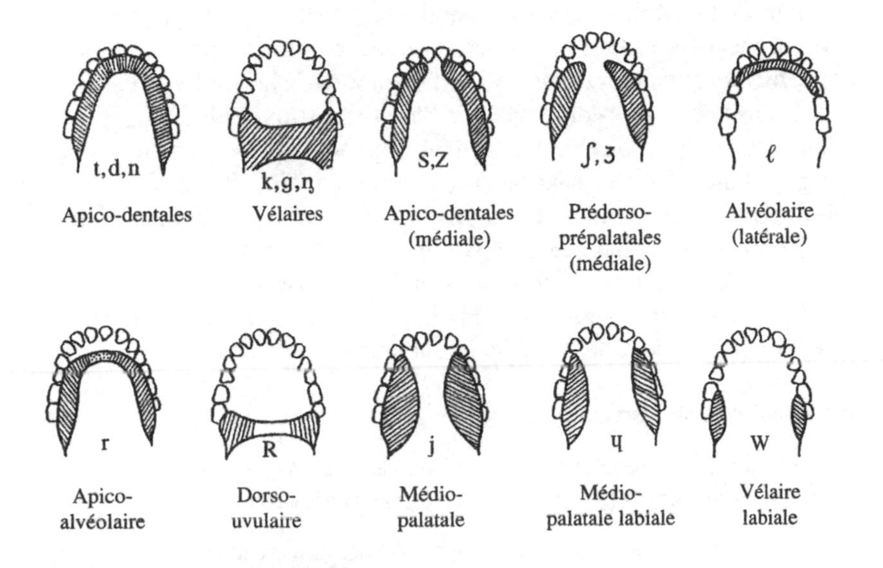

Figure 6. Palatogrammes d'articulations françaises, schématisés d'après Straka (1965 : 40).

Les parties hachurées indiquent le contact de la langue sur le palais. On voit que les *occlusives*, comme [t d n k g ɲ] barrent totalement le passage de l'air. Les autres consonnes à articulations linguales, les *fricatives*, laissent l'air s'échapper par un canal médial, sauf le [l], consonne *latérale*, qui laisse l'air passer sur les côtés. Noter que les *occlusives nasales* [m], [n], [ɲ] et [ŋ] sont en réalité des *mi-occlusives*, puisque l'air continue de s'écouler par la cavité nasale durant leur émission.

13. LES EFFETS VOCAUX

Dans son registre habituel, la voix contient des *indices*, qui indiquent involontairement : *âge, sexe, santé, origine sociale, géographique, professionnelle.* La voix *expressive* devient contrôlée, volontaire, dans les *attitudes* telles que le ton fâché, le commandement, la lecture, la diction poétique, la confession, le sermon, le discours politique, etc. Dans ces cas-là, les facteurs proprement vocaux que l'on a examinés ci-dessus (souffle, coup de glotte, nasalité, divers modes articulatoires) fonctionnent en concomitance avec la prosodie, accentuation et intonation.

On distingue les traits *extra-linguistiques*, qui fonctionnent généralement hors de la parole : toux, rire, sanglots, etc., des *para-linguistiques,* qui accompagnent l'élocution : dans les *émotions*, comme la tristesse, la joie, la colère, ou les *attitudes*, comme le souffle amoureux, la nasalisation ironique ou de supériorité, etc. (Voir *Précis de Phonostylistique*, 1993.)

Les chanteurs modernes modifient souvent leur voix qu'un acousticien peut rendre douce, à la façon ancienne de Tino Rossi, dont la voix était nasalisée à la manière des chanteurs américains du Middle West. On fabrique même des changeurs de voix pour le téléphone. La voix contient tellement d'informations acoustiques qu'on a pensé s'en servir pour remplacer les empreintes digitales. Mais le processus de reconnaissance n'est pas encore totalement fiable. Trop de facteurs non détectés !

Problématique et questions

1. Pourquoi, dans la parole, l'inspiration est-elle plus brève que l'expiration ?
2. Commentez ce texte de Mersenne (1641) à propos de la luette :

> ...petit corps vermeil... filtre et canalise l'entrée des aliments dans l'œsophage, tout en leur interdisant l'accès aux fosses nasales, et protège du froid l'appareil respiratoire, en évitant ainsi des enrouements fâcheux et en marquant ses tons et ses cadences.

3. Comment explique-t-on morphophysiologiquement les différences de hauteur des voix ?
4. On a souvent comparé les cordes vocales à des cordes de violon dont l'archet serait le souffle expiratoire, qu'en pensez-vous ?
5. Expliquez ce que signifie une articulation prédorso-prépalatale.
6. D'après les palatogrammes de la figure 6, quelle est la différence d'articulation entre [t d n] et [l], d'une part, et entre [s z] et [ʃ ʒ] d'autre part ?
7. Il n'y a pas de relation univoque entre articulation et perception. Expliquez.

8. Quelle est la consonne qui correspond à la description : *fricative, glottale, non voisée*? Quelle est celle qui correspond à : *occlusive, sourde, bilabiale*?

9. Qu'est-ce qui différencie, en bloc, les deux groupes de phones suivants? D'une part [i y v m n l b o g a z j] et, d'autre part [p f k s t ʃ]?

10. Transcrivez : *Il n'y a pas de modèle de voix type. On distingue trois classes de voix, mais les types intermédiaires sont nombreux.*

11. Dans quel type de discours entend-on souvent des coups de glotte au début des mots?

12. Pourquoi est-il difficile de reconnaître une question du type : *Ils sont partis?* prononcée à voix basse?

(Réponses p. 263)

BIBLIOGRAPHIE

BARRY M.C. (1985), «A Palatographic Study of Connected Speech Process», in *Cambridge Papers in Phonetics and Experimental Linguistics*, Cambridge Univ. Ling. Dept., 4 : 1-16.

BOTHOREL A., Simon P., Wioland F. et Zerling J.-P. (1986), *Cinéradiographie des voyelles françaises*, Strasbourg, Travaux de l'Institut de phonétique.

BRICHLER-LABAEYE C. (1970), *Les Voyelles françaises. Mouvements et articulations*, Paris, Klincksieck.

CHIDAINE J. (1967), «CH et J en saintongeais et en français canadien», in GENDRON et STRAKA (dir.) : 144-152.

CORNUT G. (1990), *La Voix*, Paris, PUF, coll. «Que sais-je?», n° 627, 3e éd.

DURAND M. (1960), «Au sujet de l'intonation», in *Étude de la langue française*, nos 25-26, Tokyo, Société de linguistique française du Japon : 1-15.

FÓNAGY I. (1969), «Accent et intonation dans la parole chuchotée», *Phonetica*, n° 20 : 177-192.

GENDRON J.-D. et STRAKA G. (dir.) (1967), *Études de linguistique franco-canadienne*, Paris, Klincksieck et Québec, Presses de l'université Laval.

GIET F. (1950), *Zur Tonität der Nordchinesischer Mundarten*, Vienne-Mödling, Verlag der Missiondruckerei, St Gabriel.

HUSSON R. (1953), «Chronaxie différentielle liée à la classification des voix», *Journal de physiologie* n° 45 :131-134.

HUSSON R. (1960) *La Voix chantée*, Paris, Gauthier-Villars.

JONES W. (1960), «A microcomputer-controlled Electropalatograph», in *Work in Progress*, Reading University, Phonetics Lab., 4 : 41-68.

LAFON J.-Cl. (1965), *Message et phonétique*, Paris, PUF.

LÉON P. (1967), «H et R en patois normand et en français canadien», in Gendron et Straka (dir.) : 125-143.

MARCHAL A. (1988), *La Palatographie*, Paris, Éd. du CNRS.

Marchal A. (2007) *La production de la parole*, Montréal, Guérin.
Martin Ph. (2008) *Phonétique acoustique*, Paris, Armand Colin.
Martinet A. (1965), *Peut-on dire d'une langue qu'elle est belle?* «Esthétique de la langue française» *Revue d'Esthétique*, n° 3-4 : 227-239.
Mersenne M. (1636), «Traité de la voix», in *Harmonie universelle contenant la théorie et la pratique de la musique*, Fac-simile 1965, Paris, CNRS.
Segerbäck B. (1966), «La réalisation d'une opposition de tonèmes dans des syllabes chuchotées. Étude de phonétique expérimentale», in *Studia linguistica*, Lund, 19/1-2 :1-54.
Simon P. (1967), *Les Consonnes françaises, mouvements et positions articulatoires à la lumière de la cinéradiographie*, Paris, Klincksieck.
Straka G. (1965), *Album phonétique*, Québec, Presses de l'université Laval, 2e éd. 1965.
Tarneaud J. et Borel-Maisonny S. (1961), *La Voix et la Parole*, Paris, New York, Barcelone, Maloine.

Biotypologie de la voix

Dans son *Traité de phonologie et de phoniatrie*, Tarneaud établit une typologie des chanteurs :

> Le ténor répond à la constitution bréviligne : sa taille est peu élevée. son cou large et court, sa poitrine développée en largeur. Le baryton est de taille moyenne, a le cou assez long et la poitrine forte. La basse est un longiligne dans toute l'acception du mot.
> Le contralto ressemble souvent à la femme forte de l'Écriture : elle présente en effet un certain développement de sa musculature. Le soprano dramatique est une femme robuste, aux lignes harmonieuses, au cou long et fort. La chanteuse légère est, en général de dimensions plus frêles : son cou est à la fois long et mince ; avec l'âge, l'embonpoint venant, maintes chanteuses sont plutôt fortes
>
> (p. 88).

Il semble que les Temps modernes aient modifié quelque peu cette typologie classique. Tarneaud a aussi certaines vues qui nous semblent aujourd'hui relever de préjugés tenaces. « On attribue trop exclusivement, dit-il, aux races et au climat des possibilités vocales particulières. Il est certain que le soleil favorise la réalisation du chant, peut-être par le farniente qu'il fait naître. Cependant la langue, l'idiome a une importance majeure. » Il ajoute plus loin :

> Une langue harmonieuse, où les voyelles dominent, plaît du fait que l'auditeur réagit mieux aux sons qu'aux bruits. C'est pour cette raison que la langue italienne séduira toujours plus que la langue française. En comparaison, les langues rudes comme l'allemand, les idiomes fortement accentués et peu articulés par l'insuffisance d'ouverture buccale, comme l'anglais, ne seront pas euphoniques au sens absolu du mot
>
> (p. 91).

André Martinet répondra à cela qu'une langue est belle par l'usage qu'on en fait. Dans le chant sans doute plus qu'ailleurs.

La voix d'orateur de de Gaulle

> « On pourrait dire que la voix apporte une *tension performative,* qu'elle tend à convertir la parole en acte ! (...) On ne guettait pas les intentions de Hitler, on surveillait les promesses de sa voix. (...)
> De Gaulle sait qu'il n'a qu'à parler pour ne rien dire et ne dit rien pour laisser à la voix toute son efficacité. C'est son génie politique de ne pas avoir cherché à faire d'un émetteur radio autre chose qu'un émetteur radio, *un diffuseur de voix.* Ce *ne rien* dire revient dans les discours de de Gaulle sous forme de tautologies, pour lesquelles de Gaulle a souvent été moqué (du genre : les choses étant ce qu'elles sont) ; le 28 décembre 1940, de Gaulle déclare : « Nous proclamons que l'ennemi est l'ennemi, ce qui va sans dire ; mais l'important est là que le *dire* s'efface à côté de la voix (nous proclamons) ».
>
> Jean-Loup Rivière, *Traverses,* 1980, p. 25

CHAPITRE 6

LE CLASSEMENT ET LE FONCTIONNEMENT DES CONSONNES

> Le maître de philosophie – J'ai à vous dire que les lettres sont divisées en voyelles, ainsi dites voyelles parce qu'elles expriment les voix ; et en consonnes, ainsi appelées parce qu'elles sonnent avec les voyelles et ne font que marquer les diverses articulations des voix.
>
> MOLIÈRE, *Le Bourgeois gentilhomme.*

1. MODES ARTICULATOIRES DES CONSONNES

Les phonéticiens regroupent généralement sous le terme de *modes articulatoires* les différents aspects suivants lorsqu'il s'agit de classer les consonnes. On parle aussi de *types* articulatoires (cf. chapitre 4) :

– **Mode de fonctionnement laryngien :** *voisé/non voisé.*

Voisé : les cordes vocales vibrent pour [b d g m n ɲ ŋ v z ʒ l ʀ].
Non voisé : les cordes vocales ne vibrent pas pour [p t k f s ʃ].

– Mode de fonctionnement vélaire (voile du palais) : *oral/nasal.*

Oral : le voile de palais est relevé, l'air passe uniquement par la bouche pour [p b t d l k g f s ʃ v z ʒ].

Nasal : le voile est abaissé et l'air passe également par le nez pour [m n ɲ ŋ].

– Mode de fonctionnement articulatoire : *occlusif/constrictif.*

Occlusif : le passage de l'air est obstrué pour [p t k b d g ɲ ŋ].
Constrictif : le passage de l'air est rétréci pour [f s ʃ v z ʒ l ʀ].

Rappelons que les consonnes occlusives nasales ne sont que partiellement occlusives puisque l'air résonnant dans les cavités nasales s'échappe par le nez pendant la durée de l'occlusion buccale.

Physiologiquement, il y a une loi de compensation entre l'énergie dépensée au niveau du larynx et au niveau des articulations supra-glottiques. Ainsi une consonne *non voisée*, comme [p], est plus forte articulatoirement qu'une consonne *voisée*, comme [b], dont l'énergie a été absorbée partiellement par les vibrations glottales. De même, les consonnes nasales sont moins fortes que leurs correspondantes orales. Le [m] et le [n] sont plus atténués, plus « doux », que le [b] et le [d].

2. LIEUX D'ARTICULATION DES CONSONNES

Les modes articulatoires ne suffisent pas à classer les consonnes. Il faut y ajouter les *lieux d'articulation*, que l'on a déjà évoqués au chapitre précédent. Les lieux d'articulation sont ainsi définis (fig. 1) :

Bilabiales : [p b] les deux lèvres sont en contact.

Labio-dentales : [f v] la lèvre inférieure s'appuie contre les incisives supérieures.

Apico-dentales : [t d n] la pointe de la langue s'appuie contre les dents supérieures.

Apico-alvéolaire : [l] la pointe de la langue s'appuie contre les alvéoles et l'air s'échappe par les côtés. C'est pourquoi on l'appelle latérale. (Comparez les palatogrammes de [t d n] et celui de [l], p. 85, fig. 6.)

Dorso-uvulaire : ʀ La pointe de la langue est abaissée et la partie postérieure du dos de la langue se rapproche de la luette. Cette consonne est appelée *vibrante.*

Prédorso-prépalatales, labiales : [ʃ ʒ] la partie avant du dos de la langue s'appuie contre la partie avant du palais dur. Les lèvres s'avancent.

Médio palatale : [ɲ] la partie médiane du dos de la langue s'appuie contre la partie centrale de la voûte du palais.

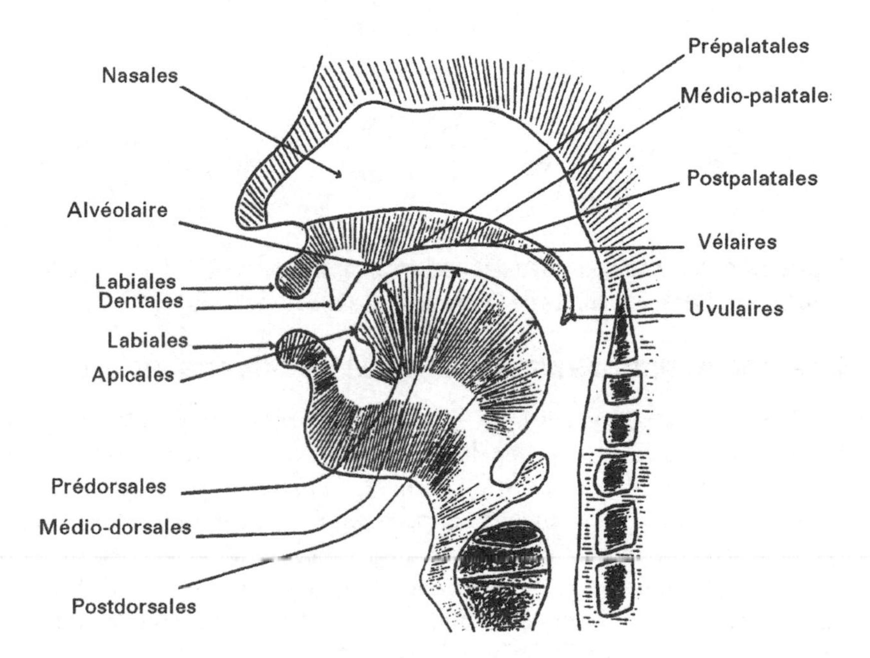

Figure 1. Lieux d'articulation des consonnes.

Dorso-palatales : [k g] lorsqu'elles sont suivies d'une voyelle antérieure, comme [i] ou [y]. Le dos de la langue s'appuie contre le palais dur.

Dorso-vélaires : [k g] si elles sont suivies d'une voyelle postérieure, comme [u]. Le dos de la langue s'appuie contre le voile du palais.

Postdorso-vélaire : [ŋ] la partie postérieure du dos de la langue s'appuie contre le voile du palais. Il s'agit là d'un phone emprunté à l'anglais et qui n'existe, en français, que dans les terminaisons en *-ing*. Il peut être également dorso-vélaire.

3. CLASSEMENT ARTICULATOIRE DES OCCLUSIVES

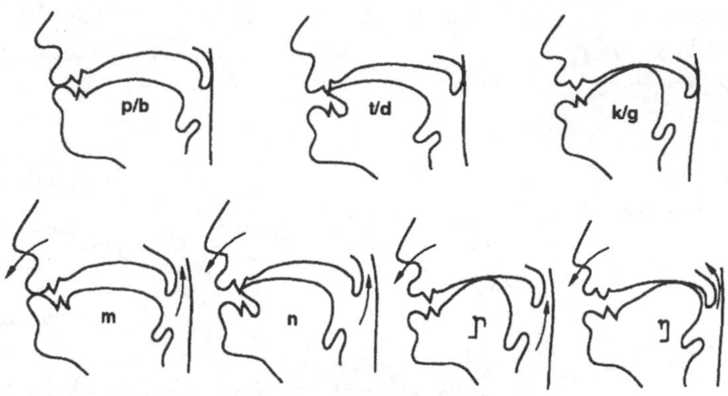

Figure 2. Schémas articulatoires des occlusives françaises, d'après les cinéradiographies de Bothorel *et al.* (1986).

4. TRAITS DISTINCTIFS DES OCCLUSIVES : ASPECT PHONOLOGIQUE

Chaque spécification des lieux et des modes articulatoires que l'on vient de voir constitue ce que l'on appelle un *trait* articulatoire (*voisement*, *nasalité*, *lieu d'articulation*, etc). On le nomme *trait distinctif* parce qu'il permet d'opposer, de façon linguistiquement pertinente, une consonne à une autre. À ce classement, on peut en opposer un de type acoustique, basé sur des traits tels que *aigu/grave*, etc., comme celui tenté par Jakobson, Fant et Halle, et repris par de nombreux auteurs dans la théorie générative. Mais ce type de classement est loin de faire l'unanimité.

On a choisi ici le classement classique, en termes de *traits distinctifs articulatoires*, tels qu'ils se dégagent de l'observation phonétique physiologique. Il est en outre plus facile d'observer visuellement ce classement que ne l'est acoustiquement l'autre.

Lieux / Mode	Bilabiales	Apico-dentales	Dorso-palatale	Dorso-palatale	Dorso-vélaire
Non voisées *(sourdes)*	p	t			k
Voisées *(sonores)*	b	d			g
Nasales	m		n	ɲ	ŋ

En phonologie, on dira que la *série* des occlusives /p t k/ s'oppose à celle de la série /b d g/par le *trait de sonorité* et que les phonèmes de la série /m n ŋ/ s'opposent à celle des voisées par le trait de nasalité. Deux séries opposées forment une *corrélation*. On constate que le /ɲ/ est un phonème hors corrélation. Il ne s'oppose à aucun autre d'une même série. Il y a là une *case vide* dans le système.

5. CLASSEMENT ARTICULATOIRE DES FRICATIVES

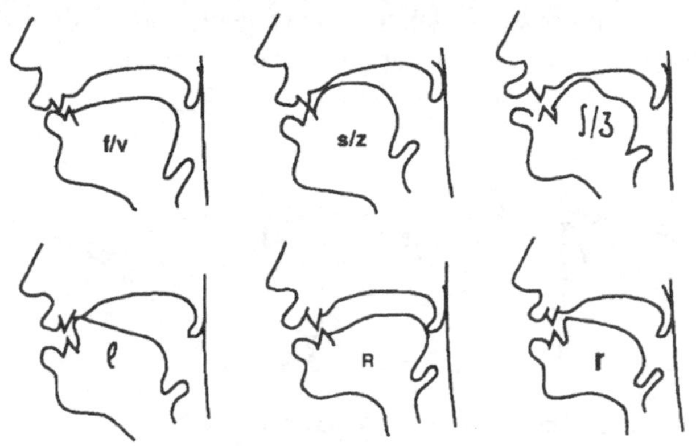

Figure 3. Schémas articulatoires des fricatives françaises.

6. TRAITS DISTINCTIFS DES FRICATIVES : ASPECT PHONOLOGIQUE

Tableau 2. Les traits distinctifs articulatoires des fricatives françaises.

Lieux / Mode	Labio-dentales	Prédorso-alvéolaires	Prédorso-prépalatales-labiales	Apico-alvéolaire (vibrante)	Apico-alvéolaire (latérale)	Dorso-uvulaire (à friction)	Pharyngale (R fricatif)
Non Voisées	f	s	ʃ				ɣ
Voisées	v	z	ʒ	r	l	R	

En phonologie, on dira ici encore que la *série* des *sonores* ou *voisées* s'oppose à celle des *sourdes* ou *non voisées*. Mais le trait de sonorité est seul à former une corrélation. Les fricatives n'ont pas de série nasale. D'autre part, on constate que la corrélation n'est pas parfaite, ici encore, puisque le /R/ et le /l/ n'ont pas de correspondants non voisés. Il y a là encore deux *cases vides* dans le système phonologique. Par contre, ces deux consonnes peuvent avoir des réalisations sonores contextuelles. Mais elles n'ont pas de valeur linguistique.

7. L'ARTICULATION DES SEMI-CONSONNES

Les deux semi-consonnes *yod* [j] et *ué* [ɥ] sont plus fermées que [i] et [y], dont elle dérivent. Elles ont sensiblement la même articulation linguale : partie médiane du dos de la langue rapprochée de la partie antérieure du palais. Mais le yod est plus central et plus fermé. Le ué ajoute le trait de labialité (fig. 6 et palatogrammes, p. 85).

Le *oué* [w], semi-consonne, labiale, plus fermée que [u], dont elle dérive, s'articule avec la partie postdorsale de la langue rapprochée du voile du palais (fig. 6 et palatogrammes, p. 85).

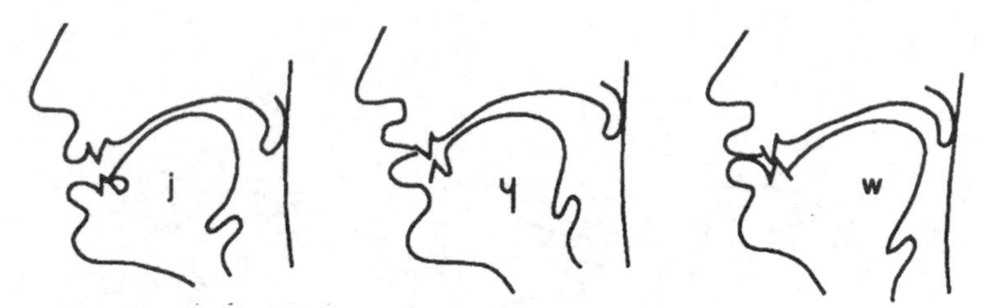

Figure 4. Schémas articulatoires des semi-consonnes.

8. TRAITS PHONÉTIQUES ARTICULATOIRES DES SEMI-CONSONNES

Tableau 3. Les traits articulatoires des semi-consonnes du français.

	Médiodorso-médiopalatale	Postdorso-vélaire
Non labiale	j	
Labiale	ɥ	w

Les semi-consonnes n'ont pas de valeur phonologique en français. On peut toujours les remplacer par la voyelle à laquelle elles correspondent. Elles n'en sont que des variantes distributionnelles. Seul le yod peut être en initiale et en finale : *hier* [jɛːʀ], *paille* [paj]. Il remplace le [i] devant voyelle : *hier* [jɛːʀ], *scier* [sje], etc. Le ué remplace le [y] dans les mêmes distributions : *lui* [lɥi], *suer* [sɥe], etc. Le oué remplace le [u] dans les mêmes conditions : *Louis* [lwi], *souhait* [swɛ], etc.

On avait, autrefois, l'opposition : *juin – joint, le premier mot avec ué*, le second avec *oué*. On aurait pensé que le rendement fonctionnel maintiendrait l'opposition. Mais ce rendement est faible et les deux phonèmes n'apparaissent jamais dans le même contexte. Du point de vue phonétique, le /ʒ/ de *juin* /ʒɥɛ̃/, consonne labiale, fait reculer l'articulation du *ué,* et entraîne la prononciation de *joint* /ʒwɛ̃/, dans les deux mots, faisant disparaître la paire minimale. Dans le mot *linguiste*, dont la prononciation devient de plus en plus comme « lingouiste » [lɛ̃gwist] – même chez les meilleurs linguistes ! – on peut supposer que le [g], consonne postérieure a entraîné, là aussi, le recul de la semi-voyelle, la faisant passer à [w].

On garde la voyelle lorsqu'elle est précédée de deux consonnes dans la même syllabe : *trier* [tʀije], *trouer* [tʀue], *cruelle* [kʀyɛl]. Mais le groupe *ui* se prononce toujours avec ué, en une seule syllabe, comme dans *pluie*, *truite*, probablement à cause de la proximité des deux articulations du [ɥ] et du [i].

Les consonnes [t d n] sont *apico-dentales*, suivies d'une voyelle antérieure et *apico-alvéolaires avec les voyelles postérieures.*

En finale, le yod paraît s'opposer phonologiquement à /i/ dans les mots *abbaye* /abei/ - *abeille* /abɛj/ et *pays* /pei/ - *paye* /pɛj/. En réalité, il ne s'agit pas de vraies paires minimales puisque le nombre de syllabes n'est pas le même pour les deux termes de la paire.

9. VARIANTES COMBINATOIRES DE LIEUX D'ARTICULATION

Le passage des voyelles aux semi-consonnes correspondantes, que l'on vient de voir, constitue un phénomène d'*assimilation*, qui résulte de loi générale du *moindre effort*. Il faut moins d'énergie pour prononcer *scier* en une seule syllabe qu'en deux syllabes. Voici d'autres types d'assimilation de lieux d'articulation consonantique :

L'antériorisation : le [k] ou le [g] sont prononcés avec le dos de la langue vers l'avant du palais dur lorsqu'ils sont suivis d'une voyelle antérieure, telles [i y e œ a], par opposition à la *postériorisation* des mêmes consonnes lorsqu'elles sont suivies d'une voyelle postérieure, comme [ɔ o u].

La palatalisation : la langue s'appuie contre le milieu de la voûte palatine. Le phénomène se produit souvent lorsque la consonne antérieure [t] ou la consonne postérieure [k] sont suivies d'une voyelle haute comme [i] ou [y] qui poussent le dos de la langue vers la voûte du palais.

10. VARIANTES COMBINATOIRES DE MODES D'ARTICULATION

10.1 VOISEMENT/DÉVOISEMENT (DITS AUSSI SONORISATION /ASSOURDISSEMENT)

Lorsque deux consonnes sont en contact, la plus forte assimile la faible. Si les deux consonnes se trouvent dans la même *syllabe*, dans les groupes *consonne + R* ou *consonne + l* qui sont indissociables, c'est la non voisée qui est toujours la plus forte. Elle dévoise alors la voisée. Ex.: *très* [tʀ̭ɛ], *clé* [kḽe], *près* [pʀ̭ɛ]. Le phénomène peut aussi se produire en groupe final, comme dans : *animisme* [animism̭] ; le [m] voisé est dévoisé.

Lorsque les deux consonnes en contact sont dans deux *syllabes séparées*, ce n'est plus la nature du phone mais sa *position* qui compte. C'est la seconde (explosive, donc forte) qui assimile la première (implosive, donc faible).

Exemples d'assourdissement (noté par v renversé sous la consonne dévoisée) :

ab/sent [ab̭sã] (assimilation partielle) ou [apsã] (assimilation totale) : [b] devient [p]

méd/ecin [meḓsɛ̃] (assimilation partielle) ou [metsɛ̃] (totale) : [d] devient [t].

Exemples de sonorisation (notée par v sous la consonne voisée) :

Iceberg [is̬bɛʀg] (assimilation partielle) ou [izbɛʀg] (totale) : [s] devient [z].

anec/dote [anɛk̬dɔt] (assimilation partielle) ou [anɛgdɔt] : [k] devient [g].

La tendance moderne est à l'assimilation totale. Mais elle dépend aussi de la structure du mot et de sa fréquence d'emploi. Dans *iceberg*, par exemple, on entend plus souvent un [s] qui a perdu son trait de force articulatoire mais qui n'a pas pris celui de sonorité. On voit le flottement qui règne dans le dictionnaire *Robert Oral-Écrit*, par exemple.

10.2 VARIANTES DE NASALISATION

Il y a eu de nombreux cas de nasalisation en ancien français, analogues à ce qu'on constate aujourd'hui dans des langues où il n'existe pas d'oppositions linguistiques entre voyelles orales et nasales. Ainsi l'espagnol dit, dans le parler ordinaire, *corazón*, comme [korasõ] et l'anglais, surtout américain, prononce *ham* comme [hæ̃m]. En français moderne, les consonnes nasales n'ont guère d'influence notable sur les voyelles environnantes. Par contre, il arrive, dans une *articulation relâchée*, qu'une voyelle nasale nasalise une consonne orale (*d* devient *n*) comme dans *là-dedans* [laddã] devenant [landã] puis [lannã̃].

On trouve également, dans une articulation relâchée, des assimilations de consonnes, dont le principe est le même que celui du mécanisme de la sonorisation ou désonorisation. La forte assimile la faible. Carton cite les formes *ma(d)moiselle*, qui devient [manmwazɛl] et *m(ons)ieur* [psjø]. On aura noté que certaines assimilations, dites *régressives*, se font d'avant en arrière, comme dans *médecin* où le [s] assimile le [d]. Dans un cas comme *trois* où c'est la première consonne qui assimile la seconde, l'assimilation est dite progressive. Elle s'exerce des deux côtés dans une séquence telle que *j'crois* [ʃkʀ̥wa] puisque le [k] assourdit à la fois la consonne qui le précède et celle qui le suit.

10.3 ASSIMILATION TOTALE D'OUVERTURE

Les assimilations qu'on vient de voir n'entraînent pas la disparition de la consonne qui, du point de vue phonologique, ne perd pas tous ses traits distinctifs. Par contre, il peut arriver, dans le parler spontané, familier, qu'une consonne disparaisse complètement. Il s'agit alors d'une assimilation d'ouverture. La consonne (élément fermé) prend, « par paresse articulatoire », le caractère de la voyelle (élément ouvert) avec laquelle elle est en contact. Il faut pour cela que la consonne soit faible *par nature* (les consonnes fricatives et surtout les liquides l et R) ou *par sa position implosive* (finale de syllabe). Ainsi le R implosif de *parce que* s'ouvre et perd son articulation de consonne, d'où [paskə]. De même le [v], consonne faible, disparaît souvent dans *avoir* devenant [awa:ʀ]. L'assimilation peut continuer jusqu'à [aa:ʀ]. Placée entre deux éléments ouverts (les voyelles), la semi-voyelle [w] disparaît. Le plus bel exemple de cette assimilation, dans le parler relâché des écoliers, est donné par Marina Yaguello, avec « T'ar ta gueule à la récré » pour « Tu vas voir ta gueule à la récré ».

On a également beaucoup d'exemples actuels de suppression d'une consonne finale de syllabe dans les groupes de géminées, comme dans « par régions » [paʀʀeʒjɔ̃] devenant [paʀeʒjɔ̃]. Dans tous les cas, il s'agit encore de ce que Maurice Grammont appelait la loi du moindre effort (1946 ; 176-179).

Selon la même loi, en finale de syllabe, donc en position faible, le [l] et le [R], consonnes elles-mêmes faibles par nature, disparaissent souvent lorsqu'elles sont précédées par une autre consonne. Ainsi *traître* devient [tʀɛt], *table* devient [tab], *livre* [li:v], etc.

11. LES VARIANTES CONSONANTIQUES FONCTIONNANT COMME INDICES DIALECTAUX OU SOCIAUX

Les variantes consonantiques combinatoires passent généralement inaperçues à l'intérieur d'une même communauté linguistique. Cependant, évaluées hors du groupe ou si elles sont trop accusées à l'intérieur même du groupe, elles peuvent prendre une connotation dialectale ou sociale.

Les formes relâchées, citées ci-dessus, [psjø], [manmwazɛl] sont connotées *familières* et [lannɑ̃] *populaire.*

11.1 LA FORTE PALATALISATION DE [k'], [g'] OU [t'] ET [d']

Elle est perçue comme rurale, ou populaire, en particulier à Paris. *Casquette* prononcé [kjaskjɛt], voire *tyastyette* (la prononciation peut même aller jusqu'à [tʃjastʃjɛt]) ou comme *tiens*, articulé comme [tʃjɛ̃] ou [kjɛ̃], que l'on trouve orthographié *quiens* par Queneau, sont des exemples courants. Leur transcription graphique montre bien le processus de centralisation de la palatalisation puisque [k] est perçu comme [t] et inversement, et qu'un [ʃ] se dégage fréquemment de la consonne palatalisée. Les graphies de ce type sont constamment inversées chez les patoisants normands, comme dans « Quiens ! vlà l'tchuraé ! » (Tiens ! voilà le curé !).

11.2 L'ASPIRATION

En français standard, les occlusives ne sont pas *aspirées.* Mais elles peuvent l'être dialectalement, dans les parlers ruraux de Normandie, de Picardie, de Saintonge ou du Poitou qui les ont transmises au français canadien de la région de la Beauce et des Provinces maritimes. Elles sont en réalité soufflées.

11.3 L'ASSIBILATION

On trouve, dans ces mêmes régions, [ts] et [dz] pour [t] et [d], devant [i], [e], [y], qui sont des *assibilations* (l'occlusion se termine par un [s]). Elles sont détectées en France comme dialectales, elles passent inaperçues au Québec, où *petite maudite* est souvent prononcé [ptsɪtmodzɪt], *député* [deptse], *as-tu* [atsy].

11.4 LES PALATALES [ɲ] ET [nj]

La médiodorso-médio-palatale [ɲ] d'un mot comme *agneau* a comme variante dialectale ou sociale une *antériorisation*, en deux phones [n + j].

Agnès étant prononcé [anjɛs] au lieu de [aɲɛs]. Inversement, on peut entendre une *postériorisation*, fusion de [nj] en [ɲ] dans un mot comme *panier*, prononcé comme *pagnier*. Dans le premier cas, l'antériorisation semble perçue comme une préciosité, dans le second, la postériorisation paraît un trait populaire.

11.5 LES VARIANTES DE R

Le français possède au moins 5 variantes de R. Les différents types de R, dits à *battements* ou à *roulement* sont aussi appelés *vibrantes*.

- Le français standard prononce un [ʀ] dorso-uvulaire articulé avec un léger frottement du dos de la langue contre la luette.
- L'ancien [r] latin, qui existe encore dans certains dialectes français, dans la région de Montréal, au Québec et dans beaucoup de parlers romans (espagnol, italien, roumain, etc.), est articulé avec la pointe de la langue contre les alvéoles. Il est « roulé » avec un seul battement comme dans *pero* (*mais*, en espagnol) ou avec plusieurs battements, comme dans *perro* (*chien*, en espagnol). Dans cette langue, il s'agit donc de deux phonèmes et non de variantes.
- Le [ʀ] dorso-uvulaire du français standard peut avoir une variante dite R *grasseyé* [ʁ], articulé plus légèrement, sans frottement contre le palais et qui a parfois une résonance pharyngale, dans la variété dite *faubourienne* à Paris. Il est alors généralement connoté avec une parlure *populaire*.
- Certains créoles francophones, comme celui de Sainte-Lucie, ont un ʀ très vocalisé qui sonne comme un [w] en initiale ou dans les groupes consonantiques : *radio* [wadjo], *gros* [gwo] ; et qui disparaît devant consonne ou en finale : *parler* [pa:le], *mort* [mo:] tout en laissant un allongement compensatoire de la voyelle précédente.

12. VARIANTES LIBRES, CONSONANTIQUES, FONCTIONNANT COMME SIGNAUX PHONOSTYLISTIQUES

À côté des variantes dialectales et des variantes combinatoires, qui n'ont en général qu'une valeur d'*indice* sémiotique pour ceux d'un autre groupe linguistique, il existe aussi des variantes à fonction de *signaux*. Elles sont aussi appelées *variantes* libres. Elles demandent un effort, conscient ou non. En voici quelques exemples.

12.1 R ROULÉ APICAL

Ce [r] décrit ci-dessus comme variante dialectale reste connoté comme tel pour les citadins de France. Les chansonniers l'emploient pour se moquer des paysans ou des gendarmes, à qui on attribue l'accent du midi. À l'origine, c'était le R du roi, détrôné à la révolution par le R dorso-uvulaire des gens du peuple de la France du nord de la Loire. Au Canada, ce [r] du bout de la langue, devenu «rural» en France, a été longtemps celui des nobles et de la bourgeoisie de Montréal qui méprisait le R dorsal des paysans de Québec. Ironie du sort, c'est maintenant le R du peuple de Québec qui est connoté chic ou tout au moins jeune. Le [r] apical, qui est plus intense, plus facile à projeter, a été traditionnellement celui du *bel canto* des chanteurs d'opéra classique.

12.2 R FÉMINISTE ET R EFFÉMINÉ

Henriette Walter (1988 : 215) expose la situation psycholinguistique du R, en Afrique du Nord, rappelant que l'arabe possède les 2 types de R, dorsal et apical, qui sont d'ailleurs, dans la langue, des phonèmes opposant des mots différents. Théoriquement, il n'y avait donc aucune difficulté pour les apprenants du français à adopter l'une ou l'autre consonne. Mais les hommes ont été les premiers scolarisés en français par des instituteurs ou des militaires qui devaient sans doute parler avec le r roulé. Les filles, instruites plus tard en français, ont hérité du modèle avec le R dorsal du français standardisé. Les hommes hésitent encore actuellement entre ce R dorsal, considéré comme celui des filles – mais qui est aussi celui de la modernité – et le r apical qui leur semble celui des hommes.

Ivan Fónagy (1983 : 95 sq.) donne une explication psychanalytique : le r apical est dit, à cause de son profil, « érectile ». Son articulation est plus intense, plus sonore que le R dorsal. Il a été longtemps la consonne militaire des commandements virils. La thèse de Fónagy se trouve renforcée par le fait que, dans les langues à r roulé, latines ou slaves, certains groupes efféminés ont adopté le R dorsal, qui est plus doux.

On pourrait citer également, entre bien d'autres exemples, le suivant donné par Jakobson et Linda Waugh (1979 : 210), celui d'une jeune fille dont la langue n'avait pas de r apical, refusant, en rougissant, de prononcer ce r dans une langue qui lui était nouvelle.

Laura Santone, linguiste romaine, m'assure que le r apical est parlé partout en Italie, sauf en Piémont et en Émilie, où on a historiquement gardé le

R dorsal. Mais elle relate que Gianni Agnelli, le patron de Fiat, affectait de parler avec le R dorsal, ce qui a entraîné par snobisme cette prononciation, à Turin. Les Romains considèrent, eux aussi, le r apical comme viril et le R dorsal comme efféminé.

12.3 R ROULÉ UVULAIRE

Les chanteurs qui n'arrivaient pas à prononcer le [r] roulé apical tentaient de l'imiter en produisant un R, avec des battements de la luette, comme lorsqu'on se gargarise. C'est le R qu'employait Édith Piaf dans ses chansons : « *R*rien de *rr*ien... Non, *rr*ien de *rr*ien... » Ce R roulé uvulaire existe, plus léger, en Wallonie. Le chanteur belge, Jacques Brel, l'utilisait.

12.4 R PHARYNGAL

Il est non voisé, produit par une forte constriction pharyngale, et ressemble à un raclement de gorge. C'était le R chic des jeunes « existentialistes » de Saint-Germain des Prés.

12.5 LA PALATALISATION

Appelée aussi *mouillure*, elle peut être un indice sémiotique dialectal, comme on l'a vu ci-dessus. Ailleurs, comme en France, elle est jugée souvent comme un trait vulgaire stigmatisant. Par contre, Ivan Fónagy note qu'elle est utilisée comme signal de séduction dans certaines langues slaves palatalisantes. Comme Avanesov indique de son côté que la palatalisation régresse en russe moderne, peut-être faut-il voir là une réaction inconsciente contre un certain maniérisme de l'ancienne palatalisation utilisée par les nobles ou la bourgeoisie avec ce type de symbolisme. La *mouillure* avec des clicks de la langue est parfois associée à un signal de rejet, de dégoût.

12.6 LE ZÉZAIEMENT

L'articulation de la sifflante sonore interdentale [ð] est un phonème de l'anglais, dans *the*, par exemple. Par contre, en français, elle n'existe que comme substitut de [z], dans le *zézaiement*, avec sa correspondante sourde pour [s]. C'est ici un défaut d'ordre psychophysiologique et non pathologique. On peut penser que les très jeunes enfants commencent par imiter les [s] et [z] visuellement et font un trop grand effort qui aboutit au zézaiement. Tant que les enfants sont petits, les parents trouvent la substitution charmante et parfois même l'encouragent. C'est seulement lorsque l'entourage les reprend, souvent par la moquerie, que la correction s'effectue, à la maison ou à l'école. Mais si l'enfant est très susceptible, il peut développer un complexe et zézayer toute sa vie.

Les psychologues ont constaté que beaucoup d'homosexuels étaient affectés d'un zézaiement, qui peut aller jusqu'à devenir un signal de reconnaissance ou de charme. Puisque le zézaiement est généralement associé à la petite enfance et qu'il est beaucoup plus répandu dans les familles des classes favorisées n'ayant qu'un seul enfant, on comprend fort bien qu'il véhicule des connotations de grande affectivité. Le zézaiement, signal de charme, existe aussi comme trait phonique occasionnel de coquetterie. Il peut apparaître au milieu d'un discours quand la personne raconte quelque chose qui la met en valeur, un compliment qu'on lui a fait, ou pour signaler une instance où elle se retrouve la petite fille qui aimerait être à nouveau câlinée.

12.7 LA GÉMINATION

Henriette Walter a trouvé dans son enquête de 1976 que le redoublement consonantique, dit *gémination*, est en progression constante à Paris. Il est curieux de constater que la gémination fonctionnelle dans des paires minimales telles que : *elle a dit* /ɛladi/ - *elle l'a dit* /ɛlladi/, disparaissent du français moderne, alors que de nouvelles géminées apparaissent sous forme de renforcement expressif. Selon Marina Yaguello, le politicien français Marcel Rocard gémine toute consonne double écrite du type : *C'est essentiel* [essãsjɛl]. Le phénomène est aussi souvent connoté comme une marque de snobisme, comme lorsque Sartre dit : « J'ai, bien sûr, euh… été… à la fois *attiré* [attire] et… repoussé par le personnage de Flaubert, tel qu'il se présente dans ses *lettres* [llɛtr]… », en prononçant non seulement attiré avec double *l* mais aussi le *l* initial de *lettres* !

12.8 DIÉRÈSE ET SYNÉRÈSE

En poésie, le rétablissement d'une voyelle à la place de la semi-consonne correspondante, comme dans *nuit*, prononcé en deux syllabes, constitue une *diérèse*, très utilisée par les poètes quand il manque un pied à leur vers. Ainsi dans : « Les sanglots longs/Des violons », de Verlaine, on doit prononcer [deviɔlɔ̃] en 4 syllabes, avec diérèse et non [devjolɔ̃] avec la synérèse, sinon les deux vers n'auraient pas le même rythme syllabique. La *synérèse* est plutôt d'un effet comique si elle supprime un hiatus normal, comme dans [pwɛt] pour poète [pɔɛt].

12.9 CHUTES DE CONSONNES

Contrairement au redoublement des consonnes, qui demande un effort de la part du locuteur, on relève de plus en plus de chute de consonnes dans le parler ordinaire ; contrairement au signal expressif du redoublement consonantique, il s'agit de l'indice d'un relâchement articulatoire, témoignant d'un style *familier.*

Les consonnes doubles deviennent simples, comme dans : Madam(e M) ercier, pour(r)ien, une seul(e l)ampe, etc.

Les groupes : Consonne + R ou Consonne + L perdent le R ou L devant consonne ou en finale : quatre francs : quat' francs, une table ronde : une tab' ronde, un bel arbre : un bel arb'.

Le L disparaît du mot *plus*, dans des exemples comme « je sais *pu* » pour je ne sais plus.

Le V tombe facilement surtout devant une autre labiale : avoir : awaR, de même : *savoir, aurevoir*, etc.

Le R tombe aussi dans : *Parce que* : passque.

Le B tombe dans : *problème : un prolème.*

L e groupe ks devient S : esprès.

Dans les pronoms personnels : *Elle, ils, elles*, et plus encore dans l'impersonnel *il*, L tombe devant consonne : Il m' a dit : i' m' a dit, elle m'a fait : è m' a fait, il faut : i faut, etc.

La semi-consonne *ué,* dans les formes inaccentuées de lui, passe souvent à *yod :* Je lui ai dit : J'y ai dit. La même semi-consonne disparaît dans *puis,* qui devient *: pi.*

Tous les traits notés ci-dessus disparaissent dans le discours soutenu et, de manière générale, en position accentuée, mais sont utilisés, volontairement mais inconsciemment, pour faire *familier* dans les entrevues ou les débats. On a étudié ainsi les entretiens littéraires télévisés de Bernard Pivot (1993 : 206-208) , qui dit « ya » pour « il y a » dans 91 % des occurrences et supprime le L des pronoms personnels, devant consonne, dans les mêmes proportions.

Ces traits sont considérés comme *populaires* seulement lorsque leur apparition augmente considérablement et que le contexte suggère déjà une parlure populaire. D'autres indices font basculer le *familier*, comme :

« è m'a dit » en *populaire, avec* la prononciation « a'm'a dit », dans les tests d'évaluation. Autres marques différenciatives, les embrayeurs comme « bon, ben, m'enfin », qui passent inaperçus lorsqu'ils sont *inaccentués,* dans le discours *familier*, mais deviennent connotés avec le *populaire* s'ils sont *accentués.*

Les changements indiqués ci-dessus ont été notés depuis longtemps par les phonéticiens. On en trouvera de nouvelles références précises dans Fónagy (2006 : 40-47).

13. LIMITES DU FONCTIONNEMENT DES VARIANTES PHONOSTYLISTIQUES

Les variantes de lieu et de mode d'articulation que l'on vient d'examiner ne deviennent proprement phonostylistiques que dans les cas où elles ne sont pas justifiées par le contexte phonique ou l'origine linguistique étrangère au groupe des sujets.

En ce qui concerne les *lieux d'articulation*, un effet d'antériorisation, de mouillure ou de postériorisation sera perçu comme expressif à partir du moment où il concernera *l'ensemble* de l'articulation et non des cas particuliers dus à l'entourage phonique.

Les variantes de *mode articulatoire* seront notées comme phonostylistiques seulement dans le cas où elles représentent, elles aussi, un ensemble de phénomènes non explicables par le contexte phonique. Ainsi un non germanophone prononçant : « Che fous fois zoufent » sera sans doute en train de vouloir caricaturer l'accent allemand dans l'énoncé « je vous vois souvent ».

14. LA COLORATION CONSONANTIQUE DU FRANÇAIS

Parmi les nombreuses statistiques que l'on possède sur le français, on citera les dernières en date, celles de François Wioland (1991 : 30). Voici le pourcentage d'occurrences des consonnes françaises, relevées dans des textes oraux :

Tableau 1. Fréquence d'occurrences des consonnes françaises.

ʀ = 7,25 %	d = 4,03	j = 2	b = 1,4
s = 6	m = 3,8	ʒ = 1,6	ʃ = 0,5
l = 5,6	p = 3,7	z = 1,5	ɥ = 0,5
t = 5,3	n = 3	f = 1,4	g = 0,4
k = 4,06	v = 2,7	w = 1,4	

On trouvera, page 123, le pourcentage des voyelles. Les chiffres de Wioland donnent un total de 56,55 % de consonnes, soit environ 4 consonnes pour 3 voyelles.

D'autres statistiques ont montré que, dans la moyenne des discours en français, la proportion des consonnes et des voyelles s'équilibre sensiblement.

Certaines langues ont des rapports consonnes/voyelles très différents. Hagège et Haudricourt (1968) citent les cas extrêmes du cambodgien qui comporterait 48 phonèmes vocaliques pour un petit nombre de consonnes, et du margi, au Tchad, qui compterait 89 consonnes pour un petit nombre de voyelles.

Au plan de la perception phonostylistique, les langues vocaliques paraissent plus harmonieuses que les langues consonantiques. Le fait s'explique par les bruits d'occlusions ou de frictions des consonnes. Mais, pour le français, les consonnes les plus dures, les plus « explosives » [p] [t] [k] ne représentent que 13 % du stock des phonèmes. Les « liquides », [l] et [R], qui sont habituellement sonores et douces représentent, à elles seules, également près de 13 %. Enfin, si on additionne toutes les consonnes sonores, on verra qu'elles donnent une proportion sensiblement égale à celles des sourdes.

Le français présente donc une image sonore bien équilibrée. Il faut noter aussi que le [R] dorsal du français moderne est ce que Pierre Delattre appelait *« la clé de l'antériorité du français »*. En effet l'articulation postérieure du dos de la langue contre la luette, pour le [R], fait que la pointe de la langue reste abaissée, permettant une meilleure projection des voyelles.

15. PHONÉTIQUE IMPRESSIVE DES CONSONNES

L'impression auditive produite par les consonnes se traduit souvent en termes imagés, dont l'origine s'explique soit par le mode ou le lieu d'articulation, soit par la constitution physique du son, telle qu'on l'a vue en particulier dans le chapitre 3 :

– *explosives :* [p t k] les sonores [b d g] étant des explosions atténuées ;
– *sifflantes :* [s z], la sourde étant plus aiguë ;
– *chuintantes :* [ʃ ʒ] bruits de frictions, atténués pour les sonores ;
– *roulée :* [r] à battements de la langue contre les alvéoles ;
– *liquides :* [l] et [R] ; bruits d'écoulement d'air ; les Grecs ajoutaient parfois [n] et [m].
– *mouillées :* toute consonne dégageant un yod, et faisant entendre un bruit de salive.

On trouve souvent ce genre de notation impressionniste dans les commentaires stylistiques.

Problématique et questions

1. Les psycholinguistes ont fait de nombreuses expériences consistant à tronquer partiellement une consonne dans des mots sans signification *(logatomes)*. Or les taux de reconnaissance restent toujours assez élevés. Qu'est-ce que cela indique du point de vue de la structuration des traits consonantiques ?
2. Il arrive aussi qu'on supprime totalement une consonne dans un mot. Un «prolème» pour *problème* ; «dans a rue» pour *dans la rue*. Qu'est-ce qui explique la chute de ces consonnes ?
3. Quelle est la consonne qui correspond à un [p] voisé et nasalisé ?
4. Si [n] se dénasalise, quelle consonne en résulte ?
5. Lorsqu'on entend une prononciation comme [lannɑ̃] pour là-dedans, que s'est-il passé ?
6. D'après les traits articulatoires suivants, indiquez, en transcription phonétique, de quelle consonne il s'agit :
- occlusive, nasale, apico-dentale ;
- occlusive, orale, voisée, bilabiale ;
- fricative, orale, non voisée, prédorso-alvéolaire ;
- fricative, orale, apico-alvéolaire, latérale ;
- occlusive, orale, post-dorso-vélaire.
7. Définissez, par leurs traits articulatoires, les consonnes : [R] et [r].
8. Dessinez le schéma d'une occlusive orale, dorso-vélaire sourde.
9. Les Français du nord de la France prononcent les mots comme *communisme*, *méridionalisme* avec [m] dévoisé, alors que ceux du midi sonorisent le [s] en [z]. En vous servant de la règle de syllabation, essayez d'expliquer la sonorisation méridionale.
10. Transcrivez, en faisant les assimilations totales : *abcès, à jeter, coup de tête, J'pars, ch(e)val.*
11. Donnez des exemples d'allitération et commentez.
12. Ivan Fónagy dit que, au plan psychanalytique, le [r] est un phone érectile. Commentez.

(*Réponses p. 264*)

BIBLIOGRAPHIE

BOTHOREL A. *et al.* (1986), *Cinéradiographie des voyelles françaises*, Strasbourg, Travaux de l'Institut de phonétique.

DELATTRE P. (1965), «Les Attributs physiques de la parole et l'esthétique du français», *Revue d'esthétique*, 13/3-4 : 246-251.

FÓNAGY I. (1983), *La Vive Voix*, Paris, Payot.

FÓNAGY I. (2006), *Dynamique et changement*, Louvain-Paris, Peeters.

GRAMMONT M. (1946), *Traité de phonétique*, Paris, Delagrave.
HAGÈGE Cl. et HAUDRICOURT A. (1968), *La Phonologie panchronique*, Paris, PUF.
JAKOBSON R., GUNNAR F. et HALLE M. (1952), *Preliminaries to Speech Analysis*, La Haye et Paris, Mouton.
JAKOBSON R. et WAUGH L. (1979) *The Sound Shape of Language*, Bloomington, London, Indiana University Press.
LÉON P. (1971), *Essais de phonostylistique*, Montréal-Paris-Bruxelles, Didier, coll. « Studia phonetica » 4.
LÉON P. (1993), *Précis de phonostylistique. Parole et expressivité*, Paris, Nathan, Armand-Colin, 2004-2011.
MARTINET A. (1968), *La linguistique synchronique*, Paris, PUF.
METTAS O. (1979), *La Prononciation parisienne. Aspects phoniques d'un sociolecte parisien (du faubourg Saint-Germain à la Muette)*, Paris, SELAF.
ROULET E. (1993) « Le plaisir du discours, un soliloque de Sol », *Mélanges LÉON,* Philippe Martin (éd.), Toronto, Mélodie, pp.415-426.
STRAKA G. (1972), *Album phonétique*, Québec, Presses de l'université Laval.
WALTER H. (1976), *La Dynamique des phonèmes dans le lexique du français contemporain*, Paris, France Expansion.
WALTER H. (1988) *Le français dans tous les sens*, Paris, Robert Laffont.
WIOLAND F. (1991), *Les Sons du français*, Paris, Hachette.
YAGUELLO M. (1991), *T'ar ta gueule à la récrée*, Paris, Seuil.
YAGUELLO M. (1991), *En écoutant parler la langue*, Paris, Seuil.

Jeux de consonnes

Si les consonnes assurent l'intelligibilité dans la communication vocale ordinaire, elles servent aussi beaucoup aux jeux de langage. On en trouve des exemples en littérature dans ces citations bien connues, où la répétition de la consonne active symboliquement un noyau sémantique :

S : *Pour qui sont ces serpents qui sifflent sur vos têtes ?* (Racine).

F L : *Les souffles de la nuit flottaient sur Galgala* (Hugo).

Parfois, il s'agit seulement de symboliser une émotion sans rapport avec le sens, comme dans ce dialogue surréaliste de Ionesco où la cascade des [k], occlusive forte, va évoquer la colère :

– *kaakatoès, kakatoès, kakatoès…* (etc.).

– *Quelle cacade, quelle cacade, quelle cacade !* (etc.)

Parfois, c'est pur jeu, comme dans les chansons de Boby Lapointe : *Ta Katy t'a quitté. t'es cocu !*

En dehors de ces cas de jeux sur le signifiant, il y a des jeux consonantiques sur le signifié, telles les contrepèteries. Cette figure de style consiste à permuter deux consonnes pour obtenir un sens généralement grivois, comme lorsque Rabelais dit que « Panurge aimait *f*emme folle à la *m*esse », ce qui veut dire évidemment : *m*olle à la *f*esse. On en trouve, chaque semaine, sur « L'Album de la Comtesse », dans *Le Canard enchaîné*. Exercez-vous : *les pages roses du Petit Larousse*, *un saint complet*, etc.

Les Français usent et abusent aussi des calembours du type « Ça bosse fort ? Comme aux Dardanelles ! » (Jeu sur bosser = travailler et Bosphore). D'autres sont des jeux consonantiques approximatifs, comme *fier comme un petit banc*, pour *fier comme Artaban*, ou ceux-ci de Queneau : *sliptize* pour *strip-tease*, un *guidenappeur*, pour *kidnappeur*!

Sol au Canada et Devos en France étaient des maîtres en la matière et toute une littérature d'avant-garde en fait sa manne favorite.

Le plaisir du dicours : « C'était le paradoxe » ...

Un beau grand jardin, très luxurieux,
Plein d'arbruisseaux qui roucoulaient,
Plein de multiflores qui pétalaient, qui pétalaient,
Plein de bicornes qui bruminaient partout
Plein de libelles et de voléoptères,
Qui papillaient parmi les glycérines
C'était beau, c'était le paradoxe !
....
Et floc ! Qu'est-ce qui lui tombe tout à coup sur les bras ?
Une belle évanaissante.

Favreau, 1987, 15-16 (cité par Eddy Roulet, p. 416)

CHAPITRE 7

LE CLASSEMENT ET LE FONCTIONNEMENT DES VOYELLES

> Le maître de philosophie – La voix A se forme en ouvrant fort la bouche : A.
> Monsieur Jourdain – A, A. Oui.
> – La voix E se forme en rapprochant la mâchoire d'en bas de celle d'en haut : A, E.
> – A, E, A, E. Ma foi ! oui. Ah ! que cela est beau !
> – Et la voix I, en rapprochant les mâchoires l'une de l'autre, et en écartant les deux coins de la bouche vers les oreilles : A, E, I.
> – A, E, I, I, I, I. C'est vrai. Vive la science !
>
> MOLIÈRE, *Le Bourgeois gentilhomme*

1. LES RÉSONATEURS VOCALIQUES ET LE TIMBRE DES VOYELLES

Le timbre d'une voyelle est formé par l'addition des résonances de tout le conduit vocal, qui comprend en outre les deux principales cavités buccales, auxquelles peuvent s'ajouter celles de la cavité labiale et de la cavité nasale. Les résonateurs se modifient selon la position de la langue, du voile du palais et des lèvres. Ils engendrent différents types de voyelles (fig. 1).

1.1 TYPE OUVERT OU FERMÉ

Les deux résonateurs communiquent largement lorsque la langue s'aplatit, comme pour le [a], d'un mot comme *la*. Si elle s'élève, ils ne sont plus reliés que par un passage plus ou moins étroit, comme pour le [i] de *si*, ou le [e] de *ses*. L'aperture de la voyelle est alors définie par rapport au degré plus ou moins écarté des mâchoires et à l'élévation plus ou moins importante de la langue. Dans le cas d'écartement maximum, comme pour [a], on a une voyelle très *ouverte* ou *basse* et inversement, pour [i] ou [e] par exemple, une voyelle très *fermée* ou *haute*. (Les termes classiques sont *ouvert/fermé*. *Haut* et *bas* sont des termes articulatoires, employés par les générativistes.) Il s'agit d'ailleurs d'une fermeture toute relative puisque les voyelles sont des phones toujours ouverts par rapport aux consonnes.

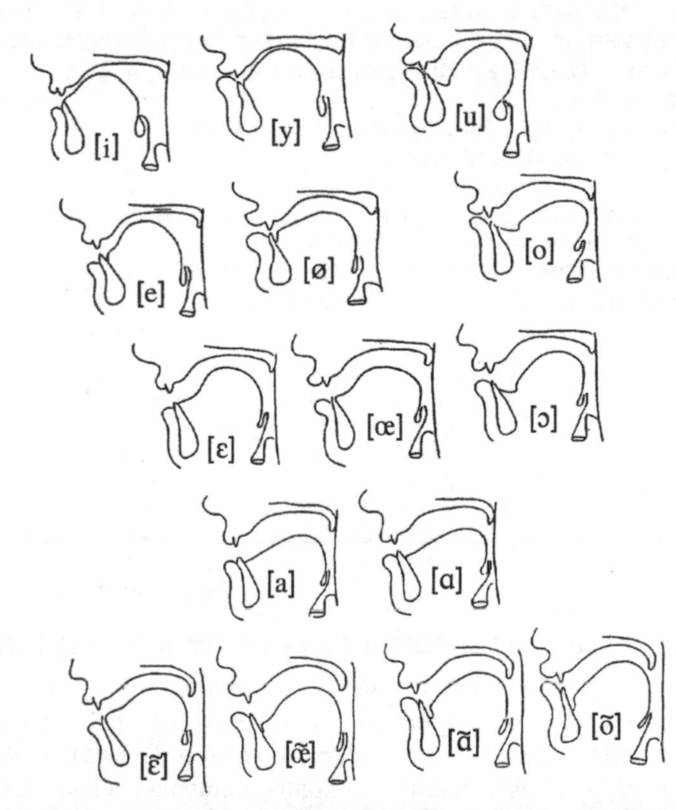

Figure 1. Schémas articulatoires des voyelles, d'après Bothorel *et al.* (1986).

1.2 TYPE ANTÉRIEUR OU POSTÉRIEUR

Selon que le *lieu d'articulation* est vers l'avant ou l'arrière du palais, on dit qu'on a une voyelle palatale ou *antérieure*, comme [i], ou une voyelle vélaire ou *postérieure*, comme [a].

1.3 TYPE ORAL OU NASAL

Si le voile du palais s'abaisse, il provoque une résonance nasale, qui différencie alors une voyelle comme celle de banc [bɑ̃] de celle de bas [ba].

1.4 TYPE LABIAL OU NON LABIAL

Lorsque les lèvres s'avancent, on a vu qu'elles agrandissent le résonateur buccal et *bémolisent* alors le timbre de la voyelle. On passe ainsi de [e] non labial (dit encore *écarté*), comme dans *été* à [ø] comme dans jeu, qui est un [e] labialisé (dit aussi *arrondi*).

2. ASYMÉTRIE DES ORGANES ARTICULATOIRES

On classe les voyelles en tenant compte des différents paramètres cidessus. Il faut remarquer cependant qu'il s'agit d'une schématisation. En effet, le système vocalique représenté dans le tableau du paragraphe suivant est en réalité asymétrique. La mâchoire inférieure s'écarte beaucoup plus pour les voyelles d'avant que pour celles d'arrière puisqu'elle pivote sur un axe postérieur (fig. 2). On peut sentir les différents degrés d'aperture en plaçant le dos de la main sous le menton et en chantant la série vocalique [i, e, ɛ, a] puis la série la plus postérieure [u, o, ɔ, a].

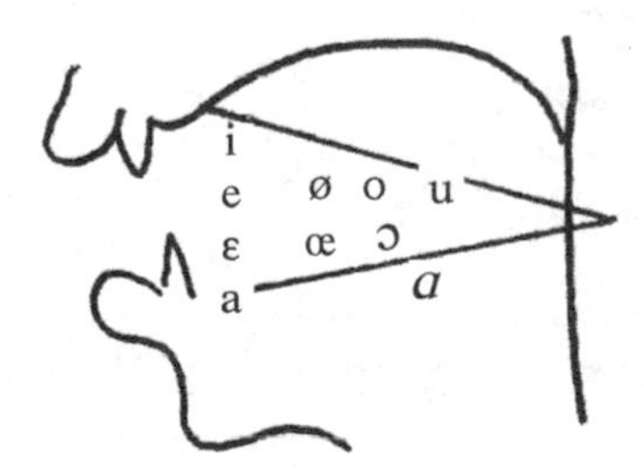

La mâchoire s'articule en arrière de la cavité buccale, formant un triangle ouvert vers l'avant.

Figure 2. Schéma montrant l'asymétrie physiologique de l'articulation buccale.

Les différences articulatoires et leurs variations peuvent donc être beaucoup plus grandes pour les voyelles antérieures [i], [e], [ɛ], [a] que pour les voyelles les plus postérieures [u], [o], [ɔ], [a].

Cette asymétrie des articulations se reflète dans la nature acoustique des voyelles de chaque série vocalique.

3. ÉTUDE PHYSIOLOGIQUE DES VOYELLES

Les schémas articulatoires de la figure 1 indiquent une des positions relativement stable de chaque voyelle. En réalité, les films cinématographiques de Bothorel, Simon, Wioland et Zerling montrent que, à un degré moindre que pour les consonnes, les articulations vocaliques sont elles aussi assez instables.

À partir de ces points d'articulation type, on en déduit ce qu'il est convenu d'appeler le *trapèze vocalique du français* (fig. 3). Ce classement permet de donner une idée de la topographie articulatoire des voyelles du français. Il doit surtout servir à corriger l'impression de symétrie trop parfaite que peut donner un classement linguistique des articulations vocaliques, tel celui qu'on a représenté, dans le tableau 1, ci-dessous.

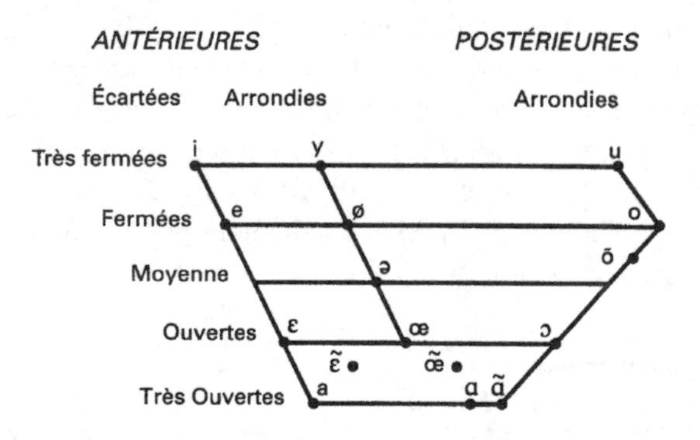

Figure 3. Trapèze articulatoire des voyelles françaises.

4. TRAITS DISTINCTIFS DES VOYELLES ORALES : ASPECT PHONOLOGIQUE

On a classé, d'après leurs traits articulatoires distinctifs, les voyelles orales du français dans le tableau 1.

Le système français utilise surtout l'espace articulatoire de l'avant de la cavité buccale, puisque 8 voyelles orales sur 12 sont antérieures. Cela donne au français une résonance vocalique *claire.*

Tableau 1. Représentation schématique du système linguistique des voyelles orales françaises, définies par leurs traits articulatoires distinctifs.

	Voyelles antérieures		Voyelles postérieures	
	Non labiales	Labiales	Non labiales	Labiales
Très fermées	i (si)	y (su)		u (sous)
Fermées	e (ses)	ø (ceux)		o (seau)
Moyenne		ə (ce)		
Ouverte	ɛ (sel)	œ (seul)		ɔ (sol)
Très ouverte	a (patte)		ɑ (pâte)	

5. TRAITS DISTINCTIFS DES VOYELLES NASALES D'APRÈS LEUR CLASSEMENT ARTICULATOIRE

Phonétiquement, les voyelles *nasales* sont en réalité *oralo-nasales*. L'air expiré par le nez ne représente qu'une faible partie de la voyelle nasale ; de 2 à 18 %, selon le timbre et la position. Elles ont une articulation légèrement plus postérieure que les voyelles orales correspondantes. En particulier le [ɛ̃] qui est très proche du [ɑ̃]. On peut se rendre compte de leurs différences articulatoires en plaçant la main sur la pomme d'Adam et en chantant successivement [a]...[ɑ̃] ou [o]...[õ]. On sent le larynx, solidaire de la langue, descendre légèrement en passant de la voyelle orale à la nasale.

D'un point de vue phonologique, on peut représenter les voyelles nasales du français selon le schéma du tableau 2 :

Tableau 2. Représentation schématique des voyelles nasales françaises, définies par leurs traits articulatoires.

Antérieures		Postérieures
Écartées	ɛ̃ (vin)	ɑ̃ (vent)
Labiales	œ̃ (un)	õ (vont)

6. CLASSEMENT DES VOYELLES ORALES D'APRÈS LEURS TRAITS ACOUSTIQUES

On se rappelle que les résonateurs des cavités buccales produisent des formants qui sont, en partie, responsables du *timbre* de chaque voyelle. Delattre (1966 : 49) donne une liste des formants des voyelles françaises, que l'on a reclassées ici selon la division physiologique en *séries de même aperture* (tableau 3).

On vérifie à la synthèse de la parole que, à chaque série physiologique, fermée, ouverte, etc., correspond une série acoustique présentant un point commun, *le même formant bas,* F_1. Dans une même série, la *différenciation paraît donc s'opérer par le formant haut,* F_2. En réalité, d'autres facteurs physiologiques entrent en ligne de compte (Fant, 1960).

Le second formant s'abaisse quand on va de la voyelle antérieure à la voyelle postérieure. C'est ce formant haut qui, pour chaque voyelle, nous fait percevoir une tonalité aiguë ou basse. On peut très bien prononcer sur une même note [i] dans *si* et [u] dans *sous*, mais l'impression auditive sera que [i] paraîtra plus aigu à cause des harmoniques renforcés de son formant haut, 2 500 Hz, et [u] plus grave, à cause de son formant haut à 750 Hz seulement.

En fait, le trait d'*acuité* semble perçu seulement pour les voyelles dont F_2 est supérieur à 1 600 Hz, c'est-à-dire [i, y, e, ø, ε].

Tableau 3. Classement des voyelles orales en séries physiologiques et acoustiques (en Hz).

Très fermées	[i]	[y]	[u]
F_2	2 500	1 800	750
F_1	250	250	250
Fermées	[e]	[ø]	[o]
F_2	2 200	1 600	750
F_1	375	375	375
Ouvertes	[ε]	[œ]	[ɔ]
F_2	1 800	1 400	950
F_1	550	550	550
Très ouvertes	[a]		[ɑ]
F_2	1 700		1 200
F_1	750		750

7. CLASSEMENT ACOUSTIQUE DES VOYELLES NASALES

D'après Delattre, les voyelles nasales ont un formant haut, proche de la voyelle orale correspondante, et deux formants bas, à la même hauteur, pour les quatre voyelles. Ces deux formants bas seraient donc responsables de la nasalité et donneraient l'impression de timbre voilé qu'on leur a souvent attribué. On pourrait les classer ainsi (tableau 4) :

Tableau 4. Classement physiologique et acoustique des voyelles nasales, en Hz.

	Voyelles antérieures		Voyelles postérieures	
	Écartée [ɛ̃]	Arrondie [œ̃]	Écartée [ã]	Arrondie [õ]
F_3	1 750	1 350	950	750
F_2	600	600	600	600
F_1	250	250	250	250

8. VARIANTES VOCALIQUES CONTEXTUELLES ET HARMONISATION VOCALIQUE

Sous l'influence d'un autre phone, souvent une consonne, une voyelle peut devenir plus antérieure, postérieure, ouverte, nasale, etc. Ces phénomènes, qui ont un intérêt pour le phonéticien, ne sont généralement pas remarqués.

Cependant, un type d'assimilation appelé *harmonisation vocalique* est facilement décelable. Il se produit avec la voyelle [ɛ] inaccentuée (donc en position faible) qui se ferme sous l'influence d'une des voyelles fermées [i] [y] ou [e] placées sous l'accent (donc en position forte). On aura, par exemple :

aime [ɛm] → aimé [eme]
Je sais [ʃsɛ] → sais-tu [sety]
bête [bɛt] → bêtise [betiz]

Selon les dialectes et les sociolectes, ce type de variante est sujet à fluctuations. Il peut être un *indice* de la prononciation d'un groupe particulier.

9. VARIATIONS VOCALIQUES : LA DISTRIBUTION COMPLÉMENTAIRE

On peut résumer les grandes lois de la variation des timbres vocaliques à partir du fonctionnement *accentuel* et *syllabique* :

– *En syllabe inaccentuée,* les voyelles tendent à devenir moyennes. Si l'on prononce m*ai*son, p*â*tisserie, *o*rnement, pn*eu*matique avec un timbre entre e/ɛ, a/ɑ, o/ɔ et œ/ø, le fait ne sera pas remarqué. Au théâtre, les voyelles ont tendance à être plus nettes dans cette position, suivant alors les règles orthoépiques du français standard.

– *En syllabe accentuée,* c'est-à-dire en finale prononcée de mot, il faut considérer le type de syllabation. On appelle *syllabe ouverte* toute syllabe se terminant par l'ouverture du canal buccal, c'est-à-dire par une voyelle prononcée. Au contraire, une syllabe terminée par une consonne, c'est-à-dire par une fermeture du canal buccal, sera dite *syllabe fermée.*

– *La loi de distribution complémentaire :* en considérant *la place de l'accent et le type de syllabation,* on définit alors ce que les linguistes appellent loi de *distribution complémentaire* et les phonéticiens, depuis Passy et Delattre, *la loi de position,* que l'on peut énoncer ainsi : *En syllabe accentuée fermée : la voyelle est ouverte, en syllabe accentuée ouverte : la voyelle est fermée.*

Tableau 5. Lois générales de la prononciation des 3 voyelles dites à double timbre.

	E	EU	O
Syllabe ouverte	1. E fermé *ces* [se]	3. EU fermé *ceux* [sø]	5. O Fermé *seau* [so]
Syllabe fermée	2. E ouvert *sel* [ɛl]	4. EU ouvert *seul* [sœl]	6. O ouvert *sol* [sɔl]

10. LES EXCEPTIONS À LA LOI DE DISTRIBUTION COMPLÉMENTAIRE

Cette loi s'applique entièrement, en français standard, aux cas 2, 3 et 5. Mais, en ce qui concerne les autres (1, 4 et 6), elle présente des exceptions explicables par l'étymologie, la graphie ou un phénomène d'assimilation :

– 1. *E*, en syllabe accentuée ouverte, est généralement ouvert [ɛ] avec les graphies : *-et*, *ais*, *ait*, *aid*, *aient*, *aix,* etc., comme dans *ballet*, *jamais*, *chantait*, *chantaient*, *paix*.

– 4. *EU*, en syllabe accentuée fermée, se prononce avec le timbre fermé [ø] dans toutes les terminaisons *-euse*, *euze*, *eusent*, où le son [z] a une influence fermante, comme dans les mots *danseuse*, *Greuze*, *creusent*, et dans le mot *jeûne*.

– 6. *O*, en syllabe accentuée fermée, se prononce étymologiquement fermé et long [o:] dans les mots où la graphie est *au*, comme dans *haute*, *rauque* (l'ancienne diphtongue s'est réduite à un seul timbre mais a gardé une durée de syllabe longue) ; de même avec la graphie *ô*, dans des mots comme *ôte*, *hôte* où l'accent circonflexe marque la chute d'une consonne ; ou dans des mots d'origine grecque, avec ou sans accent circonflexe, comme *pôle*, *arôme*, *gnome*, *chrome*, etc.

En outre, la terminaison [o:z] se comporte phonétiquement comme celle de [ø:z] ; le [z] exerce là aussi une influence fermante et l'on a ainsi : *ose*, *pose*, *chose*, etc. prononcés [o:z], [po:z], [ʃo:z].

11. LES OPPOSITIONS PHONOLOGIQUES DES CAS 1, 4 ET 6

Dans les trois cas, 1, 4 et 6, où les deux timbres sont possibles dans la même structure linguistique, on peut avoir des *paires minimales*. Rappelons qu'on nomme ainsi des monèmes qui ne sont différenciés que par un seul phonème, comme *ces/ceux* ou *sel/seul*.

Dans ces exemples, on dira que la différenciation linguistique repose sur une *opposition phonologique*.

Ici, dans les cas 1, 4 et 6, les oppositions sont basées sur le « double timbre » des voyelles, soit e/ɛ, ø/œ, o/ɔ. Voici les principales :

Oppositions de E en syllabe ouverte : /e/ - /ɛ/ :

– dans quelques lexèmes, tels que *gré*, *dé*, *foré*, *poignée*, *vallée*, avec un timbre E fermé /e/, s'opposant à : *grès*, *dais*, forêt, *poignet*, *valet*, avec E ouvert /ɛ/.

– dans les morphèmes des terminaisons verbales, tels que *j'ai*, *j'irai*, *serai*, *j'aimai*, *aller*, *allez*, *allé*, avec un timbre fermé /e/, s'opposant à *j'aie*, *j'irais*, *serais*, *j'aimais*, *allais*, *allaient*, avec E ouvert /ɛ/.

Oppositions de EU en syllabe ouverte : /ø/ - /œ/

– dans de rares lexèmes tels que *veule* et *jeûne* avec un timbre fermé /ø/ s'opposant à *veulent* et *jeune*, avec EU ouvert œ/.

Oppositions de O en syllabe ouverte : /o/ - /ɔ/ :

– dans des lexèmes prononcés avec un O fermé /o/, comme dans *Aude*, *saule*, *saute*, *rauque*, *côte*, *nôtre*, s'opposant à *ode*, *sol*, *sotte*, *roc*, *cotte*, *notre*, avec O ouvert.

12. LE CAS DU A

À la variation de ces 3 voyelles, E, EU, O, il faut ajouter celle du A, qui ne suit pas les règles de la distribution complémentaire. Le jeu syllabique n'a aucun effet sur sa prononciation. Il s'agit plutôt de facteurs étymologiques. En effet le A est *postérieur* dans les mots avec accent circonflexe – l'accent marque la chute d'une ancienne consonne – comme dans *Pâques* [pɑ: k] et dans un certain nombre de monosyllabes, tels que *gaz*, *passe*, *casse*.

13. INSTABILITÉ DES OPPOSITIONS VOCALIQUES

13.1 FACTEURS INTERNES DE LA NEUTRALISATION

Les facteurs internes sont *la fréquence d'occurrence dans le discours et le rendement des oppositions.* Ainsi le /ɑ/ postérieur de *pâtes*, dont la fréquence ne représente que 0,2 % des voyelles est-il très vulnérable et souvent remplacé par /a/ antérieur de *patte*, qui en représente 8,1 %.

À cette faible occurrence s'ajoute le fait que le *rendement*, c'est-à-dire le nombre de paires minimales possibles, du type *patte* /pat/ - *pâtes* /pɑ:t/ est très faible. On va donc tendre à employer la forme la plus usitée. On dit que *l'opposition* /a/-/ɑ/ *tend à disparaître au profit de* [a].

On peut également observer les mêmes facteurs dans le cas des oppositions de E, EU, O, que l'on a examinées ci-dessus. L'exemple le plus frappant est sans doute celui du EU, pour lequel la seule paire minimale couramment employée était *jeûne/jeune*. Il n'est pas étonnant que la règle générale de distribution complémentaire l'ait emporté au profit du timbre ouvert. On entend ainsi de plus en plus la même prononciation pour *il est jeune* [ilɛʒœn] et *il jeûne* [ilʒœn] – ce que les gens ne font plus beaucoup – et *il déjeûne* [ildeʒœn] – ce qui est encore très courant !

On constate, pour les mêmes raisons, la disparition de l'opposition des voyelles nasales /ɛ̃/ ≠ /œ̃/ au profit de la première, dans des paires minimales comme *brin* et *brun*. La seule occurrence fréquente de *un* est dans l'article, qui se trouve presque toujours en position inaccentuée, où l'effort articulatoire se relâche, alors qu'une voyelle ouverte demande plus d'énergie pour être en même temps labialisée.

Cependant, Anne Lefebvre a montré, à partir d'un corpus d'émissions télévisuelles, que le rendement élevé d'une opposition est loin de garantir sa stabilité, en particulier dans les syllabes ouvertes finales, telles que e/ɛ, comme dans : *fumé/fumait.* « C'est le terme le plus fréquent de la paire oppositive qui est le plus stable et le terme le moins fréquent qui présente le plus de variation » (1988 : 90).

13.2 FACTEURS EXTERNES

Les facteurs externes de la variation sont *d'ordre linguistique*, comme l'origine dialectale, ou *expressifs* pour signaler une attitude, une mode. Dans le premier cas, on dira que le *substrat* (la couche linguistique originelle) a donné un accent régional. Dans le second, un effort, conscient ou non, aura donné un accent sociolectal. Ainsi, l'opposition /ɑ̃/≠/õ/ dont tous les phonologues disaient qu'elle ne pouvait pas disparaître en raison de son important rendement, tend à se réduire aujourd'hui au profit de [õ] ; *trente enfants chantent* devient « tronte onfonts chontent » dans certains parlers parisiens à la mode. Le parler populaire, lui, effectue un autre recul de l'articulation pour la voyelle nasale [ɛ̃] qui tend à passer à [ɑ̃]. Les *copains* deviennent les « copans ».

Une étude d'Anita Hansen (1998) donne une bonne idée de la mouvance des voyelles nasales du français moderne. Dans le sociolecte parisien qu'elle a étudié, /œ̃/ a disparu au profit de [œ̃-ɛ̃] ou /ɛ̃/ ; /ɛ̃/ est stable dans 70 % des cas. Le reste des variations se répartit entre [ɛ̃-œ̃] et [ɛ̃-ã], cette dernière forme progressant. /ã/ devient [ã-ɔ̃] dans 50 % des cas ; [ɔ̃] est réalisé [ɔ̃] à 75 % avec 2 autres réalisations [ã-ɔ̃] et [ɔ̃], qui semblent conditionnées par l'accentuation. Les locuteurs de Hansen identifient bien un *système* de 4 voyelles nasales mais ils sont loin de s'accorder sur la manière de les réaliser. Il y a longtemps qu'on a des notations fluctuantes de [ɑ̃] et [õ] pour le français standard.

14. LA VARIATION INDIVIDUELLE

Le timbre de toutes les voyelles varie beaucoup selon les individus et l'étude des formants vocaliques montre que tous les chiffres que nous possédons sont fort sujets à caution. Léon et Tennant ont étudié ainsi les E de Bernard Pivot, dans une des émissions d'*Apostrophes.* Ils ont trouvé trois types de E en syllabe accentuée : un petit nombre de *E intermédiaires*, dont les *moyennes* des formants se situent pour F_1 à 400 Hz et F_2 à 1 760. Les autres E accentués sont conformes au modèle du français standard dans une très grande proportion. Mais il est intéressant de noter que leurs formants fluctuent dans une zone très large ; pour le *E fermé*, le formant de F_1 va de

265 Hz à 450 et celui de F_2 va de 1 780 à 2 300 Hz. Quant *au E ouvert*, il fluctue, pour F_1, de 310 Hz à 650 et pour F_2 de 1 420 à 1 750 Hz.

Ces fluctuations montrent, d'une part, que le timbre des voyelles est loin de dépendre entièrement des deux formants les plus importants, comme l'avait montré Fant et, d'autre part, que notre perception s'accommode aisément des différentes réalisations d'un même timbre. Notre oreille s'est fait des seuils linguistiques, entre lesquels la variation acoustique individuelle est négligée. On peut donc dire que les chiffres obtenus à la synthèse de la parole par Delattre, reproduits dans les tableaux 3 et 4, ci-dessus, représentent une moyenne et non des chiffres absolus.

Lorsque la variation individuelle est perçue, à l'intérieur d'un même groupe linguistique, il s'agit de cas pathologiques, psychologiques ou phonostylistiques.

15. LA VARIATION D'ORIGINE DIALECTALE

Les études d'Henriette Walter sur la phonologie du français et sur ses variétés régionales, comme celles de Carton *et al.* montrent la grande diversité de prononciations. Elle peut aller d'un système de 16 voyelles, chez l'informatrice du Morvan d'Henriette Walter à 7 voyelles seulement pour son informatrice catalane.

Les oppositions de timbres du E, dans des paires minimales telles que *irai* /iʀe/ ≠ *irais* /iʀɛ/ tendent à disparaître soit au profit de [e] en province, soit au profit de [ɛ] à Paris.

Dans l'ouest de la France, on entend encore des prononciations de E fermés en syllabe fermée, comme *la pêche* [lape:ʃ] chez des ruraux âgés. Une autre trace de ruralité est la diphtongaison des voyelles, longtemps restée dans les régions d'anciens dialectes du Nord et de l'Ouest, ainsi qu'au Canada où on la perçoit encore dans le parler populaire. Pour le normand, Nicole Maury en a fait une description pour un parler du Cotentin, aujourd'hui pratiquement disparu.

Les méridionaux généralisaient la loi de distribution complémentaire, qui fait ainsi disparaître les oppositions phonologiques des voyelles à double timbre du français standard. On entendra chez un sujet ayant conservé sa prononciation méridionale : le *saule* et le *sol* avec la même voyelle [ɔ] dans les deux mots, conformément à la règle : en syllabe fermée, la voyelle est ouverte. Cependant les deux unités seront différenciées ici par la prononciation du E caduc qui devient ainsi le signe distinctif de *saule* par rapport à *sol*.

Pour le A, les méridionaux ne connaissaient que le [a] antérieur qui se généralise maintenant dans tout l'hexagone. Ils étaient en avance sans le savoir. Dans les enquêtes d'Alain Thomas, ce sont les enfants des milieux populaires de Nice, qui perdent l'appendice nasal consonantique caractéristique du parler de leurs parents et grands-parents. Dire *du vin* comme [dy vɛ̃] au lieu de [dyvɛ̃ŋ] est une prononciation standardisée connotée citatine et jeune.

Les variantes régionales qui subsistent dans le vocalisme du français dépendent de la couche sociale, l'éducation, la mobilité, l'âge, etc. Les traits phoniques qui disparaissent de certaines oppositions phonologiques peuvent demeurer comme *indices identificateurs de groupes sociaux* – ainsi le [*a*] postérieur jugé rural ; ou réapparaître comme *signaux impressifs, marqueurs de style*, tel le même [*a*] venu caractériser le discours emphatique.

16. LES TRAITS GÉNÉRAUX DU VOCALISME : COLORATION SONORE VOCALIQUE DU FRANÇAIS STANDARDISÉ

– *Antériorité :* le français possède dans son système linguistique, 10 voyelles antérieures sur 16. Dans l'usage du discours, la proportion est d'environ 60 % du total des voyelles.
– *Labialité :* le français a 11 voyelles labiales sur 16 ; dans le discours 68 % du total.
– *Nasalité :* le français distingue nettement les voyelles orales des voyelles dites nasales, qui sont en réalité oralo-nasales. Les voyelles orales ne sont jamais nasalisées de manière audible par les consonnes nasales environnantes, comme cela se produit en anglais, dans des mots comme *man* [mæ̃n].
– *Tension musculaire :* le français est une langue à articulation tendue par rapport à des langues comme l'anglais où les syllabes inaccentuées se réduisent souvent à une voyelle moyenne indistincte, proche du timbre du E caduc français. De même, le français standard ne connaît plus le relâchement qui avait produit les diphtongues en ancien français.

Les chiffres cités ci-dessus sont empruntés à l'*Introduction à la phonétique corrective*, d'après une statistique de Jean-Claude Lafon (Léon P. et M., 1988). Wioland, en 1985, donnait des occurrences quelque peu différentes, qui représentent le pourcentage par rapport au total des phones du français : [a] 8,55 % ; [ɛ] 5,58 ; [i] 5,11 ; [e] 4,02 ; [ə] 3,26 ; [*ã*] 3,09 ; [u] 2,42 ; [õ] 2,55 ; [o] 1,96 ; [y] 1,90 ; [ɔ] 1,39 ; [ɛ̃] 1,39 ; [õ] 0,63 ; [œ̃] 0,45 ; [œ] 0,42.

Mais ce genre de statistique est sans cesse à refaire, comme l'a montré Michel Viel comparant les chiffres de Delattre et Wioland dont le désaccord indique des types de discours différents, qui ne changent rien à la coloration générale de la langue.

17. VARIATIONS PHONOSTYLISTIQUES DES VOYELLES

On peut résumer et classer les variations phonostylistiques en 3 grands types :

17.1 SYMBOLISME SONORE

Il s'agit d'un *emploi* statistiquement déviant par rapport à l'usage du discours normatif. Cela peut être le fait de poètes qui saturent leur texte de phones particuliers en faisant appel au *symbolisme sonore* que recèle la substance physique de chaque son et que l'on peut appeler *sème potentiel* (Léon, 1976). Baudelaire utilise ainsi la répétition des voyelles nasales dont le timbre, sombre et voilé, va accuser la tonalité triste de son poème *Recueillement* :

> Le soleil morib*on*d s'*en*dormir sous une arche
> Et comme *un* l*on*g l*in*ceul traîn*an*t à l'Ori*en*t,
> *En*te*n*ds, ma chère, *en*te*n*ds la douce Nuit qui marche.

Ce symbolisme du sème potentiel ne fonctionne bien que s'il est actualisé par un noyau sémantique adéquat, ici *linceul* et *moribond*. On pourrait trouver des contre-exemples, comme pour les mots *content*, *enfant*, *gens*, *bon*, *jambon*, où les sèmes potentiels de la nasalité n'ont rien à faire.

17.2 TRAITS ISOLÉS DE PRESTIGE

Le second type de variation concerne *un ou plusieurs phones particuliers* qui, pour des raisons de prestige social, deviennent à la mode. Le son en cause n'est plus, comme dans le premier cas, choisi en fonction de sa valeur intrinsèque mais à cause de ses *connotations*. Ainsi le [ɛ] en syllabe accentuée ouverte, dans des mots comme *irai*, *j'ai*, qui actuellement tend à remplacer le [e] fermé dans certaines couches de la population parisienne ; ou encore la prononciation d'un E muet final du type : *Arrêt-eu ! Bonjour-eu !*

17.3 TRAITS GÉNÉRAUX

Le troisième type de variation s'applique non plus à un phone particulier mais à un *trait articulatoire général*. C'est un processus *métaphorique*, qui se répand aussi par connotation. Il est généralement inconscient mais relève du *signal impressif.* Les principaux traits phoniques en sont les suivants :

– **Antériorisation :** chaque articulation vocalique est décalée vers l'avant de la cavité buccale. André Martinet a étudié le phénomène dans un article intitulé « C'est jeuli, le Mareuc ». Cette antériorisation est aussi souvent associée à la *fermeture*. En caricaturant, on aura pour l'énoncé : « J'ai décidé de sortir du Maroc » la prononciation [ʒidisididsœʀti:ʀ dymeʀœk]. Parmi les nombreuses connotations, peut-on dire qu'il s'agit de préciosité, de maniérisme ou de coquetterie ?
– **Ouverture :** chaque voyelle est un peu plus ouverte et le [ɔ] passe souvent à [a], comme dans le parler moderne de la Ginette snob du chansonnier Roucas : « Alors, pas d'accord! » [ala :ʀ padaka :ʀ].
– **Postériorisation :** le décalage de l'articulation se fait vers l'arrière de la cavité buccale. On la trouve fréquemment dans le parler qui se veut « macho » ou vulgaire. Dans un rôle populaire, Michel Simon disait : « Alors y avait pas d'meubles ici », comme [alɔ:rjave pɔ:dmɔbzisi].
– **Labialisation** : toutes les voyelles sont labialisées comme dans la moue, dans le parler d'un enfant disant : « J'en ai pas mangé ! C'est pas vrai » [ʒɔ̃nepomɔ̃ʒə sepovʀɛ]. Cela peut être aussi un marqueur de charme.
– **Nasalisation** : il faut distinguer entre deux types. Le premier, appelé *nasonnement*, est d'origine pathologique (division palatine). Le second, le *nasillement* est une résonance nasale étendue à l'articulation de toutes les voyelles. On le trouve dans le ton ironique ou « supérieur ». C'est devenu aussi une mode chez les jeunes snobs et souvent à la télévision, dans les entrevues où quelqu'un se sent important.
– **Relâchement** : lorsque l'articulation est relâchée, les voyelles tendent à se fermer et les consonnes à s'ouvrir. Les phones deviennent indistincts, comme dans l'articulation des ivrognes.
– **Tension** : c'est l'effet inverse du précédent. Le renforcement de l'articulation exagère les différences entre voyelles et consonnes. Les voyelles s'ouvrent davantage et les consonnes se ferment plus, donnant une impression de dureté. La tension peut connoter soit l'emphase, soit l'animosité, selon les autres traits phonostylistiques qui l'accompagnent.
– **Dévoisement des voyelles finales** : la voyelle finale, essentiellement antérieure, perd sa sonorité dans une sorte de petit sifflement qui la prolonge. On l'entend surtout avec le [i], comme dans : « Merci! » [mersiç] ou « Oui [wiç] », qu'on écrirait plaisamment : « Ouiss... ». Fónagy la note

comme une constrictive palatale du type [ç]. Il donne une liste d'autres voyelles d'aperture moyenne. Tous ses exemples sont empruntés à des femmes – mondaines ou actrices – qu'on peut imaginer légèrement snobs. Mais on constate également le phénomène dans d'autres milieux sociaux. Il paraît essentiellement féminin et quelque peu précieux. Il est parfois associé à la lassitude.

Beaucoup d'autres types de variations peuvent affecter les voyelles. Il faut noter qu'un changement comme celui de AN en ON ou celui du O ouvert en EU ouvert peuvent être perçus d'abord comme des phénomènes de mode ou de snobisme avant de devenir une habitude non remarquée. Il s'agit parfois de cas très localisés et de courte durée, comme ceux relevés par Odette Mettas dans le faubourg Saint-Germain, en 1979. Elle notait ainsi la prononciation de A très postérieurs et très allongés, en finale de mot, chez toutes les Marie-Chantal [mariʃãtɑ : :l], dont se moquaient les chansonniers, ainsi qu'une tendance à relâcher l'articulation pour imiter l'accent anglais. Parfois même ses informatrices (oui, c'était essentiellement une mode féminine) affectaient de diphtonguer, comme dans « ma chaère » pour « ma chère ». Souvent, toutes les voyelles finissaient par être neutralisées en une sorte d'E caduc.

18. « C'EST JEULI, LE MAREUC REVISITÉ »

André Martinet – au terme d'un minutieux examen phonologique du O ouvert, devenu EU, comme dans le fameux exemple cité ci-dessus – arrive à la conclusion que le phénomène relève d'un processus général d'antériorisation du français moderne, comme dans le cas du A postérieur de *pâte*, remplacé par le A d'avant de *patte*. Il suppose que O aurait pu s'écarter de A pour éviter des confusions avec le A antérieur, articulatoirement proche. Il lui paraît toutefois que le rendement fonctionnel faible de l'opposition O-A du type : *mol-mal, sol-sale, vol*-val, ne justifie pas cette explication phonologique. Il conclut que le phénomène, parisien, est bien entraîné par une antériorisation générale et qu'elle a été permise par la possibilité du O ouvert de se déplacer sans endommager la compréhension.

On avait émis, ci-dessus (p. 125), l'hypothèse d'un facteur externe, social, de mode, pour expliquer l'antériorisation de ce O, qui nous paraissait effectivement parisienne, surtout féminine, essentiellement dans les cas de parlure volontairement « moderne ou snob ». Cependant, Henriette Walter note la remarque d'un grammairien de la fin du dix-neuvième, disant que l'on entend la prononciation « heume » pour « homme ». Ce grammairien ajoute que cela fait vulgaire. En tout cas, le phénomène existe toujours, même s'il n'est pas perçu de la même manière par tout le monde. Mais il n'est plus uniquement parisien. Il s'est généralisé.

Quant au timbre de ce nouvel EU, ne se trouve-t-il pas surtout en position *inaccentuée ?* C'est ce que semble suggérer Henriette Walter (1977) constatant le déplacement de O ouvert vers EU ouvert « en syllabe ouverte *non accentuée* », chez plusieurs de ses informateurs, dans les mots *apocalyptique, projeter, bocage,* etc., prononcés avec une voyelle intermédiaire ».

Aurélien Sauvageot (1972) avait noté ce timbre, en position *inaccentuée*, dans des exemples comme les suivants, que je note par (E) faute d'un symbole adéquat : *un m(E)ment, v(E)tr ami, pr(E)longement,* etc. Sauvageot le qualifie d'*E neutre centralisé,* « une sorte d'E caduc réduit, plus sombre » (p. 150).

Sauvageot affirme que le même phénomène d'avancement vocalique atteint également l'EU ouvert inaccentué. Des mots comme *peureux, heureux, européen,* devenant *: p(E)reux, h(E)reux, (E)ropéen.*

Ivan Fónagy (2005 : 41), note la neutralisation de l'opposition : O ouvert / EU ouvert dans des tests où les sujets confondaient « heure » et « or ». Cette nouvelle voyelle, issue de la neutralisation des oppositions, se différencie du E caduc en ce sens qu'elle ne tombe jamais en français standard. Par contre, dans les dialectes de l'Ouest de la France et au Québec, où le phénomène se produit aussi, des mots tels que : *commode, commander* deviennent : *c'mmode* et *c'mmander.* On pourrait se dire qu'il en sera peut-être de même un jour pour le français standard, si une telle chute totale n'entravait pas la compréhension.

Problématique et questions

1. À partir du mode articulatoire général des consonnes et des voyelles, comment peut-on expliquer que les consonnes sont surtout responsables de l'intelligibilité du discours et les voyelles de son audibilité ?
2. Pourquoi percevons-nous plus de variantes vocaliques que de variantes consonantiques ?
3. Dans les tests psycho-acoustiques, les auditeurs ont souvent beaucoup de mal à décider du timbre d'une voyelle dite « à double timbre ». Dans quelle position à votre avis ? Pourquoi ?
4. Expliquez comment une *même variante vocalique, le A postérieur,* peut être soit un *indice dialectal*, soit un *signal phonostylistique*.
5. Physiologiquement, le formant bas d'une même série vocalique semble correspondre au degré d'aperture de l'articulation. Le changement du formant haut correspond à la modification d'un des résonateurs buccaux. Lequel ? Le plus grand ou le plus petit ? Pourquoi ? Faites les schémas articulatoires [i], [y], [u] en indiquant les valeurs formantiques.
6. Transcrivez en français standard les mots suivants : *réciter, belle, sec, coque, bonne, pleut, seul, saute, beau, pâtes.* Justifiez la prononciation.
7. Faites un classement des voyelles *orales, aiguës,* d'après le tableau des formants.
8. Identifiez les voyelles suivantes d'après leurs traits articulatoires :
   – orale, fermée, labiale, antérieure ;
   – orale, ouverte, postérieure, labiale ;
   – nasale, antérieure, écartée.
9. Identifiez les suivantes d'après leurs formants :
   – $F_1 = 250$ $F_2 = 2\ 500$
   – $F_1 = 375$ $F_2 = 1\ 600$
   – $F_1 = 550$ $F_2 = 950$
10. En appliquant la règle d'harmonisation vocalique, transcrivez phonétiquement : *Il m'aime. Il m'a aimée. C'est bête. Il dit des bêtises. Elle le sait. Le sais-tu ?*
11. Quels sont les traits articulatoires et acoustiques pouvant expliquer que le [i] est senti : *petit, brillant, pointu, étroit*; le [a] : *large, lointain, éclatant*; le [u] : *sombre, lourd, lointain*?

(Réponses p. 264)

BIBLIOGRAPHIE

ARMSTRONG N. (2001), *Social and Stylistic Variation in Spoken French. A comparative Approach*, Amsterdam/Philadelphie, John Benjamins.
BOTHOREL A., SIMON P., WIOLAND F. et ZERLING J.-P. (1986), *Cinéradiographie des voyelles françaises*, Strasbourg, Travaux de l'Institut de phonétique.

BRICHELET-LABAETE (1970) *Les voyelles françaises, Mouvements et positions à la lumière de la cinéradiographie*, Paris, Klincksieck.

CARTON F. (1974), *Introduction à la phonétique du français*, Paris, Bordas, 2e éd. 1979.

CARTON F., ROSSI M., AUTESSERRE D. et LÉON P. (1983), *Les Accents des Français*, Paris, Hachette, coll. « De bouche à oreille ».

DELATTRE P. (1965), *Comparing the Phonetic Features of English, French, German and Spanish*, New-York, Chilton et Heidelberg, Julius Groos.

DELATTRE P. (1966), *Studies in French and Comparative Phonetics*, La Haye, Londres, Paris, Mouton.

FANT G. (1960), *Acoustic Theory of Speech Production*, La Haye, Mouton.

FÓNAGY I. (1983), *La Vive Voix*, Paris, Payot.

FÓNAGY I. (2006) *Dynamique et Changement*, Louvain-Paris, Peeters.

HANSEN A. (1998), *Les Voyelles nasales du français parisien moderne. Aspects linguistiques et perceptuels des changements en cours*, Copenhague, Institut d'études romanes.

JONES D. (1950) *The Phoneme, its Nature and* Uses, Cambridge, University Press.

LEFEBVRE A. (1988), « Les Voyelles moyennes dans le français de la radio et de la télévision », *La Linguistique*, n° 24/2 : 75-91.

LÉON P. (1969) *Recherches sur la structure phonique du français canadien*, Montréal-Paris-Bruxelles, Didier, Studia Phonetica 1.

LÉON P. (1971), « Sèmes potentiels et actualisation phonétique », *Études littéraires, « linguistique et littérature »*, n° 912 : 316-340.

LÉON P. (1973) *Modèle standard et système vocalique du français populaire de jeunes Parisiens*, Montréal, C.E.C, *Contributions canadienne à la linguistique,* G. Rondeau, éd., p. 55-79.

LÉON, P. (1979) « Standardisation vs. Diversification, dans la prononciation du français contemporain », Amsterdam, Benjamin, H. Hollien, dir. *Current Issues in the Phonetic Sciences,* 541-549.

LÉON P. (1983), « Dynamique des changements phonétiques dans le français de France et du Canada », *La Linguistique*, n° 19/1 : 13-28.

LÉON P. et Léon M. (1988), *Introduction à la phonétique corrective*, Paris, Hachette-Larousse, 5e éd.

LÉON P. et Tennant J. (1990), « Bad French and Nice Guys, A morphophonological Study », *French Review*, n° 63 : 763-778.

MALDEREZ I. (1991) Neutralisation des voyelles nasales, chez les enfants de l'Île de France, Aix-en-Provence, *Actes du 12e Congrès International des Sciences* Phonétiques : 174-177.

MARTINET A. (1971), *Éléments de linguistique générale*, Paris, Armand Colin, 9e éd.

MARTINET A. (1955), *Économie des changements phonétiques*, Berne, Francke.

MARTINET A. (1969), « C'est jeuli le Mareuc », *Le Français sans fard*, Paris, Armand Colin : 191-219

MAURY N. (1976), *Système vocalique d'un parler normand*, Montréal-Paris-Bruxelles, Didier, coll. « Studia phonetica » 11.

MORIER H. (1961), *Dictionnaire de poétique et de rhétorique*, Paris, PUF.

METTAS O. (1979), *La Prononciation parisienne. Aspects phoniques d'un sociolecte parisien (du faubourg Saint-Germain à la Muette)*, Paris, SELAF.

NGUYEN N. et FAGYAL Z. (2003) *Acoustic Vowel Harmony in French*, Barcelona, 15th JCPS : 3029-3032.

PADILLA J. et MARTIN Ph. (1992), « À propos de l'opposition /ɛ/ -/ɛ :/ en franco-ontarien », in Martin Ph. (dir.), *Mélanges Léon*, Toronto, Mélodie et CSP : 379-393.

PERETZ-JULLIARD, C. (1977) *Les voyelles orales à Paris, dans la dynamique des âges et de la société*, Paris V, Thèse de 3e cycle.

SAUVAGEOT, A. (1972) *Analyse du français parlé*, Paris, Hachette.

SÉGUINOT A. (1969), « Étude sur le degré de nasalité des voyelles nasales en français canadien et en français standard », in Léon P., *Recherches sur la structure phonique du français canadien*, Montréal-Paris-Bruxelles, Didier, coll. « Studia phonetica » 12 : 88-99.

STRAKA G. (1963), « La division des sons en voyelles et consonnes peut-elle être justifiée ? », *Travaux de linguistique et de littérature*, Strasbourg, n° 1 :17-74.

THOMAS A. (1991), « Évolution de l'accent méridional en français niçois : les nasales », *Actes du XIIe Congrès international des sciences phonétiques*, Aix-en-Provence, vol. 2 : 194-197.

THOMAS A. (2006), « L'évolution des variantes phonétiques régionales dans le sud-est de la France », *La Linguistique*, n° 42/1 : 53-71.

Valdman A. (1993), *Bien Entendu. Introduction à la prononciation française*, Englewood Cliffs, Prentice Hall.

VIEL M. (1986), *L'Île déserte phonologique. Essai de psycho-phonétique quantitative*, Paris, Didier-Érudition.

WALTER H. (1977), *La Phonologie du français*, Paris, PUF.

WALTER H. (1982), *Enquête phonologique et variétés régionales du français*, Paris, PUF.

WIOLAND F. (1985), *Les Structures rythmiques du français*, Genève, Paris, Slatkine-Champion.

WIOLAND F. (1991), *Les Sons du français*, Paris, Hachette.

Les voyelles de Rimbaud et des autres

Voici le début du célèbre sonnet de Rimbaud. Il ne connaissait apparemment que les voyelles de l'écrit :

> A noir, E blanc, U vert, O bleu : Voyelles,
> Je dirai quelque jour vos naissances latentes

Bien d'autres poètes ont vu des correspondances entre les sons et d'autres sensations. On connaît le sonnet de Baudelaire, *Correspondances*, dont le vers le plus célèbre est

> Les parfums, les couleurs et les sons se répondent…

Dans ce domaine aléatoire des synesthésies, Henri Morier, dans son *Dictionnaire de poétique et de rhétorique*, a tenté d'établir une liste de correspondances entre les voyelles du français et les couleurs fondamentales. Mais c'est Ivan Fónagy qui a établi la correspondance peut-être la plus convaincante entre les sons et leur interprétation métaphorique, dans son article « les bases pulsionnelles de la phonation ». Pour lui, chaque son, en dehors de sa fonction linguistique, a un second codage sémiotique. Par exemple : « La voyelle [i] éprouvée comme douce, sucrée, par rapport à [u] se rapproche le plus parmi les voyelles de la partie antérieure, c'est-à-dire de la position des consonnes linguales, doucereuses (surtout du yod). […] Il est à noter, en même temps, que les papilles gustatives des excitations sucrées sont antérieures, celles des excitations amères à la racine de la langue. Or la voyelle [u] est formée par une élévation du dos de la langue vers le palais mou » (1983 : 81). Fónagy retrouve là la conception cratylienne du symbolisme des sons de la langue, avec toutefois des bases psychanalytiques plus solides, même si elles peuvent parfois sembler contestables aux linguistes purs et durs.

La farandole des voyelles nasales

Dans un article intitulé « Le français change de visage » et reproduit en 2006, augmenté d'annotations nouvelles, Fónagy reprend minutieusement toute l'histoire mouvementée des voyelles nasales du français. On peut résumer ainsi cette instabilité :

1. Actuellement, l'opposition *brin/brun* a pratiquement disparu, au profit de *brin*.
2. Celle de *blanc/blond*, est mal en point. Passy la signalait déjà en 1880, notant que l'on prononce de plus en plus *blanc* comme *blond*. Le phénomène semble avoir commencé à Paris où on l'entend surtout chez les filles snobs. Le chansonnier Roucas fait dire à sa Ginette de Saint-Germain-des-Prés des phrases telles que : « Les onfonts sont on vaconces… ».

3. Le passage de *in* à *en*, comme dans « Chopan » pour « Chopin », semble avoir commencé dans les même milieux parisiens. Fónagy note que le phénomène se produit surtout dans des mots courts, comme *demain, bien, le sien*, etc. Il pourrait donc s'agir, au départ, d'un processus phonétique, doublé par la suite d'un facteur sociologique et sémiotique.

4. Fónagy constate que les sujets opérant ces types de changements, tel « la man » pour « la main » dans leur *production* vocale, les identifient parfaitement, par ailleurs, dans les tests de *discrimination*. Le changement est donc encore en cours et loin d'être entériné complètement.

Le système phonologique des voyelles nasales du français moderne peut-être considéré désormais comme ne comportant plus que trois voyelles. Pour combien de temps ? Aura-t-on un jour un système réduit à deux voyelles nasales dont les traits distinctifs ne seront plus que : NON LABIALE-ANTÉRIEURE/LABIALE-POSTÉRIEURE? Le français de la plupart des francophones n'en est pas encore là. Mais une évolution est en cours. Sera-t-elle freinée, ou les forces vives du changement l'emporteront-elles ?
Les voyelles nasales ont disparu des parlers créoles. Celles du français du Canada – Québec, Ontario, Acadie – ont un passé bien tourmenté, face au français standardisé qui se répand dans les milieux intellectuels et dans les classes favorisées. Pour un Français de France, le *grand vent* québécois sonne comme le *grain vin*. La réalité est plus complexe. Pour ne prendre que l'exemple du *an canadien*, il n'a la réalisation proche de *in* qu'en syllabe ouverte, comme dans *chant*. En syllabe fermée, comme dans *chante*, an est semblable à celui du français standardisé. Mais, là aussi, la langue est en mouvance !

CHAPITRE 8

L'INFRASTRUCTURE RYTHMIQUE

SYLLABES, GROUPES, JONCTURES, PAUSES, DÉBIT, TEMPO

Manger et parler mettent en œuvre les mêmes organes : nous mâchons nos mots, nous les découpons en syllabes par des mouvements (enregistrables) du maxillaire inférieur.

Henri MORIER,
Dictionnaire de poétique et de rhétorique

1. LA SYLLABE

Les phones ont tendance à se grouper en unités rythmiques pulsionnelles, autour d'un *noyau* de grande audibilité, la voyelle.

En français, la *voyelle* est toujours ce noyau audible, minimal, obligatoire. Il peut n'être fait que de ce seul élément vocalique comme dans *ah! oh! eau*, *en* ou dans les deux premières syllabes de *a/é/roport.*

D'autres langues utilisent parfois une consonne très audible, une *liquide*, telle *l* ou R, comme noyau syllabique ; ainsi *vlk* en russe, *Brn* en tchèque, *l'ttle*, en anglais new-yorkais. On peut aussi avoir en français d'autres consonnes fricatives comme noyau syllabique, dans certaines interjections telles que *chtt! pstt!* On en trouve des exemples dans les imitations sonores des bandes dessinées : *Shhhtk! Pfff! Ffft! Bzzt! Kss! kss!*

Georges Gougenheim a fait un recensement de tous *les types de syllabes du français*, montrant que les plus fréquents sont constitués par la séquence *consonne* + *voyelle* (CV) du type *bon*, *pa/pa*, *de/main*, etc. On a aussi de nombreuses autres combinaisons comme CVC *(par)*, VC *(or)*, CCV *(cri)*, VCC *(arc)*.

2. LA COUPE SYLLABIQUE

2.1 JONCTURE INTERNE (+)

La coupe syllabique – ou *joncture interne*, dans la terminologie nord-américaine ou *jointure* chez Carton – est la frontière [+] entre deux syllabes. De nombreux linguistes et phonéticiens en ont discuté, dont Saussure, Jespersen, Passy, Grammont, Fouché, Delattre, Malmberg, Carton. D'un point de vue théorique, on passe d'une syllabe à une autre par une fermeture et un passage de tension décroissante [>], à tension croissante [<] du type <V> + <V> ou <VC> + <CV>, etc.

Pratiquement, la coupe syllabique s'effectue entre la voyelle et la consonne qui la suit, comme dans *papa* [pa+pa], *année* [a+ne].

La coupe syllabique se produit aussi entre deux consonnes en contact, comme dans *rester* [rɛs+te] ; sauf pour les groupes *consonne* + R et *consonne* + l, qui ne se séparent pas en français. On aura ainsi *tableau* [ta+blo], *abri* [a+bri], *électricité* [e+lɛk+tri+si+te].

2.2 JONCTURE EXTERNE (#)

On nomme *joncture externe (#)* le passage d'un mot phonique à un autre. Ce passage peut être de voyelle à voyelle avec enchaînement des sons, comme dans : *Papa#a#aller #à#Arles.*

Dans ce cas, la joncture externe peut aussi se faire par l'introduction d'un coup de glotte intervocalique si on veut détacher les mots de manière artificielle.

Ce passage peut avoir lieu également de consonne à voyelle, comme dans : *Ils#ont#eu.* Ici, la première joncture se réalise comme une liaison consonantique, la seconde avec ou sans liaison. Dans *As#-tu...* la joncture se fait de voyelle à consonne, dans *Appelle#-le,* de consonne à consonne, etc.

S'il y a un risque quelconque d'ambiguïté dans un énoncé, la joncture peut aussi se faire par une pause. Martinet l'appelle *pause virtuelle*, comme dans : « J'ai dit *trois petits trous* / pti#tʀu / et non pas *trois petites roues* /ptit#ʀu/. »

3. RÉALISATIONS DE LA SYLLABATION DANS LA PAROLE

3.1 FRÉQUENCE DES TYPES SYLLABIQUES

Les observations de Gougenheim ont été confirmées par celles de Delattre sur un corpus de parole spontanée de français, qu'il compare à l'espagnol, à l'anglais et à l'allemand. On donne les résultats pour les 4 types syllabiques les plus fréquents dans le tableau 1.

Tableau 1. Types syllabiques les plus fréquents en %.

	français	espagnol	anglais	allemand
CV	59,9	55,6	27,6	28,7
CVC	17,1	19,8	31,8	38,1
CCV	14,2	10,2	4,0	3,3
VC	1,9	3,1	11,9	9,8

De son côté, Wioland a constaté que les mots les plus fréquents sont monosyllabiques et a établi, en pourcentages, les différents groupements en fonction de leur noyau vocalique.

3.2 SYLLABATION OUVERTE

Paul Passy avait déjà montré que le français privilégie dans la parole les *syllabes ouvertes*, c'est-à-dire terminées par une voyelle, comme dans l'énoncé suivant, qui comporte 10 syllabes :

Si j/e l'ai pas r/egardé c'est à caus/e de Jean.
[si + ʒle + pa + ʀgaʀ +de + sɛ+ta + ko:z + də + ʒɑ̃]

Sur 10 syllabes, 8 sont terminées par une voyelle. Cette proportion de 80 % est voisine de celle que Delattre a trouvée dans son corpus (59,9 + 14,2 = 74,1 %).

L'anglais et l'allemand ont, comme la plupart des langues germaniques, ou anglo-saxonnes, une proportion pratiquement inverse de syllabes ouvertes. Comme dans la traduction anglaise de l'énoncé français précédent, qui contient 9 syllabes fermées sur un total de 11 syllabes :

If I didn't look at him it's because of John.
[If + aɪ + didn't + lʊk + ət + hɪm + ɪts + bə + ka:z + ɔv + dʒa:n]

4. EFFETS PHONOSTYLISTIQUES DE LA SYLLABATION

Le grand nombre de syllabes ouvertes donne au français une impression de *sonorité*. La syllabe terminée par une ouverture buccale projette le son plus facilement que lorsque le canal est obstrué par une consonne. Le français, comme les autres langues romanes, est donc, de ce point de vue, une langue plus « chantante » que celles à syllabation fermée.

Dans la conversation, la chute du E caduc entraîne cependant des groupes consonantiques. Un énoncé comme *je ne te le redemanderai pas* qui compte 10 syllabes ouvertes à l'écrit (reflet d'un ancien état de langue) se réduit à 6 syllabes dont 3 fermées, dans le parlé ordinaire du nord de la France : [ʒən + təl + ʀəd + mɑ̃ + dʀe + pɑ].

La diction poétique traditionnelle, depuis la Renaissance, conserve le E caduc devant consonne. On évite ainsi les syllabes fermées et l'accumulation de consonnes, qui nuisent au caractère chantant du poème. On prononce ainsi tous les E caducs de ce vers de Rimbaud :

« Je ne parlerai pas, je ne penserai rien. »

5. NATURE ET DURÉE DE L'ARTICULATION DES PHONES

Si l'on rapproche maintenant consonnes et voyelles, on peut obtenir un classement acoustique ou perceptif, en fonction des paramètres *intrinsèques*, de voisement, de durée, de force articulatoire et d'aperture. On peut alors classer tous les phones dans l'ordre suivant, qui va des sons consonantiques les moins voisés, les plus forts articulatoirement et les plus brefs, aux sons vocaliques de plus en plus ouverts et auditivement les plus sonores. En voici la liste :

1) Consonnes sourdes :
   a) occlusives : p, t, k
   b) fricatives : f, s, ʃ
2) Occlusives sonores : b, d, g
3) Fricatives sonores : v, z, ʒ
4) Nasales et latérales : m, n, ɲ, ŋ, l
5) Vibrante : ʀ
6) Semi-consonnes: j, ɥ, w
7) Voyelles très fermées : i, y, u
8) Voyelles fermées : e, ø, o
9) Voyelles ouvertes : ɛ, œ, ɔ
10) Voyelles très ouvertes : a, *a*

Les *voyelles nasales* représentent une *sonorité atténuée* par rapport à leurs correspondantes orales.

Il faut noter que certaines variations d'intensité intrinsèque peuvent se produire, selon les individus et les dialectes, comme l'ont montré Albert Di Cristo et Conrad Ouellon.

6. DURÉES SYLLABIQUES

Dans la parole ordinaire du français standard, non expressive, on constate des durées moyennes variant autour de 15 centisecondes, en position inaccentuée, et environ du double, soit 30 cs, en position accentuée. (Voir, chapitre suivant, les paramètres de durée, fig. 1.) Mais il existe de nombreux facteurs de variation. En particulier dans le discours rapide des annonceurs de la radio et de la télévision où les voyelles sont raccourcies de façon drastique, souvent de moitié, parfois plus.

Durées moyennes des syllabes

Dans la parole ordinaire du français standard, non expressive, on constate des durées moyennes variant autour de 15 centisecondes, en position inaccentuée, et environ du double, soit 30 cs, en position accéntuée. Voir les paramètres de durée p. 156, fig. 1. Mais il existe de nombreux facteurs de variation. En particulier dans le discours rapide des annonceurs de la radio et de la télévision où les voyelles sont raccourcies de façon drastique, souvent de moitié, parfois plus.

6.1 VARIATION CONDITIONNÉE

Toute syllabe a une durée conditionnée par :

a) *Le nombre de phones :* une syllabe comme *strict* [stʀikt] est plus longue que celle de *trique* [tʀik], elle-même plus longue que celle de *tri* [tʀi], elle-même plus longue que celle de *ri* [ʀi], elle-même plus longue que celle d'un mot comme *y* [i].

b) *La nature des phones :* dans une syllabe du type VC, plus la consonne finale est forte (voir le paragraphe 5 ci-dessus), plus elle tend à raccourcir la voyelle qui précède. Moins elle est forte, plus elle tend à allonger cette voyelle. Un mot comme *sec* [sɛk] comporte une syllabe brève, par rapport à *sel* ou *sème*.

c) ʀ z v ʒ *allongent la syllabe* qui les précède. Un mot comme *sel* comporte une syllabe plus brève que *serre* [sɛ:ʀ], *sève* [sɛ:v], *seize* [sɛ:z] ou *neige* [nɛ:ʒ].

d) *Les voyelles :* [ɑ] *postérieur*, [o] *fermé* et *les voyelles nasales* sont toujours allongées quand elles sont suivies de n'importe quelle consonne prononcée. Le mot *passe* [pa:s] comporte une voyelle longue alors que *patte* [pat] a une brève. On note de même *pense* [pɑ̃:s] avec allongement, en face de *pan* [pɑ̃], sans allongement (bien que les voyelles nasales soient toujours intrinsèquement plus longues que les orales, dans toutes les positions).

e) *Un débit* rapide raccourcit les syllabes ; lent, il les allonge. Dans l'exemple suivant, Catherine, jouée par la comédienne Sylvie Joly, commence sa phrase rapidement et la termine sur un ralenti exagéré :

« ... *qui raconte une histoire...* »
... [ki/ ʀa/ kõ/ tu/ nis/ twa:/ ʀə
... 5 7 10 12 23 60 31 cs

6.2 OPPOSITIONS DE DURÉE

Dans certaines langues, la durée vocalique est une marque phonologique qui s'ajoute à celle du timbre. En allemand, par exemple, le *ü* de *fühlen* (sentir) a un timbre fermé et long par rapport à celui de *füllen* (remplir), qui est bref et ouvert. De même, en anglais *seat* (siège) a un *i* fermé et long par rapport à *sit* (s'asseoir).

En français, certaines oppositions de durée, telles que /a/ - /ɑ:/ et /ɛ/ - /ɛ:/, dans quelques rares paires minimales comme *patte* /pat/ - *pâte* /pɑ:t/ ou *mettre* /mɛtʀ/ - *maître* /mɛ:tʀ/ tendent à disparaître du français moderne, en perdant d'abord le trait de timbre – d'où /pat/ - /pa:t/ –, puis celui de durée, entraînant la perte totale de l'opposition phonologique. Lorsque cette opposition est encore réalisée, elle paraît archaïque, comme celle qui distinguait autrefois morphologiquement le masculin *André* /ɑ̃dʀe/ du fémin *Andrée* /ɑ̃dʀe:/.

7. VARIATION DIALECTALE

On constate des variations de durées vocaliques d'une région à une autre, traces d'accents des anciens dialectes. On en découvrira l'origine en consultant les *Atlas linguistiques de la France*. De nombreuses références sont données dans l'enquête d'Henriette Walter de 1982. On trouvera l'analyse d'exemples dans *Les Accents des Français*, par Carton et autres. On verra, par exemple, que l'Alsacien allonge la deuxième syllabe dans *apporter* [apɔ:ʀte], et le Normand la première syllabe dans *bâti* [bɑ: ti].

Le français du Canada a hérité des dialectes de l'Ouest français – Normandie, Picardie, Saintonge, Vendée, Poitou, Touraine – des durées étymologiques. Ainsi les voyelles [*a*] et [o], en syllabe anciennement fermée, ont tendance à être allongées, comme dans *château* [ʃa:to], *ôte* [o:te]; de même les voyelles nasales, comme dans *honteux* [õ:tø]. Ces durées, très décelables en syllabes inaccentuées, subsistent même dans de nombreux sociolectes au Canada, comme l'a montré Laurent Santerre. Il en est de même en Suisse romande, en Belgique wallonne et en Alsace. La perception de ces phénomènes par une oreille étrangère au groupe est un indice identificateur important.

8. VARIATION PHONOSTYLISTIQUE DE LA DURÉE

On peut considérer quatre grands types de variations de la durée expressive :

8.1 VARIATION ÉMOTIVE

La variation émotive incontrôlée généralisée peut être passagère, dans les émotions brutes incontrôlées, comme la colère qui raccourcit les voyelles ou la tristesse qui les allonge. Mais les durées syllabiques peuvent faire partie du style caractéristique d'un tempérament. Le timide ralentit le débit de sa parole. Le bégaiement produit des séries de durées contrastées. Pour masquer cette perturbation dont il était affecté, le comédien Louis Jouvet en avait fait un style passant ainsi de l'*indice* au *signal*. On en a donné des exemples dans *Précis de phonostylistique* (274-276). En voici un, dont on a relevé les durées syllabiques, les jonctures externes étant indiquées par # :

Je fais # bien moins pour vous que # vous ne méritez.
18 16 32 30 30 29 21 19 17 37 16 28 cs *(Tartuffe)*

Ce patron rythmique était l'un des plus fréquents du comédien. Avec ses ralentissements, ces accélérations et ses fausses coupures, il ne ressemble en rien au modèle classique. Mais les spectateurs de son époque l'attendaient comme la marque typique de leur acteur.

8.2 VARIATION PHONOSTYLISTIQUE CONTRASTIVE

La variation constitutive d'un phonostyle, signal plus ou moins conscient, du type de celui des snobs. Il est fait en grande partie de contrastes de durées syllabiques, comme dans l'exemple de Catherine, ci-dessus p. 138 et, ci-après, les histogrammes montrant la répartition des syllabes inaccentuées et accentuées du monologue en question (Léon 1993, p. 93).

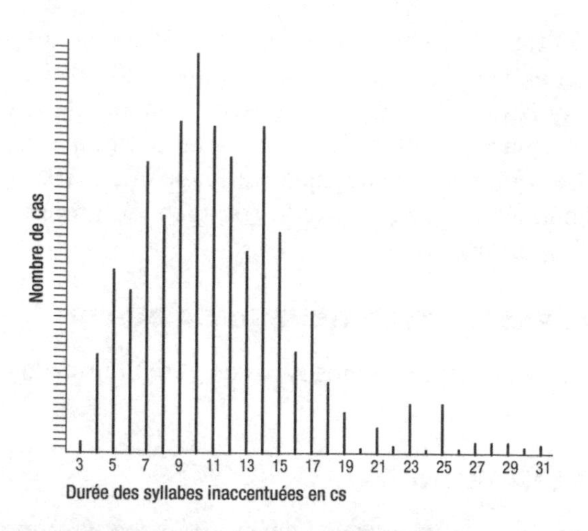

Figure 1. Histogramme des durées des syllabes accentuées dans le monologue de *Catherine*, dit par la comédienne Sylvie Joly.

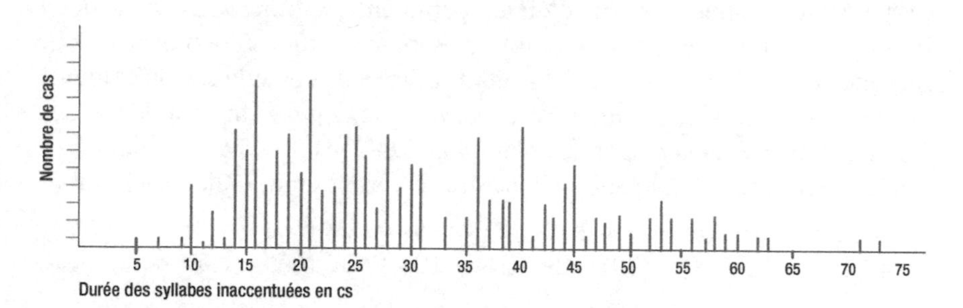

Figure 2. Histogramme des durées des syllabes accentuées dans le monologue de *Catherine*, dit par la comédienne Sylvie Joly.

Les syllabes inaccentuées (fig. 1) ont une durée moyenne de 11,68 cs, voisine de la normale toutefois avec quelques irrégularités, reflétées par l'écart type 4,93. Mais, dans l'ensemble la courbe gaussienne – en cloche – de l'histogramme présente une certaine régularité. Au contraire, si la moyenne des durées des syllabes accentuées, 29,68 cs, est également proche de celles du français standard, on voit que la distribution est anormale (fig. 2), reflétée par la courbe et confirmée par l'écart type de 14,02. Il reflète bien l'impression d'excentricité du discours de « Catherine », la snob que Sylvie Joly incarne.

Chez de Gaulle, c'est un procédé oratoire. Certaines de ses voyelles peuvent durer plus longtemps qu'un groupe de mots. Les deux premières, dans « Au nom », et la dernière, dans « France », au début du discours suivant, sont deux ou trois fois plus longues que les deux inaccentuées (« de la ») :

Au nom de la France...
23 39 19 12 43 cs

Danielle Duez a constaté que Le Pen triple la durée des voyelles accentuées avant la pause. Pompidou la doublait.

8.3 VARIATION D'ALLONGEMENT GÉNÉRALISÉ

La variation contrôlée d'allongement systématique dans la diction traditionnelle ancienne, comme *signal* sémiotique du *lyrisme.* Elle concerne l'ensemble de l'interprétation du poème. À l'époque de Mallarmé et de la comédienne Sarah Bernhardt, c'était une diction à la mode. Elle nous paraît d'un artifice pompeux impossible aujourd'hui, sauf utilisée à des fins comiques.

8.4 VARIATION TEXTUELLE CONTRÔLÉE

La variation expressive contrôlée résulte de choix plus ou moins conscients d'unités *textuelles.* Il s'agit d'une recherche de symbolisme sonore, de la part d'un poète, pour trouver des mots avec consonnes *abrégeantes* ou au contraire *allongeantes.* On aura, par exemple, pour un effet de brièveté : « sec, strict, exact... » ; et l'inverse pour : « ose, tendre, suave... ». Mais répétons que, dans ce domaine du symbolisme sonore, l'effet recherché dépend toujours d'un mot actualisateur de sens. L'allongement de toutes les voyelles finales du poème de Baudelaire, *Harmonie du soir,* produit un effet de mélancolie. Mais, là encore, cet effet ne se produit que parce que le sens s'y prête. Ailleurs, le sème potentiel de la brièveté, renforcé par le staccato des occlusives, n'a d'autre rôle que celui de jeu rythmique comme dans la chanson de Boby Lapointe, déjà citée : « Ta Katie t'a quitté, t'es cocu ! »

Les trois premiers types de variations expressives sont des actualisations dans la parole ; le quatrième résulte d'un encodage oral du texte écrit.

9. LES GROUPEMENTS SYLLABIQUES

- *Le groupe phonique*, appelé aussi mot phonique, est un groupe de syllabes formant une unité sonore pouvant avoir un sens ou non. *La petite maison* [laptitmɛzõ] peut former un groupe phonique. Mais si je suis interrompu, il pourra s'agir seulement de [laptitm], etc.

- *Le groupe de souffle* est un groupe phonique terminé par une pause audible. Il peut être très court, comme : *oui* ||, ou très long : *oui il m'a dit qu'il viendrait mais je ne le crois pas* ||.
- *Le syntagme* est un groupe phonique constituant, au plan linguistique, une unité syntaxique minimale dans une suite d'énoncés. On aura par exemple les groupes suivants : *(oui) (il m'a dit) (qu'il viendrait) (mais je ne le crois pas).*
- *Le groupe rythmique* est un syntagme actualisé dans la parole et terminé par une syllabe accentuée. On l'appelle ainsi parce qu'il est générateur du rythme. Dans l'exemple précédent on notera les accents par une barre oblique, pour marquer la délimitation des groupes rythmiques : \Oui il m'a \dit qu'il vien\drait mais je ne le crois \pas

10. LES PAUSES

Les groupes de souffle peuvent être très irréguliers. Ils sont marqués par différents *types de pauses*, recensés par Grosjean et Deschamps, Davis et Léon et Duez.

10.1 PAUSES RESPIRATOIRES

C'est la reprise de souffle nécessaire à la phonation. En dehors de cas d'émotivité ou de pathologie, il semble que la structure de la langue impose à l'organisme un rythme respiratoire propre, au cours de la parole, déterminant les *groupes de souffle.*

10.2 JONCTURE EXTERNE ET JONCTURE DÉMARCATIVE

Rappelons que la joncture externe peut être virtuelle (voir *infra* 2, p. 134), selon les termes de Martinet. Carton note que cette joncture externe, qu'il appelle *jointure*, peut se réaliser par la hauteur, la pause, la force de l'explosion. Vaissière le souligne également. Cette joncture n'est ordinairement pas une pause, bien que l'arrêt de sonorité puisse être interprété comme tel. Elle a une occurrence très faible.

Par contre, il existe un autre type de joncture externe, *démarcative*, dont on a étudié les occurrences dans un corpus d'entretiens radiophoniques. C'est une coupure, caractérisée phonétiquement par la présence presque certaine d'une *occlusion glottale* (92 % dans les interviews étudiées), qui s'accompagne d'un changement d'intensité et de hauteur d'un mot démarqué à un autre. Voici le début d'une émission radiophonique où on a noté ce type de joncture dont *la réalisation* est différente de l'accent d'insistance habituel mais produit un *effet semblable* :

> Eh bien nous allons commencer par parler # littérature # ensuite nous aborderons des sujets # plus légers # en ce qui concerne la littérature, on est subjugué par le livre d'André Thérive # *L'homme fidèle*.
>
> (*Impromptus de Paris*, ORTF ; cf. Léon 1971 : 56-66)

Dans cette même série d'entretiens, les mots démarqués par la joncture externe sont de 14,5 % pour les interviewers et de 7,6 % pour les interviewés. Un examen des professions des interviewés montre que ce type de démarcation caractérise le style des intellectuels aussi bien que celui des professionnels de la radio ou de la télévision. Le procédé relève donc de l'indice d'une fonction *phonostylistique* concernant *l'identification* du locuteur, plutôt que d'un signal de fonction *impressive,* proprement stylistique, volontaire, destinée à impressionner.

10.3 PAUSES GRAMMATICALES

Elles marquent la fin d'un énoncé important, d'un paragraphe, d'un discours. Nina Catach les a bien étudiées. Selon Maclay et Osgood, ces phénomènes pausologiques relèvent de la sélection grammaticale et lexicale. Ainsi dans l'extrait suivant d'un entretien radiophonique, cité par Grosjean et Deschamps, les pauses se distribuent en fonction de ces critères. On a noté entre barres obliques la durée de la pause, en centisecondes. Ici [+] indique une « pause remplie » par allongement – non mesuré – du dernier phone :

> Eh bien nous avons été extrêmement stupéfait d'entendre /048/ le ministre + du Travail /064/ qui est tout de même bien placé pour /025/ connaître l'évolution de la situation de l'emploi dans notre pays /060/ tenir des /025/ propos + aussi optimistes en ce qui concerne l'emploi /052/ j'ai relevé /052/ les tous derniers chiffres /048/ de la situation de l'emploi en France et je constate /064/ que par rapport /112/ au mois de juillet de l'année dernière les demandes d'emploi non satisfaites /048/ sont en augmentation de vingt-trois virgule cinq pour cent /056/ et si je me reporte au mois de juillet de l'année soixante-neuf /048/ en augmentation de quarante-sept pour cent /056/ dans ces conditions /036/ on se demande où le gouvernement /040/ et ses ministres puisent leurs renseignements /048/ pour + justifier un tel optimisme.

10.4 PAUSES D'HÉSITATION

Goldman-Eisler a prouvé que les pauses d'hésitation augmentent en fonction de l'incertitude de prédiction à l'intérieur d'un énoncé, alors que le débit augmente en fonction de la redondance. Les interruptions du flot langagier résultent, selon elle, du temps qu'il faut pour encoder la phrase et non de sa complexité syntaxique.

Il y a deux types de pauses d'hésitation que Grosjean et Deschamps qualifient de *variables temporelles secondaires.* Ce sont les pauses véritables et les *pauses remplies.* Ces dernières sont du type : *euh...* [ø:] plus ou moins long ou consistent à *allonger* n'importe quelle voyelle ou consonne dans n'importe quelle position, ou à *répéter* un mot ou une syllabe.

Le texte suivant, extrait d'un article de Monique Léon (1979 : 503-509), illustre un fonctionnement des pauses non plus, comme dans le cas précédent, de nature grammaticale argumentative. Il s'agit de l'interview d'un ouvrier parisien dont les pauses nombreuses et non conformes au modèle de Maclay et Osgood sont compensées par une structuration mélodique complexe de l'énoncé, que le texte écrit ne rend pas ici :

> Vous vous rendez compte que /060/ ben oui/ on a passé Noël là-bas hein/ c'était le premier Noël d'ailleurs les enfants i(ls) zétaient heureux quoi /087/ nous aussi d'ailleurs /049/ mais /003/ on avait /028/ trois degrés dans les chambres /134/ hein faut le faire hein /024/ et sept degrés autour du p... /005/ enfin autour des feux dans dans la maison /+/ on est arrivé, au /0.50/ plus haut qu'on est arrivé en /085/ avec / euh + 026 / deux appareils dans la même pièce et tout ça /+/ pa(r)ce qu'on avait invité des amis /031/ on arrivait à onze degrés quoi /+/ à tout casser et p(u)is c'est tout.

11. LA PAUSE EN PHONOSTYLISTIQUE

11.1 EFFET IDENTIFICATEUR

Les deux extraits cités pour les pauses montrent que le phénomène fonctionne comme indice de la fonction identificatrice. Le premier sujet a l'habitude de parler en public, contrairement au second. La fréquence et la nature des pauses pourraient être des indices de classification du degré d'éducation – ou de la place dans ce que Bourdieu appelle *le marché linguistique.* Elles sont aussi un indice du taux d'émotivité. Ainsi, la peur peut introduire des pauses brusques dans la parole. L'élocution du timide est, souvent aussi, ponctuée de silences, comme également celle du bègue, dont on a vu un exemple dans la parole de Louis Jouvet.

11.2 EFFET IMPRESSIF

Ainsi que la joncture externe démarcative, mentionnée ci-dessus pour un corpus radiophonique, *la pause* réelle est souvent utilisée à des fins phonostylistiques, comme dans cet extrait d'un discours de De Gaulle en Lorraine. L'un des « trucs » oratoires de De Gaulle est de mettre une pause là où on ne l'attend pas et inversement d'enchaîner là où on prévoit une coupure. Voici un exemple des coupes syllabiques et des pauses (notées ici #, et mesurées en cs, ainsi que les durées syllabiques) :

La France #
15 34 98
c'est donc #
10 9 96
des u sines #
35 15 23 5
des mines des chantiers des bureaux d'études #

Tout le dernier groupe est sans pause et enchaîné immédiatement au suivant, produisant un effet de contraste dramatisant.

Les poètes procèdent de la même manière en introduisant des pauses a-sémantiques de fin de vers, comme dans ce célèbre poème de Verlaine :

Et je m'en vais
Au vent mauvais
Qui m'emporte
De ça de là
Pareil à la #
Feuille morte

Danielle Duez a trouvé que dans la parole des hommes politiques, les *pauses remplies*, rares dans leurs discours publics, augmentent dans leurs interviews et sont plus nombreuses encore dans les entretiens amicaux. Par contre, les *pauses silencieuses*, qui sont fortement corrélées avec une élocution lente, ont une importante fonction impressive. Les silences nombreux et longs deviennent alors « symboles de pouvoir », comme dans le texte de De Gaulle, cité ci-dessus. Ce procédé oratoire a toujours été très employé par les politiciens. Mitterand, puis Chirac en ont aussi beaucoup usé et abusé. Et ni Nicolas Sarkozy ni Ségolène Royal ne s'en privent non plus !

Élisabeth Lhote a testé l'impression produite par l'introduction d'une pause – brève, moyenne, courte – dans des énoncés dont le sens avait été préalablement reconnu. Ce silence apporte chaque fois une nuance au sens premier.

Zsuzsanna Fagyal a examiné, dans une émission télévisée, les pauses, la vitesse d'élocution et leur effet sur le rythme, particulièrement dans la parole de Marguerite Duras et Marguerite Yourcenar. Cette étude montre la variation des différents facteurs temporels en fonction de l'âge, qui allonge les pauses et ralentit le débit. Elle confirme également l'importance de la pause utilisée comme signal phonostylistique.

Fernand Carton conclut une étude sur les imitateurs de Marchais, Chirac, Mitterand et Giscard d'Estaing, par cette constatation : « Outre le niveau d'attaque, trois paramètres seulement sont maîtrisés et reproduits : le débit, le nombre des pauses et les allongements. Ce sont les traits de tout discours démonstratif et non du seul discours politique » (1992 : 74).

12. LE DÉBIT

Le débit est la quantité de syllabes prononcées par seconde. Il dépend donc beaucoup plus que les autres paramètres de facteurs individuels. Néanmoins, ici aussi, lorsqu'on établit une statistique sur des échantillons de parole assez importants, on trouve des constantes qui font partie de l'image de la langue. Pour le discours de la parole spontanée, on donne, ci-dessous, dans le tableau 2, les résultats que nous avons enregistrés dans l'analyse d'un corpus de parole spontané, lors de débats dans deux colloques tenus à Toronto en 1984 et 1986. Les échantillons examinés comportent cinq minutes de parole, pour chacun des dix sujets universitaires : cinq femmes et cinq hommes.

On voit que le débit des femmes est légèrement supérieur à celui des hommes, mais de manière peu significative.

Tableau 2. Débit syllabique par seconde dans un corpus de français parlé spontané.

	Hommes	Femmes
Moyenne	5,7	5,9
Écart type	1,3	1,4

13. LE TEMPO ET LA VARIATION DU DÉBIT

Les musiciens et certains phonéticiens, spécialistes de la prosodie, comme David Crystal, nomment *tempo* la vitesse d'exécution *(allegro, lento)* ou les variations du débit *(accelerando, rallentando)*. On pourrait dire que le *débit* concerne la mesure physique des séquences sonores, avec ou sans pauses, et que le *tempo* en est la perception esthétique.

Le tempo est une marque phonostylistique importante des phonostyles, qu'il s'agisse de la perception phonostylistique d'un dialecte – le suisse romanche paraît plus lent que le méridional provençal ; des *émotions* – l'élocution de la colère est rapide, celle de la tristesse lente ; des *attitudes*, ou des *types de discours* – le sermon est moins rapide et moins sujet à variation que le reportage d'un match de football.

Fant, Kruckenberg et Nord ont observé que la perception du tempo est concomitante du temps de pause, comme le montre le tableau, ci-dessous, où sont comparées quatre lectures d'un même texte :

	Normal	**Rapide**	**Lent**	**Soigné**
Temps total de lecture en sec.	57,1	51,0	66,8	70,3
Mots par minute	130	146	111	106
Pauses (total en sec.)	16,2	12,8	23,9	21,5
Entre phrases (sec.)	10,6	9,3	14,1	11,5
À l'intérieur (sec.)	5,5	3,5	9,8	9,9
Pauses dans les phrases	13	10	18	24
Temps réel de parole	41	38,2	42,8	48,9
Pourcentage des pauses par rapport au temps de parole	28	25	36	30
Moyenne de la durée des phones (n = 547)	75	70	78	89

Il est intéressant de constater que dans un tempo lent, non seulement le débit réel de parole et la durée des pauses augmentent mais encore que le nombre de ces pauses s'accroît. On note également une durée plus importante des phones.

Pour le français, Guaïtella a montré l'incidence du rythme relativement régulier de la lecture, comparé à celui de la parole spontanée, plus varié et plus rapide. Bhatt et Léon distinguant vitesse d'articulation (nombres de syllabes par seconde sans les pauses) et vitesse de parole (nombres de syllabes par seconde avec les pauses) ont établi, dans le corpus étudié, que les nouvelles radiophoniques sont caractérisées par un débit rapide et régulier, alors que la présentation de concerts a un débit plus lent, avec groupes de souffles nettement délimités par les pauses, et que le reportage sportif est rapide et irrégulier. Ce dernier est tributaire du rythme du jeu. Il s'en présente comme la métonymie.

Dans son étude sur la voix de Marguerite Duras, Fagyal a constaté un ralentissement de la vitesse d'élocution avec l'âge, dans trois échantillons de parole pris à 50 ans, 70 ans et 79 ans. Fagyal confirme également l'importance des pauses et des silences comme indices – ou signaux ? – de supériorité.

Enrica Galazzi et Élizabeth Guimbretière ont étudié l'impact des indices temporels, en particulier des pauses, sur la compréhension dans l'acquisition du français langue étrangère, tout en tenant compte de facteurs linguistiques. Au plan de la perception du débit, Schwab et Grosjean ont confirmé dans leur étude l'idée que la vitesse de parole semble toujours plus rapide dans une langue étrangère que dans sa propre langue. Ce qui est loin d'être vrai !

Jeff Tennant a montré que la chute du [l], en français canadien, comme « dans rue » pour *dans la rue,* augmente avec l'accélération du débit de parole.

Problématique et questions

1. Comparez la syllabation de l'allemand et de l'espagnol (tableau 1, p. 135).
2. Découpez en syllabe les vers suivants d'Apollinaire :

   Sous le pont Mirabeau coule la Seine
   Et nos amours
   Faut-il qu'il m'en souvienne
   La joie venait toujours après la peine

3. Indiquez les groupes rythmiques et le nombre de syllabes par groupe.
4. Quel problème pose le quatrième vers par rapport à la métrique classique ?
5. Quel est l'effet de l'absence de ponctuation dans ces vers ? Quelle sorte de « brouillage du code » y a-t-il à cet égard dans les trois premiers vers ?
6. Calculez le nombre de syllabes ouvertes dans les vers d'Apollinaire, puis dans le texte de l'ouvrier parisien.
7. Transcrivez en phonétique les mots suivants : *neige, ôte, nef, avoir, pic, Yves, ange, anche, bouche, bouge.*
8. Commentez les pauses de l'extrait de De Gaulle. Comparez avec l'extrait du texte de l'ouvrier parisien.
9. Calculez le nombre de syllabes par groupes rythmiques dans le texte de l'ouvrier parisien.
10. Comment la pause virtuelle peut-elle lever l'ambiguïté dans les énoncés suivants : [ɛlaglise dɑ̃lavazlin] [tyvjɛ̃mɑ̃ʒemõnɑ̃fɑ̃] [ltiʀwaʀɛtuvɛ:ʀ] [levɛtmɑ̃sasɛʀdɔto] [dezaktœʀdəsinemaɑ̃glɛ]
11. Citez un vers et découpez-le en mesures. Commentez.

(Réponses p. 265)

BIBLIOGRAPHIE

ARCHAMBAULT D. et Bergeron M. (1992), « Vitesse de débit et bredouillement : étude de cas », in Martin Ph. (dir.), *Mélanges Léon*, Toronto, Mélodie et CSP: 17-35.

BENGREL A. (1971) Duration of French vowels in non emphatic Speech, *Language and Speech* 14: 283-291.

BHATT P. et LÉON P. (1991), « Melodic Patterns in three types of Radio Discurses », in LLISTERI et POCH, Proceedings of ETRW : *Phonetics and Phonology of Speaking Styles*, Barcelone, ESCA.

CATACH N. (1980), « La ponctuation », *Langue française*, n° 45, Paris, Larousse.

CATACH N. (1994), *La Ponctuation*, Paris, PUF.

CARTON F., ROSSI M., AUTESSERRE D. et LÉON P. (1983), *Les Accents des Français*, Paris, Hachette, coll. « De bouche à oreille » (enregistrement).

CARTON, F. (1992) Imitateurs et hommes politiques : Étude de phonétique expérimentale, in Martin Ph. (réd.) *Mélanges Léon*, Toronto, Mélodie.

CRYSTAL D. (1969) *Prosodic Systems and Intonation in English*, Londres, Cambridge University Press.

DAVIS R. et LÉON P. (1989), « Pausologie et production linguistique », *Information/ Communication*, n° 10 : 31-43.

DELATTRE P. (1966), *Studies in French and Comparative Phonetics*, La Haye, Paris, Mouton.

DI CRISTO A. (1985), *De la micro-prosodie à l'intono-syntaxe*, Aix-en-Provence, Éditions de l'université de Provence.

DI CRISTO A. et HIRST D. (1993), *Rythme syllabique, rythme mélodique et représentation hiérarchique de la prosodie du français*, Aix-en-Provence, TIP, 15 : 9-24.

DUEZ D. (1978), *Essai sur la prosodie du discours politique*, thèse, Paris-III.

DUEZ D. (1991), *La Pause dans la parole de l'homme politique*, Paris, Éditions du CNRS.

DUEZ D. (1995), « Perception of Spontaneous French Speech », in *Proceedings of the XIIth Congress of Phonetic Sciences*, Stochkolm, vol 2 : 498-501.

FANT G., Kruckenberg A. et Nord L. (1991), « Some Observations on Tempo and Speaking Style in Swedish Text Reading », in *Proceeding of ESCA (op. cit.)*, 23-1/23-5.

FAGYAL Z. (1996), *Aspects phonostylistiques de la parole médiatisée, lue et spontanée, âge, prestige, situation, style et rythme de parole de l'éçrivain M. Duras*, Lille, Atelier de reproduction des thèses.

FÓNAGY I. et Léon P. (dir.) (1979), *L'Accent en français contemporain*, Montréal-Paris-Bruxelles, Didier, coll. « Studia phonetica » 15.

FÓNAGY, I. (1993) « Fonctions de la durée vocalique », *Mélanges Léon*, Toronto, Martin Ph. (éd.), Mélodie, p. 141-164.

GALAZZI E. et GUIMBRETIÈRE É. (2000), « Organisation temporelle et stratégie langagière. Réalité physique, perception, imaginaire », in Guimbretière, *op. cit.* : 65-84.

GOLDMAN-EISLER B.F. (1958), « Speech Analysis and Mental Processes », *Language and Speech*, n° 1 : 59-75.

GOLDMAN-EISLER (1972), « Pauses, Clauses, Sentences », *Language and Speech*, n° 15 : 103-113.

GOUGENHEIM G. (1935), *Éléments de phonologie française,* Paris, Les Belles-Lettres.

GROSJEAN F. et DESCHAMPS A. (1972), « Analyse des variables temporelles du français spontané », *Phonetica*, n° 26 : 129-156.

GROSJEAN F. et DESCHAMPS A. (1973), « Analyse des variables temporelles du français spontané, II », *Phonetica*, n° 28 : 191-226.

GROSJEAN F. et DESCHAMPS A. (1975), « Analyse contrastive des variables temporelles de l'anglais et du français », *Phonetica*, n° 31 : 144-184.

GUAÏTELLA I. (1991), *Rythme et parole : comparaison critique du rythme de la lecture oralisée et de la parole spontanée*, Thèse de doctorat de l'université de Provence.

GUIMBRETIÈRE É. (dir.) (2000), *Apprendre, enseigner, acquérir* : *la prosodie au cœur du débat,* Rouen, Publication de l'université.

LÉON M. (1979), « Culture didactique et discours oral », in *Le document sonore authentique. Le français dans le monde*, n° 145 : 46-53.

LÉON P. (1971), « Éléments phonostylistiques du texte littéraire », in Léon P., Mitterand H., Nesselroth, Robert, *Problèmes de l'analyse textuelle*, Montréal-Paris-Bruxelles, Didier : 3-18.

LÉON P. (1971), *Essais de phonostylistique*, Montréal-Paris-Bruxelles, Didier.

LÉON P. (1993), *Précis de phonostylistique*, Paris, Nathan-Université.

LACHERET-DUJOUR A. et BEAUGENDRE F. (1999), *La Prosodie du français*, Paris, Éditions du CNRS.

LHOTE É. (1992), « Dans l'intonation expressive, la parole est au silence », in Martin Ph. (dir.), *Mélanges Léon*, Toronto, Mélodie et CSP : 275-283.

MACLAY H. et Osgood C. (1959), « Hesitation phenomena in spontaneous English Speech », *Word*, n° 15 : 19-44.

OUELLON C. (1991), « Prosodie : La microprosodie des voyelles du français québécois », communication dans *Journées d'études sur la prosodie,* Toronto, Phonetics Laboratory, 9-10 mai.

SANTERRE L. (1991), « Incidence du trait phonologique de durée vocalique sur la prosodie du français québécois », in *Actes du XIIe CISPh.*, Aix-en-Provence, vol. 4 : 254-257.

SCHWAB S. et GROSJEAN F. (2004), « La perception du débit en langue seconde », *Phonetica,* n° 61, 2-3 : 84-94.

TENNANT J. (1994), «Le débit de la parole peut-il avoir un effet sur la variation morphonologique ?», in Bruce G.F., Gezundhajt H., Martin Ph. (dir.), *Accent, intonation et modèles phonologiques,* Toronto, Mélodie.
WARREN R. et SANTERRE L. (1980), «Les paramètres acoustiques de l'accent en français», in Fónagy I. et Léon P. (dir.), *op. cit.* : 107-121.
WIOLAND F. (1985), *Les Structures rythmiques du français*, Genève-Paris, Slatkine-Champion.
WIOLAND F. (1991), *Les Sons du français*, Paris, Hachette.
WUNDERLI P. (1993), Compte rendu de «Phonétisme et prononciations du français, de Pierre Léon», in *Vox Romanica*, n° 52 : 347-352.

Isochronie et débit en poésie classique

Dans la diction classique, la tradition veut que chaque mesure ait la même durée. La mesure est déterminée par l'accent. Elle correspond donc à un groupe rythmique. Ainsi le vers suivant de Du Bellay :

«Plus me plaît – le séjour – qu'ont bâti – mes aïeux…»

Ce vers comporte quatre mesures, de même structure syllabique : 3 + 3 + 3 + 3. C'est la structure classique courante. Elle serait monotone si elle était répétée. C'est pourquoi les bons poètes rompent ce patron avec des mesures variées qui peuvent comporter, pour l'alexandrin par exemple, des groupes allant de 1 à 5 syllabes, comme dans ce vers de Baudelaire :

«Quand (1) les deux yeux fermés (5) en un soir chaud (4) d'automne (2)…»

Si l'on respecte la règle de l'isochronie pour l'interprétation orale, les mesures courtes doivent être allongées. Or cela n'est justifiable que si le sens l'autorise. Ici, le mot *quand* n'a pas de raison d'être mis en relief. Par contre, dans le vers suivant de Ronsard, si l'on suit le principe du débit isochronique, les deux mesures courtes *bien vieille* et *au soir* sont justifiables de la mise en relief résultant de l'allongement :

«Quand vous serez bien vieille, au s*oir, à la chandelle…»*

À la télévision, chasse à la pause !

Les émissions de télévision françaises et particulièrement les chaînes commerciales ne tolèrent pas le silence. En outre, le débit est accéléré par rapport à la parole ordinaire, en particulier dans les spots publicitaires ainsi que dans les reportages – à quelques exceptions près, comme dans « Partir autrement », où le reporter joue l'ingénu perdu dans un monde exotique.

Mais ailleurs, il faut dire le maximum de choses en un minimum de temps. Et pour faire jeune c'est le galop, sans pause, surtout dans les débats où tout le monde parle en même temps, les spectacles de slam ou les divertissements populaires, tels que l'émission de Patrick Sébastien : *Le plus grand cabaret du monde.* Pas le temps de respirer ! C'est la mode. Métonymie du temps moderne. Les seules émissions où les pauses s'allongent et le débit ralentit se produisent dans les présentations de concerts classiques ou dans les discours oratoires.

Le mythe de la technicité est également responsable de la perte de la pause. La moindre panne ou coupure imprévue ne doit pas paraître ! Il faut immédiatement de la musique, une image publicitaire ou n'importe quoi mais surtout pas le silence, qui pourrait faire croire à la faillibilité du système.

L'absence de pause, c'est aussi un impératif commercial. La télécommande en est un peu responsable. Les producteurs ont peur que le spectateur, laissé sans le son ou sans image durant deux secondes, zappe et passe ailleurs. Lorsqu'une émission se termine, vite, on enchaîne sur une publicité ou sur autre chose. Il ne faut pas lâcher la proie devant son petit écran !

Arte et TV5, comme les télévisions suisses, allemandes et anglaises semblent plus sages, ou disons plus humaines, que les télévisions commerciales françaises qui n'ont plus rien à envier aux américaines !

CHAPITRE 9

L'ACCENTUATION ET LE RYTHME

> Préalables à la syntaxe, les rythmes en sont probablement une des conditions.
> Julia KRISTEVA, *Polylogue*

> Nous avons beau compter les pas de la déesse, en noter la fréquence et la longueur moyenne, nous n'en tirons pas le secret de sa grâce instantanée.
> Paul VALÉRY, *Variété III*

1. L'ACCENTUATION : NATURE, PLACE ET FONCTION

On préférera le terme *accentuation* à celui d'*accent* qui renvoie également à la caractéristique d'une parlure étrangère. Mais le mot *accent* continue à être employé le plus souvent pour désigner la *proéminence* acoustique. Les problèmes de l'accentuation ont été longuement débattus, pour le français contemporain, dans l'ouvrage dirigé par Ivan Fónagy et Pierre Léon, *l'Accent en français contemporain.*

Henri Meschonnic distingue trois aspects du rythme engendré par l'accentuation : *le rythme linguistique, celui du parler dans chaque langue, rythme de mots ou de groupes et de phrases ; le rythme rhétorique, variable selon les traditions culturelles, les époques stylistiques, les registres ; le rythme poétique, qui est l'organisation d'une écriture.*

1.1 NATURE

L'accentuation est le résultat d'un effort expiratoire et articulatoire qui se manifeste par une augmentation physique de *longueur, d'intensité* et éventuellement un changement de *fréquence* en passant de syllabe inaccentuée à accentuée ou au cours de l'évolution de la syllabe accentuée. Au plan de la perception, on parlera de paramètres de *durée*, d'*intensité* et de *hauteur*. En fait la hauteur, qui est un paramètre de l'intonation, intervient comme signal d'accentuation si les deux autres paramètres sont atténués ou bien elle fonctionne avec eux de manière redondante.

Le paramètre d'intensité n'est pas toujours suffisant pour être différenciateur. Celui de hauteur n'est pas non plus essentiel dans la perception de l'accent, comme le montrent les tests de Fónagy sur la parole chuchotée. Il reste que la durée, elle, fonctionne presque toujours comme la marque essentielle de l'accentuation.

1.2 LA DURÉE, FACTEUR ESSENTIEL

D'une manière générale, une syllabe accentuée est en moyenne deux fois plus longue qu'une syllabe inaccentuée, en français standard.

On a vu, dans le chapitre précédent, que des variations de *durée* peuvent être dues au nombre de phones dans la syllabe et à leur nature propre. Néanmoins, d'un point de vue statistique, la relation 2/1 de syllabe accentuée à inaccentuée ne change pas. Ainsi dans l'énoncé suivant : « je l'ai quitt*é* dès l'ét*é* », où les syllabes accentuées sont de même nature [te], on relève des valeurs différentes selon qu'il est dit comme une phrase achevée on non achevée (tableau 1, ci-dessous), mais le rapport de durée entre syllabe inaccentuée et accentuée est bien le même.

Tableau 1. Valeurs numériques des syllabes de l'énoncé « Je l'ai quitté dès l'été », prononcé la première fois comme une phrase achevée et, la seconde, inachevée.

	[ʒə	le	ki	ˈte	dɛ	leˋ	te]
cs	13	14	15	28	14	14	24
Hz	158			201↗			124↘
dB	33	32	31	34	33	32	29
cs	12	13	15	20	14	15	31
Hz	132			136↗			234↗
dB	31	30	26	28	27	28	32

On notera que les variations d'intensité, en décibels, ne sont pas très importantes. Pour percevoir nettement un changement d'intensité, dans les fréquences ordinaires de la parole, on peut considérer qu'il faut un changement d'environ 3 dB. Ce changement existe ici, positif ou négatif, de la syllabe prétonique à la tonique dans trois cas sur quatre. Mais ce qui est le plus net, c'est le rapport entre syllabes inaccentuées, dont la durée se situe ici autour de 14 centisecondes (cs) et syllabes accentuées environ deux fois plus longues.

On a effectué un calcul statistique des *durées* syllabiques en *parole spontanée*, dans le même corpus que celui étudié pour les pauses et le débit (voir le chapitre précédent). Les résultats sont consignés dans le tableau 2, ci-dessous. Ils confirment les rapports que l'on vient d'exposer.

Tableau 2. Durées, en centisecondes, des syllabes accentuées et inaccentuées chez les hommes et les femmes, dans la parole spontanée au cours de discussions entre universitaires

	Inaccentuées		Accentuées	
	Hommes	Femmes	Hommes	Femmes
Moyenne en cs	14,1	13,2	29,7	28
Écart type en cs	4,6	4,2	8	8

Il semble que les hommes allongent légèrement plus les syllabes que les femmes. Mais la régularité d'un patron rythmique, bien inscrit en langue, est surprenante. Les écarts types (qui indiquent la fluctuation autour de la moyenne) se ressemblent étonnamment aussi, ce qui indique une constante jusque dans la variation. L'écart type peut être beaucoup plus important dans certains discours expressifs, comme on a pu le voir en particulier dans l'énoncé de Sylvie Joly, p. 138.

1.3 PLACE DE L'ACCENTUATION : LE PATRON CLASSIQUE OXYTONIQUE

Dans le français standard, on dit que l'accentuation est *oxytonique*, c'est-à-dire qu'elle tombe sur la *dernière syllabe prononcée* du groupe *sémantique*, comme dans les énoncés suivants :

la pe*tite*, la jo*lie*, la jolie pe*tite*, la jolie petite mai*son*

Mais ce patron classique, consistant à placer obligatoirement *l'accentuation* sur la dernière syllabe d'un groupe de sens, caractérise surtout la lecture non expressive ou un parler particulièrement *neutre*. Il ne se réalise pas toujours de cette manière dans un parler *spontané* où l'accentuation apparaît également souvent sur la première syllabe du groupe phonique.

1.4 EXEMPLE DE RÉALISATION PHONÉTIQUE

On donne, dans la figure ci-dessous, la représentation acoustique de la phrase *Il a mangé avant midi*, qui montre les différentes valeurs de paramètres phonétiques :

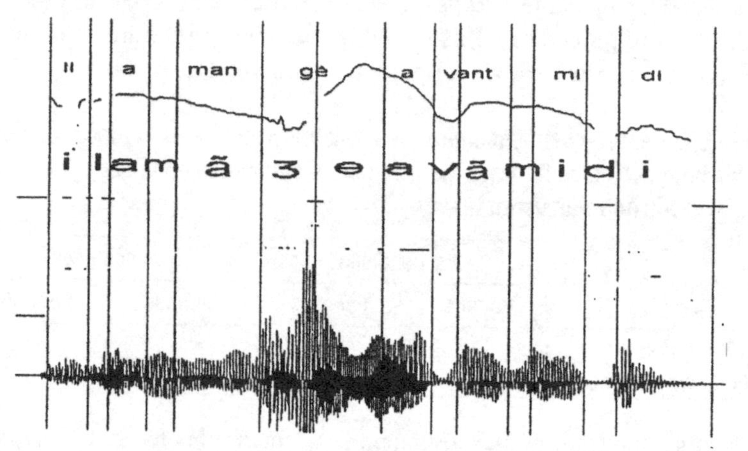

	'i	la	mã	ʒe	a	vã	mi	di
cs	8	12	18	26	10	16	16	28
dB	18	26	22	29	30	26	36	21
Hz	162	172	151	227	203	166	165	116

Figure 1. Les paramètres de durée, intensité et hauteur, dans la phrase : *Il a mangé avant midi* la courbe du haut représente la variation mélodique (Léon et Martin, in Guimbretière 2000 : 141).

La réalisation de cette phrase est conforme au modèle classique attendu, pour la *proéminence de durée*. La syllabe finale du premier syntagme : *Il a man*gé, est la plus longue (26 cs). On remarque également une augmentation des longueurs des syllabes inaccentuées, à mesure que l'on va vers la syllabe accentuée. Il en va de même pour le second syntagme : *avant mi*di. La syllabe finale du groupe est la plus longue (28 cs).

La *proéminence d'intensité* est également conforme au modèle classique pour le premier syntagme. La syllabe finale de *Il a man*gé est la plus intense (29 dB). Par contre le deuxième syntagme montre des variations qui dépendent de la structure intrinsèque des sons émis. Le [a] est plus intense que le [ã] suivant, et l'occlusion du [m] de [mi] fait que cette avant-dernière syllabe du groupe est la plus forte de toute la phrase. La finale [di], malgré l'occlusion du [d], est la plus faible, conformément aussi au modèle attendu. C'est la fin d'un groupe de souffle et la pression d'air pulmonaire a chuté.

La *proéminence de hauteur* est également conforme au modèle dans le premier syntagme. La finale du groupe *Il a man*gé est la plus haute (227 Hz). Dans le second, la proéminence est inversée et la syllabe finale est la plus basse (116 Hz), comme dans le patron classique. Mais on remarque aussi que la courbe générale présente des variations micromélodiques dues peut-être, ici encore, à la nature des sons. Ainsi le [a] de *avant* est-il plus haut (203 Hz) que le [ã] de [vã].

1.5 FONCTIONS DE L'ACCENTUATION

Au plan linguistique, l'accentuation a une fonction *démarcative*. Elle facilite le décodage des unités de sens, ou *syntagmes*. De même que la pause, qu'elle accompagne souvent, elle peut servir à lever une ambiguïté, en introduisant une *joncture externe*, comme on l'a déjà noté précédemment (*des petits#trous / des petites#roues*). En voici un autre exemple, emprunté au folklore phonétique :

a) Viens man\ger # mon en\fant / b) \Viens# manger mon en\fant

Dans a) on dit à « mon enfant » de venir manger ; dans b) on demande de venir manger « mon enfant » (situation anthropophagique).

Dans beaucoup de langues, la *place* de l'accent peut avoir également une valeur *distinctive*. L'anglais distingue ainsi toute une série de verbes et de substantifs, comme dans per*mit* (permettre) ≠ *per*mit (permission). Il en est de même dans les langues latines, comme l'espagnol, où *canto* (je chante) se distingue par la *place* de l'accent de *can\to* (je chantai).

2. L'ACCENTUATION EXPRESSIVE : L'ACCENT D'INSISTANCE

Au plan expressif, un second type d'accentuation appelé *accent d'insistance* permet *une mise en relief d'une unité généralement plus petite que le syntagme*. Il en existe une grande variété bien étudiée dans l'ouvrage collectif de Séguinot.

La figure 2, ci-dessous, représente la même phrase que celle de la figure 1 (p. 156). On lui a ajouté l'adverbe *bien*, qui marque ici l'insistance. La proéminence accentuelle s'est déplacée sur ce terme de renforcement de l'énoncé. La hauteur mélodique de *bien* est plus importante que celle de l'accent final de son groupe. La longueur et l'intensité sont également plus importantes que celles de l'accent final du groupe.

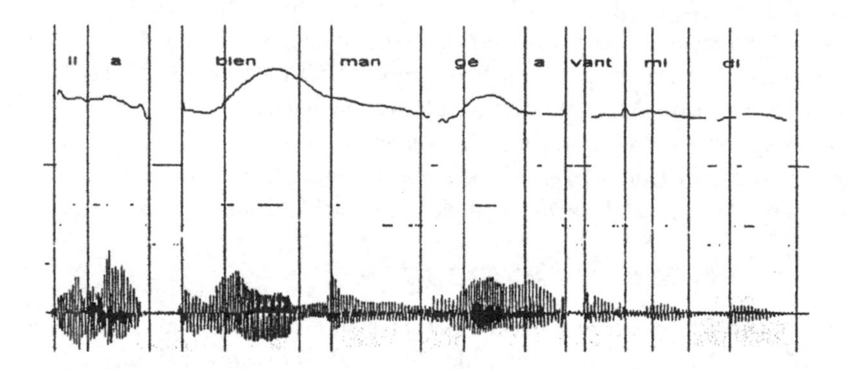

Figure 2. Représentation acoustique de la phrase :
Il a `bien mangé avant midi, **avec accent d'insistance sur** ***bien.***

2.1 FONCTIONS LINGUISTIQUES DE L'ACCENT D'INSISTANCE

On attribue plusieurs fonctions à l'accent d'insistance :

a) *oppositive :* On ne dit pas *la* garçon, mais *le* garçon.
b) *emphatique :* C'est *su*per beau.
c) *différenciative :* Des échanges*hu*mains, *co*mmerciaux...

2.2 NATURE PHONÉTIQUE ET PLACE DE L'ACCENT D'INSISTANCE

L'accent d'insistance tend à se manifester généralement sur la *première syllabe* de l'unité linguistique par une *intensité* et une *durée* accrue de la consonne, ou l'introduction d'un *coup de glotte*, ou plus souvent encore, selon Wunderli, par une *montée mélodique* importante. On dira ainsi :

a) C'est FORmidable ! MAgnifique ! SENsationnel !
b) C'est FFFFFFFFFFFFFFFormidable ! Mmmmmmmmmmmmm magnifique ! SSSSSSSensationnel !

c) T-errible ! C-rétin ! P-utain !
d) Coup de glotte dans l'attaque de la voyelle initiale : *E*xtraordinaire ! [ɛkstʀaɔʀdiŋɛ :ʀ], *I*diot ! [ʔidjo], *I*mbécil(e) [ʔɛ̃bɛsil].
e) C'est T-extraordinaire ! Il est T-idiot !

Dans a) la première syllabe tout entière est plus forte ; dans b) c'est essentiellement la première consonne, fricative, qui est allongée ; dans c) la première consonne, occlusive, est précédée d'une implosion à coup de glotte (cordes vocales contractées brusquement) ; dans d) le coup de glotte précède la voyelle, ce qui revient à une attaque de type consonantique, on fabrique une occlusive glottale ; dans e) on profite de la consonne de liaison pour la charger d'insistance. Le [t] est la seule consonne de liaison qui joue ce rôle, dans le cas très particulier du renforcement de l'attribut, dans la conversation.

Cependant, la liaison insistante peut se porter ailleurs dans le parler populaire, comme le note plaisamment Raymond Queneau dans son ouvrage burlesque *Zazie dans le métro* :

> Meussieu qu'elle dit, vzêtes zun mélancolique (p. 25) ; ...des papouilles zozées (p. 71) ; I sont bin nonnêtes (p. 176) ; ...i zzz applaudissaient (p. 68).

Dans tous les cas d'insistance, l'augmentation de la *hauteur mélodique* est concomitante de celles de la durée et de l'intensité.

Mais il existe aussi un accent d'insistance mélodique plus ou moins autonome, qui consiste à faire passer la syllabe accentuée par un niveau suraigu (appelé aussi niveau 5, cf. chapitre suivant). Ainsi dans une exclamation, comme :

```
                         AOR
                   extr         di
Elle est d'un chic                    naire !
```

où les deux voyelles A et O peuvent être dites sur un ton très haut par rapport au reste de l'énoncé. Ce type d'insistance caractérise surtout le parler snob, fait de contrastes. On en a noté un autre exemple caractéristique, sur le mot *aHUrissant* dans le chapitre suivant sur l'intonation, page 201.

2.3 L'INSISTANCE SYLLABIQUE

Un autre moyen d'insistance consiste à détacher chaque syllabe, comme le fait De Gaulle lorsqu'il martèle la phrase suivante, dans un de ses discours :

Ce\la, \je-\ne-\le-\fe-\rai-\pas !

C'est un découpage syllabique que pratiquent bien les professeurs d'écoles primaires pour que leurs élèves comprennent mieux ou ne fassent pas de fautes dans une dictée. Par exemple : *\Mar\-ce-\lin \dit \qu'il \ne \re-\co-\men-\ce-\ra \pas.* Pagnol est allé plus loin dans la célèbre phrase « des moutons paissaient dans les champs » de la dictée des *moutons*, où l'instituteur prononce toutes les lettres du texte !

Raymond Queneau utilise graphiquement le procédé, encore dans son roman *Zazie dans le métro* :

Que ça te plaise ou que ça neu teu plaiseu pas (p. 35).

2.4 INSISTANCE ET DÉMARCATION

L'accent d'insistance est un moyen de mise en valeur très typique du français. Dans beaucoup d'autres langues, c'est la syllabe accentuée du mot, telle qu'elle se présente dans le système linguistique, qui est mise en relief. En français, l'accentuation d'insistance n'est pas conforme au patron accentuel démarcatif. Un exemple en est donné par la comparaison des mises en relief dans des bulletins d'information radiophoniques finnois et français, étudiés par Veijo V. Vihanta qui montre que, contrairement au français, l'insistance se porte, en finnois, sur l'accent linguistique. Bhatt et Léon ont comparé de la même manière deux énoncés français et anglais comme les suivants ; dans les exemples 2 et 4, l'insistance est une marque phonostylistique du reportage sportif.

1. Et c'est Sen\na qui déborde mainte\nant \Prost
2. \\Et c'est \\Senna qui \\déborde mainten\\ant \\Prost
3. *And \now it's \Senna who is \passing \Prost*
4. *And \\now it's \\Senna who is \\passing \\Prost*

L'insistance (4) ne change rien à la place de l'accentuation linguistique (3) du mot anglais, à l'inverse de ce qui se produit en français. Cela montre bien le rôle linguistique peu important de la place de l'accentuation en français.

Frantisek Dancš parle d'accentuation ou d'intonation lexicale de l'anglais, permettant d'opposer : « I have certain *proofs* » à « I have *certain* proofs ». En fait, cela voudrait dire que l'anglais a bien aussi un accent d'insistance qui n'est plus forcément toujours à la même place que l'accent démarcatif.

On cite aussi souvent la flexibilité des langues germaniques à déplacer l'accentuation sur pratiquement n'importe quel *terme* lexical pour en souligner les sens, comme en allemand, dans le vers célèbre de Schiller où chaque mot peut porter l'insistance, selon l'intention de l'acteur :

Durch diese Gasse, muss Er kommen...

2.5 ÉVOLUTION DE L'ACCENT D'INSISTANCE

En réalité, l'accentuation d'insistance est devenue pratiquement aussi souple dans le français moderne, qui devient de plus en plus expressif, comme on peut le remarquer dans tous les jeux de la télévision. On entend souvent «*Je* sais» au lieu de : «*Moi*, je sais.» Les pronoms personnels autrefois accentuables et inaccentuables n'ont plus actuellement les mêmes rapports, comme l'a bien démontré Monique Léon. Et si les mots outils ne sont pas encore très souvent accentués, n'importe quel terme lexical peut pratiquement l'être aujourd'hui, sous l'influence de discours argumentatifs ou émotifs.

Dans des tests phonostylistiques, la célèbre phrase de Maurice Grammont *Et vous en vendez ?* a pu être acceptée avec l'insistance sur n'importe laquelle des syllabes, sans qu'aucun locuteur la déclare non française. Voici l'exemple d'une des 5 réalisations accentuelles possibles en français d'aujourd'hui :

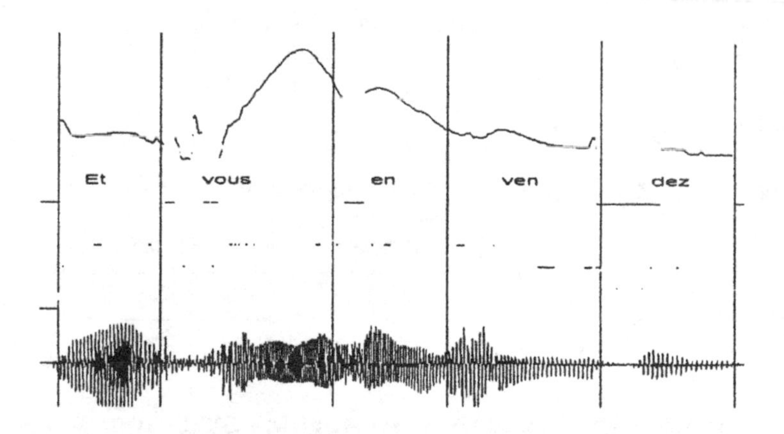

Figure 3. Et vous en vendez ? Réalisation par synthèse avec l'accent d'insistance sur vous (in Guimbretière, 2000 : 145).

3. LE GROUPE RYTHMIQUE

Lorsque les *syntagmes* – ou *groupes accentuels* – délimités par l'accent démarcatif sont envisagés d'un point de vue *esthétique*, on les nomme *groupes rythmiques. Un rythme est instauré quand il y a perception d'une proéminence accentuelle répétée.* Si la périodicité de l'accentuation s'établit selon une certaine isochronie, on dira qu'on a un *rythme régulier*, comme dans la versification classique.

En rhétorique, on donne le nom de *mesure* au groupe rythmique. L'alexandrin classique est un vers de douze syllabes, divisé en quatre mesures par l'accentuation, comme dans ce vers de Ronsard :

Ron'sard me célé'brait du 'temps que j'étais 'belle.

On donnait autrefois, en métrique, le nom de *pied* à la syllabe et l'alexandrin était appelé « vers de douze pieds ». On ne le fait plus.

Les phonéticiens modernes, comme Lacheret-Dujour et Beaugendre, appellent *pied accentuel* ou *pied métrique* ce que l'on avait coutume de nommer *groupe rythmique* ou encore *mesure*. Ils nomment *tête* la syllabe qui porte l'accent. Ils constatent alors que « le français a généralement un pied avec une tête à droite alors que l'anglais tend à avoir un pied avec la tête à gauche ». C'est joliment dit. On aimerait un dessin.

Dans la conversation, on constate, pour le corpus de parole spontanée, déjà mentionné ci-dessus, que les groupes rythmiques les plus fréquents comportent de 4 à 5 syllabes, comme on le voit dans le tableau 3.

L'écart type indique une certaine irrégularité qui reflète la variation individuelle, inhérente au discours spontané. La différence entre hommes et femmes n'est pas, ici, significative.

Tableau 3. Nombre de syllabes par groupe rythmique.

	Hommes	Femmes
Moyenne	4,7	4,4
Écart type	2,2	2,3

4. LA VARIATION DIALECTALE DU RYTHME SYLLABIQUE

Chaque groupe linguistique se différencie par un rythme particulier. En voici un exemple, où l'on compare le rythme syllabique dans 6 villes du midi et 7 du nord de la France, dans une enquête de parole spontanée, par Léon et Léon :

Tableau 4. Rythme syllabique du français méridional, en centisecondes.

Longueur des syllabes en position inaccentuée				Accentuée	Nbr. syll.
			16,9	26,2	2 syll.
		13,8	17,7	17,2	3 syll.
	17,4	13,9	19,7	18,4	4 syll.
12,4	11,9	14,6	19,9	19,0	5 syll.

Tableau 5. Rythme syllabique du français standard du nord de la France, en centisecondes.

Longueur des syllabes en position inaccentuée				Accentuée	Nbr. syll.
			15,0	26,5	2 syll.
		13,1	15,1	28,1	3 syll.
	13,2	14,5	16,3	25,7	4 syll.
13,5	13,5	13,8	15,1	28,5	5 syll.

Le rapport de 2 à 1 de syllabe accentuée à inaccentuée ne joue plus pour les méridionaux – ce qui contribue sans doute à l'effet staccato de l'accent du Midi. On note aussi que l'avant-dernière syllabe est plus longue en français méridional qu'en français standard.

Ouellet et Lavoie, ainsi que Henrietta Cedergren, ont relevé, pour le français parlé à Montréal, un patron rythmique où les syllabes inaccentuées deviennent également de plus en plus longues à mesure qu'on va vers la fin du groupe. On a donc la même tendance que pour le français standard, mais les auteurs signalent une progression différente. Il s'agit de restes d'anciennes durées, allongements étymologiques, comme ceux des voyelles nasales, du O fermé, du A postérieur et d'un certain nombre de diphtongues qui perturbent le patron classique. On a trouvé les mêmes phénomènes pour le franco-ontarien, dans les travaux réunis par Léon. Pour le québécois, Henrietta Cedergren, Louis Levac, Linda Thibault ainsi que Sylvie Brisson ont montré les relations entre structures temporelles et prosodiques.

5. LA VARIATION DISCURSIVE RYTHMIQUE : RYTHME SYLLABIQUE ET RYTHME ACCENTUEL. RÔLE ÉNONCIATIF

À côté du rythme concernant les variations de durées syllabiques, que l'on vient d'examiner, deux autres manifestations de la rythmicité ont un impact important sur la variation discursive. Ce sont les rythmes produits par la distribution des groupes rythmiques et par leur structure.

5.1 VARIATION DU RYTHME SYLLABIQUE

Morier nomme « débit de la mesure » le rythme syllabique, déterminé par le nombre de syllabes dans le groupe rythmique. On a vu, plus haut, qu'il est de 4 à 5 syllabes dans le corpus de discussions universitaires.

François Wioland indique, lui, la moyenne de 2,5 syllabes par unité rythmique, en discours spontané. En réalité, il y a bien des types de discours. Ainsi, Fónagy trouve un chiffre moyen de 3,36 dans la conversation ; 3,31 dans les exposés ; 2,84 dans les conférences lues et 1,51 dans les contes de fées. La longueur des groupes rythmiques de nos universitaires était-elle une marque intellectuelle ? Pas spécialement si l'on en juge par les résultats de Lucci, Grosjean et Deschamps ainsi que ceux rapportés par Carton et comparés aux siens pour le phonostyle du conte, qui a des groupes de syllabes de 3,5 à 8,79 selon les divers genres examinés. Il y a là de grandes variations qu'il faudrait étudier sur des corpus plus étendus encore pour en tirer autre chose que des tendances.

On note en particulier que le phonostyle du conte de fées comporte des groupes de 1,5 syllabe pour Fónagy et varie chez Carton de 3,5 à 8,79. Les uns étaient-ils des contes pour réveiller et les autres pour endormir ?

5.2 VARIATION DU RYTHME ACCENTUEL

Le patron rythmique du français standard ˘˘˘ – suite probable de 3 syllabes brèves inaccentuées, suivie d'une syllabe longue accentuée est loin de se réaliser lui aussi toujours de cette manière. Fónagy constate que cette *oxytonie* du français (accentuation sur la dernière syllabe prononcée) caractérise surtout la conversation spontanée dans une proportion de 75,45 % des mots.

Carton, Fónagy, Léon et Léon, Warren et Santerre, dans *L'Accent en français contemporain*, ainsi que Santerre, ont montré les divergences nombreuses à l'intérieur même des deux grands groupes d'oc et d'oïl. L'accentuation des français contemporains présente une grande instabilité. On a constaté ainsi, dans l'enquête de Léon et Léon, citée ci-dessus pour le patron du rythme syllabique entre nord et sud de la France – dans des entrctiens, portant sur 14 régions de France – que *la place de l'accent*, elle, était perçue comme ambiguë dans 52 % des cas pour les régions de la France du Nord et 51 % pour celle du Sud. Ces chiffres montrent une divergence, par rapport à l'oxytonie attendue, beaucoup plus importante que celle trouvée par Fónagy. Ils sont peut-être plus importants encore aujourd'hui.

Fónagy avait constaté en outre que les énoncés *barytoniques* (accentuation sur la première syllabe) étaient fréquents dans le style des journalistes de l'audiovisuel. Les actualités révélaient le plus grand nombre d'accentuations initiales. Une accentuation *bipolaire*, en *arcs accentuels,* caractérisait la lecture de cours scientifiques. On en a relevé un bon exemple dans une conférence de Jean Rostand, dont voici un extrait :

> \\mais la gre\nouille
> comme l'a \dit de l'a\mour
> un \\grand écriv\ain
> c'est \\beaucoup \plus
> que \\la gre\nouille.

En fait, ce type d'accentuation retrouve un patron utilisé dans l'emphase. Les accents d'insistance et l'intonation à courbes mélodiques amples donnent à l'interprétation une connotation de lecture poétique vieillie et quelque peu grandiloquente. L'effet serait tout à fait différent même avec ce type *d'arcs accentuels*, si l'on avait une accentuation moins martelée et une mélodie moins modulée.

Lucci a montré que l'accentuation *didactique* se manifeste surtout de manière barytonique, comme celle décrite par Fónagy pour les journalistes de l'audiovisuel. Son occurrence pourrait donc servir à classifier le degré « d'intellectualité » dans une typologie des discours.

Fónagy constatait, d'autre part, indépendamment de facteurs syntaxiques ou sémantiques, une tendance générale du rythme staccato, ïambique ou anapestique, dans tous les genres de discours. On l'entendait surtout dans le style des actualités radiophoniques ou télévisuelles.

5.3 VERS UNE NOUVELLE RYTHMICITÉ DU FRANÇAIS

Dans une autre étude, plus récente, Corine Alesano retrouve dans le journal télévisé un patron analogue à celui signalé par Fónagy, avec marquage équilibré des accents initiaux et finaux de groupe. Dans ses entrevues, c'est l'accent initial qui est privilégié. Dans la lecture, elle retrouve le patron classique de l'accent final.

6. LE RÔLE GRAMMATICAL DE L'ACCENT

6.1 RÔLE SÉMANTIQUE

Le rôle sémantique de l'accent apparaît lorsqu'on étudie sa relation avec les différentes catégories grammaticales, comme l'a bien montré Vincent Lucci pour l'accent didactique. Il relève les correspondances suivantes :

Tableau 6. L'accent didactique en fonction des catégories grammaticales, dans 2 styles énonciatifs, lecture et conférence (Lucci in Fónagy et Léon 1979 : 114).

catégories grammaticales	nombre d'unités comptées	% d'accents didactiques par rapport aux unités	nombre d'unités comptées	% d'accents didactiques par rapport aux unités
substantifs	435	17,93%	328	18,90%
verbes	165	18,18%	203	10,83%
adjectifs	198	25,75%	156	26,92%
adverbes	39	35,89%	87	13,79%
adj. numéraux	21	42,85%	16	25 %
comparatifs	15	86,66%	21	19,04%
	LECTURE		CONFÉRENCE	

Fónagy signalait également le rôle important de l'accentuation de la négation (*pas*, *point*, *jamais*, etc.) ainsi que celui des *adjectifs et attributifs* et en examinait ce qu'il appelait le *poids sémantique*. Henriette Gezundhajt, au terme de l'analyse d'un important corpus d'entretiens d'*Apostrophes* a étudié du point de vue énonciatif, l'impact de l'accentuation rythmique ou d'insistance sur les adverbes en *–ment* et en a montré le jeu énonciatif subtil.

6.2 RÔLE SYNTAXIQUE

Peter Wunderli (1992) a montré que l'interrogation par l'inversion entraîne un accent d'insistance qui se superpose au degré normal de la hauteur attendue. L'intensité ne joue pratiquement aucun rôle, la durée très peu. C'est donc le paramètre de hauteur le plus important. Sur 20 occurrences de lexies interrogatives – *Où ? Quand, ? À quoi ? À qui ?* –, Wunderli en trouve 18 marquées de l'accent d'insistance. Cette affinité entre interrogation inversive et emphase fait penser à celle que Wunderli a mise en évidence pour l'interrogation et l'accélération du débit. Il existe ainsi bien des liens entre les différents paramètres phonétiques d'une même fonction.

6.3 L'ACCENT COMME PIVOT MÉDIAN DU GROUPE : PROBLÈME DE FOCALISATION

On a constaté, dans un certain nombre d'occurrences, que le syntagme s'organise autour d'une proéminence des trois paramètres d'intensité, de hauteur et de durée. Cette proéminence semble fonctionner comme *pivot médian* du groupe. Ainsi, dans les exemples d'entretiens suivants :

« On est vic\time du contexte historique... »,
« ...y a le con\texte histo\rique de la France ... »
« Et ce sera les femmes \qui se battront \pour l'obtenir...

(Léon et Léon, 1979 : 98-101)

Dans chacun de ces cas, il s'agit d'un discours argumentatif. Les accents perçus sont réalisés par une brusque montée, qui va du simple au double de la hauteur par rapport à la syllabe précédente, une saute d'intensité et un allongement considérable – on y reviendra au chapitre suivant. Ce genre de mise en relief sera appelé *focalisation* par Rossi, qui rappelle, à ce sujet que Bolinger distingue accent lexical, *stress*, de la focalisation intonative, ou *pitch accent.*

7. VARIATION ÉMOTIVE

L'émotion vive tend à introduire un désordre dans le rythme et peut favoriser l'exagération des accents d'insistance en amplifiant leur mélodie et leur durée. De ce point de vue, l'accent populaire faubourien de Paris est certainement d'origine expressive émotive. Une « Parigote » s'exclamait :

Ma \\Cocotte, on peut \\tout de même \pas être \\toujours dans la \\purée !

Les quatre principaux accents notés sont en initiale de mots.

Mais tout dépend de la nature de l'émotion en cause. Rappelons que la tristesse ralentit le débit, allonge les syllabes et atténue les accents. La colère a l'effet inverse et multiplie les accents, qui mettent en relief le paramètre d'intensité. L'accentuation de la joie est faite de proéminences de durées, d'intensités et de hauteurs aléatoires. La tendresse atténue les intensités accentuelles et régularise le débit qui se ralentit.

Ces différents exemples représentent seulement quelques unes des multiples variations phonostylistiques générées par le réarrangement des patrons accentuels. Le rythme est certainement l'un des marqueurs identificateurs ou impressifs les plus importants pour caractériser les différents types de discours.

8. FONCTIONS PRAGMATIQUES DE LA RYTHMICITÉ

Dans les cultures de tradition orale, comme celles décrites par Maurice Houïs, la rythmicité ponctue le discours du conteur de manière très amplifiée. Elle facilite la compréhension et en même temps la mémorisation. Le rythme des chants ou des cris aide également à coordonner les mouvements, que ce soient ceux des hâleurs, des bateliers ou des sportifs. Louis-Jean Calvet rappelle à ce sujet que l'on scande les slogans en marchant, ce qui oblige à respecter le rythme binaire de la marche :

> «… le corps impose sa loi à l'acte de parole, par un jeu d'alternance de longues et de brèves. En outre, une sorte d'instinct paronomasique donne à ces actes de parole des rimes et des allitérations : CRS SS, Pompidou des sous, Giscard à la barre, Mitterand président, etc.» Sarkozy… dans la rue ! (*Le Canard enchaîné*, novembre 2006).

9. Y A-T-IL DES UNIVERSAUX DU RYTHME DÈS L'ACQUISITION DU LANGAGE?

Gabrielle Konopczynski a étudié comment l'enfant acquiert les phénomènes prosodiques. Elle émet l'hypothèse que l'enfant s'approprie d'abord «un rythme de type universel avant d'acquérir la structuration accentuo-temporelle propre à sa langue maternelle». Lorsque le bébé est seul, il jase. Jusque vers 9 mois, ce *jasis* est fait de syllabes surtout vocoïdes, de durées très variables. C'est une période d'exploration phonatoire de caractère ludique. En situation d'interaction, Konopczynski constate qu'il s'établit chez l'enfant un *protolangage* qui commence à se structurer au plan du rythme et de l'intonation. Les syllabes inaccentuées se raccourcissent et se stabilisent. Des groupes rythmiques constitués d'une série de brèves, suivis d'une finale, longue, apparaissent. Or il semble que ce genre d'organisation première soit général dans des langues aussi diverses que l'anglais, le portugais, le hongrois, l'italien ou l'allemand.

On pourrait penser qu'il s'agit là encore d'une structuration temporelle de caractère biologique donc universel. Mais Konopczynski y voit un phénomène acquis et Björn Lindblom le considérait aussi comme « un processus naturel, qu'on retrouve en musique, en danse, etc., d'où son acquisition précoce et son utilisation dans de nombreuse langues ».

Avec l'acquisition du système de sa langue maternelle, l'enfant est soumis à de nouvelles contraintes rythmiques. Il passe d'une rythmicité biologiquement motivée à une structuration temporelle et accentuelle, stylisée selon des normes conventionnelles.

10. LES TYPES DE RYTHMES ET LE PRINCIPE D'ISOCHRONIE

Kenneth Pike avait lancé, en 1946, l'idée, souvent reprise depuis, qu'il y a deux grands types de formation rythmique selon les langues. D'une part, des langues comme le français, dont la rythmicité est syllabique *(syllable timing)* et, d'autre part, des langues comme l'anglais, dont la rythmicité repose sur l'accentuation *(stress timing)*.

L'hypothèse de Pike était que, dans les langues à rythmicité accentuelle, l'intervalle de temps entre deux accents était constant, quel que soit le nombre de syllabes contenues dans le groupe rythmique. La conclusion d'une enquête comparant l'accentuation du suédois, de l'anglais et du français amène Fant et ses collaborateurs à conclure que dans les langues censées être à rythmicité accentuelle, l'accentuation n'est pas de nature physique mais relève d'une perception subjective. Quant aux langues à rythmicité syllabique, ce sont en fait des systèmes où l'articulation des syllabes est plus nette et les proéminences accentuelles réduites. Max Carrio I Font et Antonio Rios Mestre arrivent à la même conclusion pour l'espagnol.

À ces conclusions s'opposent celles de Wenk et Wioland. Wioland déclare :

> Les unités rythmiques successives ont tendance à s'équilibrer sur le plan temporel ; tout se passe comme si les unités qui forment une séquence rythmique avaient le même « poids » temporel, une égale valeur, quelles que soient en réalité les différences objectives qui existent entre ces mêmes unités.

Il conclut : « Le débit est plus lent pour l'unité qui contient moins de syllabes prononcées et plus rapide pour celle qui en contient plus. » Il ajoute que les groupes courts ont tendance à s'allonger ou à être accompagnés d'une pause. Wioland retrouve donc là la théorie de la tendance à l'isochronie que Pike supposait pour l'anglais. Il rejoint également, curieusement puisqu'il s'agit pour Wioland de langue parlée, la théorie de l'isochronie des groupes rythmiques de Grammont pour la diction des vers. En ce sens, le concept d'isochronie renvoie à une notion métrique et non rythmique ou, comme le dit Henri Meschonnic, à « un imaginaire musical, plaqué sur le langage ».

11. JEU RYTHMIQUE : SUBSTANCE ET FORME DE L'ACCENTUATION

Au plan de la substance, l'accentuation comporte généralement les trois paramètres de durée, intensité et mélodie. Cette substance varie selon les dialectes. Le français standard favorise la durée et utilise peu l'intensité.

Par contre, Denise Deshaies, Conrad Ouellon, Claude Paradis et Sylvie Brisson ont montré que la perception de l'accentuation du québécois spontané repose surtout sur le paramètre d'intensité. C'est probablement aussi le cas de plusieurs variétés régionales du français de France, telles que normand et picard, ou de Belgique et de Suisse.

Au plan de la forme, c'est surtout la distribution des marques accentuelles qui est responsable de la perception des rythmes. Albert Di Cristo et Daniel Hirst ont montré aussi le rôle important de la mélodie dans l'organisation rythmique.

12. UN ACCENT SECONDAIRE EN FRANÇAIS NON EXPRESSIF ?

Les phonéticiens français, tels Pierre Fouché, Maurice Grammont et Jean Marouzeau, ont soutenu que le français non expressif n'avait pas d'accent secondaire, comme on en trouve dans les langues germaniques à forte intensité. Pour eux, le patron typique du groupe accentuel français était la succession de syllabes toutes inaccentuées, suivies de la tonique finale. C'est un modèle pratique, utilisé dans la plupart des manuels pédagogiques pour l'enseignement de la prononciation française. Il peut constituer une première étape d'un français de lecture mais ne reflète pas celui de la conversation, même si on y introduit l'apprentissage de l'accent d'insistance. On a vu que

Fónagy, tout en insistant sur le fait que la place de l'accentuation est instable, a soutenu que le français non expressif introduit bel et bien un accent secondaire en dehors même des cas expressifs. Cet accent n'est pas toujours perçu dans des occurrences comme :

Il est *plus* pur que *l'autre* / Il est plus *pur* que *l'autre*
Une nou*velle* pé*riode* / Une *nou*velle pé*riode*
La vie mon*daine* / La *vie* mon*daine*
Ces eaux mono*tones*/ Ces *eaux* mono*tones*

De ce type d'observation sont nées des théories modernes visant à prédire la rythmicité interne du groupe accentuel français de manière plus naturelle, en vue de la synthèse prosodique de la parole ou de sa reconnaissance automatique.

13. MODÈLES ACCENTUELS DE LA PHRASE FRANÇAISE

Anne Lacheret-Dujour et Frédéric Beaugendre ont recensé les derniers travaux des phonéticiens à la recherche d'une formalisation de modèles accentuels prédictifs. Ils analysent ainsi les théories de Ph. Martin, de S.-P. Verluyten, F. Dell, D. Hirst et A. Di Cristo et E. Delais-Roussarie qui représentent différentes approches phonologiques de l'accentuation ainsi que celle de V. Pasdeloup et E. Delais-Roussarie, axée sur une perspective psycholinguistique. La critique de Lacheret-Dujour et Beaugendre privilégie l'approche de P. Mertens qui tient compte à la fois des contraintes morphologiques et des relations entre les éléments du groupe accentuel pour en dériver une théorie du rythme.

Lacheret-Dujour et Beaugendre rappellent l'hypothèse de F. Dell : « Les analogies avec la musique laissent envisager l'éventualité que la faculté du langage ne comprenne pas de principes rythmiques qui lui soient propres, et que les propriétés particulières du rythme dans les langues ne soient que le produit de l'interaction entre le langage et les structures rythmiques générales qui seraient indépendantes de celui au centre de notre équipement cognitif. » Cette idée a été reprise par Meschonnic et par Kristeva.

La citation de Jean Rostand, ci-dessus, semble bien leur donner raison. Mais, comme le soulignent Lacheret-Dujour et Beaugendre, la parole spontanée est encore loin d'avoir été analysée suffisamment pour étayer solidement toutes les hypothèses avancées.

14. LE RYTHME EN TANT QUE MARQUE SPÉCIFIQUE DES DISCOURS

14.1 DISCOURS VERSIFIÉ

Le parfait modèle du rythme nous est donné par le patron classique de l'alexandrin, tel que ce vers de Racine : *je le vis, je rougis, je pâlis à sa vue.*

Il comporte 4 groupes de sens, découpés par 4 accents en finale. Ils constituent 4 *groupes rythmiques*, ou *mesures*, ayant chacun 3 syllabes ou *temps*. Le rythme n'est pas toujours fait de récurrences aussi régulières et c'est tant mieux. Ainsi le vers suivant de Racine :

Un \trouble s'éle\va dans mon \âme éper\due (2 + 4 + 3 + 3)

La diction classique se veut isochronique, accordant le même temps à chaque mesure. Il faudra, ici, allonger la mesure la plus coute, donnant de l'importance au groupe rythmique : *un trouble*, ce que le sens justifie.

La poésie moderne, rap ou slam, tente de se rapprocher de la prose mais garde bien des marques rythmiques classiques sans l'admettre.

14.2 DISCOURS DE LA CONFÉRENCE ARGUMENTATIVE, NON LUE

Chaque type de discours a un rythme propre et dépend de la personnalité de l'énonciateur. Voici des extraits d'un discours universitaire énergique, fait pour convaincre avec des accents forts, non justifiés par le sens et qui servent surtout d'orchestration au discours, de même que les pauses inattendues, suivies de coups de glotte, faites pour surprendre et maintenir l'attention.

« ce qu'il n'est \jamais prêt \à # \penser c'était+\bien entendu...des # \ stratégies qui étaient \d'abattre le # \Troisième Reich entre les (z)# \officiers et # la \troupe ». (Enregistré le 1/11/2010, à L'Alliance française de Toronto).

14.3 DISCOURS POLITIQUE

C'est très souvent le *rythme ternaire*, très imité depuis de Gaulle par Mitterand, Chirac et d'autres, du type :

« Les \Algériens \diront ce qu'ils veulent \être

Ce\la ne leur sera \pas \dicté »

Chaque accent est intensifié, allongé et l'affirmation se marque par des pentes mélodiques descendantes.

14.4 DISCOURS LITTÉRAIRE RELIGIEUX : L'ORAISON

C'est la *période* des orateurs religieux, courante au XVIIe siècle, dont celle souvent citée de Bossuet :

Celui qui règne dans les cieux et de qui relèvent tous les empires, à qui seul appartient la gloire, la majesté et l'indépendance, est aussi le seul qui se permet de faire la loi aux rois et de leur donner quand il lui plaît de grandes et terribles leçons.

(Oraison funèbre de Henriette-Marie de France)

Le rythme en est assuré, ici encore, d'une part par les temps de la mesure (nombre de syllabes dans chaque groupe rythmique) et par l'accentuation de chacun des groupes, d'autre part par la symétrie des deux parties :

Celui qui \règne dans les \cieux (3 + 3)
Et de qui rel\èvent tous les em\pires (5 + 4) ou : Et de\qui re\lèvent (3 + 2) \tous les em!pires (1 + 3)
À qui \seul appar\tient (3 + 3)
La \gloire la majes\té et !'indépen\dence (2 + 3 + 5)
Est aussi le \seul qui se per\met (5 + 4)
De faire la \loi aux \rois (4 + 2)
Et de leur do\nner quand il lui \plaît (5 + 4)
De \grandes et de \terribles le\çons (2 + 3 + 3)

On pourra voir un autre type de discours religieux avec celui de la litanie (Léon, 1999).

14.5 DISCOURS LITTÉRAIRE DE LA PROSE RYTHMÉE

Le principe en est le même : symétries accentuelles et syllabiques, comme dans « La chevelure » de Baudclaire :

« Laisse-\moi respi\rer (3 + 3) long\temps, long\temps (2 + 2) l'o\deur de tes che\veux (2 + 4) ».

Dans ce genre de poème en prose, on retrouve les mesures à 2, 3 ou 4 temps, les plus habituelles de la versification classique et particulièrement de l'alexandrin.

14.6 DISCOURS LITTÉRAIRE AVEC RYTHME DES SONORITÉS

Voici un exemple de Malraux, dont on a le privilège d'avoir l'enregistrement, *(Les Voix du Silence, Encyclopédie Sonore)*. Malraux scande son texte en trois parties symétriques, comportant le même nombre de proéminences sonores, faites surtout d'un allongement important. On remarque en outre le jeu des sonorités répétées, particulièrement des nasales, dans la troisième partie :

« Un \jour, sans \doute, par\mi les étendues a\rides ou recon\quises par la fo!rêt, (7 accents)

\nul ne devinera\plus ce que\l'homme avait impo\sé d'intelli\gence aux \formes de la \terrre (7 accents)

En dre\ssant les \pierres de Flo\rence dans le \grand balance\ment des oli\viers to\scans (7 accents).

Quoi qu'il en soit, il est certain que, comme le dit Henri Meschonnic, « le rythme, dans un discours, peut avoir plus de sens que le sens des mots ».

Problématique et questions

1. Quelles sont les variables temporelles qui relèvent de la langue et celles qui relèvent du discours ?
2. Les étrangers disent souvent que le français n'a pas d'accentuation. Qu'est-ce qui peut motiver ce jugement ?
3. Transcrivez en phonétique le texte suivant, dont on n'a pas noté la ponctuation : *Non je ne peux absolument pas accepter il n'y a pas un seul de vos arguments qui tienne vous êtes de mauvaise foi.*
4. Notez les accents démarcatifs dans ce même texte.
5. Notez les accents d'insistance possibles.
6. Notez l'accentuation et le nombre de syllabes par groupe rythmique dans le texte suivant :
   Heureux qui comme Ulysse a fait un beau voyage
   Et puis est retourné plein d'usage et raison
   Vivre entre ses parents le reste de son âge
   Du Bellay
7. Quel type de rythme est établi dans ces vers ?
8. La diction classique traditionnelle exigeait que l'on applique aux vers le principe d'isochronie. Qu'est-ce que cela revient à faire dans l'exemple des vers de Du Bellay ? D'un point de vue sémantique, l'effet produit est-il toujours réussi ? Pourquoi ?
9. Indiquez l'accentuation rythmique dans le vers suivant de Rimbaud :
   Je ne parlerai pas, je ne penserai rien
   et justifiez votre réponse.
10. On a souvent comparé le rythme de la parole au rythme cardiaque, qui est en moyenne de 80 battements par minute. En supposant que le groupe rythmique moyen du français soit de 4 syllabes et en vous aidant du tableau 5, p. 163, essayez de trouver si la comparaison est justifiée. Qu'en est-il pour les méridionaux ?
11. Rappelez les différents rôle du rythme dans la vie quotidienne.

(Réponses p. 267)

BIBLIOGRAPHIE

ABECASSIS M. et LEDEGEN G. (réd.) (2010) Les voix des Français, *Actes du Colloque AFLS.*

ALESANO C. (2001), *Rythme et accentuation en français. Invariance et variabilité stylistique*, Paris, L'Harmattan.

AVANZI M. (2010) « Une description prosodique des styles de parole en français », in Abecassis, *op. cit.*

BHATT P. et Léon P. (1991), « Melodic Patterns in Three Types of Radio Discourses », in LLISTERI J. et POCH D. (1991) (dir.), *Proceedings of the ETRW : Phonetics and Phonology of Speaking Styles*, Barcelone, Dpt. de filologia, Laboratori de fonètica, ESCA Workshop : 11-1 - 11-4.

BOLINGER D. (1958), « A Theory of Pitch Accent in English », *Word*, n° 14, 2-3 : 109-149.

BRISSON S. (1991), *Production et perception de l'accent en français québécois*, Québec, université Laval, mémoire de maîtrise.

CALVET L.-J. (1979), *Langue, corps et société*, Paris, Payot.

CALVET L.-J. (1984), *La Tradition orale*, Paris, PUF, coll. « Que sais-je ? », n° 2122.

CARRIO I FONT M. et MESTRE A.R. (1991), « Compensatory Shortening in Spanish Spontaneous Speech », *Phonetic and Phonology of Speaking Style*, Barcelone, ESCA.

CARTON F. (1970), *Recherches sur l'accentuation des parlers populaires dans la région de Lille*, Lille, Service de la reproduction des thèses.

CARTON F. (1987), « Prosodie du conte oral », in Léon P. et Perron P. (dir.), *Le Conte*, Ottawa, Didier.

CEDERGREN H. (1990), « L'accentuation québécoise : une approche totale », *Revue québécoise de linguistique*, n° 19/2 : 25-38.

CEDERGREN H. (1992), « Les effets de la structure prosodique en français parlé », *Journées d'études sur la phonétique*, Toronto, Laboratoire de phonétique, 9-10 mai.

DANEŠ F. (1960), « Sentence Intonation from a Functional Point of View », *Word*, n° 16 : 34-54.

DELATTRE P. (1966), « L'accent final en français : accent d'intensité, accent de hauteur, accent de durée », in Delattre P., *Studies in French land Comparative Phonetics*, La Haye, Paris, Mouton.

DELL F. (1984), « L'accentuation dans les phrases en français », in Dell F., Hirst D. et Vergnaud J.R. (éd.), *Formes sonores du langage*, Paris, Hermann : 65-122.

DESHAIES D., CONRAD O., PARADIS CL. et BRISSON S. (1991), « L'accent en français québécois spontané : perception et production », *Actes du XX*[e] *Congrès international des sciences phonétiques*, Aix-en-Provence, vol. 2 : 434-437.

DI CRISTO A. et HIRST D. (1993), « Rythme syllabique, rythme mélodique et représentation hiérarchique de la prosodie du français », *Travaux de l'Institut de phonétique d'Aix*, n° 15 : 9-24.

DI CRISTO A. et HIRST D. (1997), « L'accentuation non emphatique en français : stratégies et paramètres », in Perrot J. (dir.), *Polyphonie pour Ivan Fónagy*, Paris, L'Harmattant : 71-101.

FAURE G. (1970), *Les Éléments du rythme poétique en anglais*, La Haye, Mouton.

FANT G., KRUCKENBERG A. et NORD L. (1991), « Language Specific Patterns of Prosodic and Segmental Structures in Swedish, French and English », *Actes du XIIe Congrès international des sciences phonétiques*, Aix-en-Provence, vol. 4 : 118-121.

FÓNAGY I. et LÉON P. (dir.) (1980), *L'Accent en français contemporain*, Montréal, Paris, Bruxelles, Didier, coll. « Studia phonetica » 15.

FÓNAGY, I. (1992) « Fonction de la durée vocalique », in Martin Ph. (éd). *Mélanges Léon*, p. 141-164.

FÓNAGY I. (2006) *Dynamique et changement*, Louvain, Paris, Éditions Peters.

FOUCHÉ P. (1935), « La prononciation actuelle du français », in *Où en sont les études sur le français*, Paris, Bibliothèque du français moderne, d'Artrey.

GADET F. (1997) *Le français ordinaire*, Paris, Hachette.

GARDE P. (1968), *L'Accent*, Paris, PUF, coll. « Que sais-je ? ».

GEZUNDHAIJT H. (1994), « Adverbes en –MENT et accent en français », in Martin Ph. (dir.*), Accent, intonation et modèles phonologiques*, Toronto, Mélodie : 15-33.

GRAMMONT M. (1904), *Le Vers français*, Paris, Picard et fils.

GROSJEAN F. et DESCHAMPS A. (1972), « Analyse des variables temporelles en français spontané », in *Phonetica*, n° 26 : 129-156.

GUIMBRETIÈRE É. (1997), « Analyse des variables temporelles du français dans une perspective d'enseignement/apprentissage », in Perrot J. (dir.), *Polyphonie pour Ivan Fónagy*, Paris, L'Harmattan.

GUIMBRETIÈRE É. (dir.) (2000), *La Prosodie au cœur du débat*, Rouen, Publications de l'Université.

HESBOIS L. (1986), *Les Jeux de langage*, Ottawa, Presses de l'Université, 2e éd. 1988.

HOUÏS M. (1971), *Anthologie linguistique de l'Afrique noire*, Paris, PUF.

KONOPCZYNSKI G. (1990), *Le Langage émergent : caractéristiques*, Hambourg, Burke Verlage.

KONOPCZYNSKI G. (1991), « Acquisition de la proéminence dans le langage émergent », *Actes du XIIe Congrès international de sciences phonétiques*, Aix-en-Provence, vol. 1 : 333-337.

KONOPCZYNSKI G. (1993), « The Phonogical Rhythm of Emergent Language, a Comparison between French and English Babbling », *Kansas Working Papers in Linguistics*, 18 : 1-30.

KONOPCZYNSKI G. (1995), « A Developmental Model of Acquisition of Rythmic Patterns :

Results from a Cross-Linguistic Study », in *Proceeding of the XIII International Congress of Phonetic Sciences*, Stockholm, vol. 4 : 22-29.

Konopczynski G. (1997), « Le soliloque chez l'enfant entre un et deux ans », in *Polyphonie pour Ivan Fónagy*, Paris, L'Harmattan : 263-276.

Kristeva J. (1977), *Polylogue*, Paris, Seuil.

Lacheret-Dujour A., Karel M. et Vivier J. (2000), « Prosodie et acquisition du français langue maternelle, l'émergence de la prosodie dialogique chez des jeunes enfants », in Guimbretière É. (dir.), *La Prosodie au cœur du débat, op. cit.* : 185-204.

Léon M. (1972), *L'Accentuation des pronoms personnels en français standard*, Montréal, Paris, Bruxelles, Didier, coll. « Studia phonetica » 5.

Léon P. et Léon M. (1980), « Observations sur l'accent des français régionaux », in Fónagy I. et Léon P. (dir.), *L'Accent en français contemporain, op. cit.* : 93-106.

Léon P. (1985), « Discours argumentatif et composantes séductrices : l'éclairage du plan de l'expression », *in Hommage à Pierre Guiraud*, Paris, Les Belles-Lettres : 233-242.

Léon P. (1999), « Litanie, prière et poésie », *in* J. Perrot (dir.), *Polyphonie pour Ivan Fónagy*, Paris, Les Belles-Lettres : 233-242.

Léon P. et Martin Ph. (2000), « Prosodie et technologie », in Guimbretière É. (dir.), *La Prosodie au cœur du débat, op. cit.* : 135-150.

Léon J. (1999) *Les entretiens publics en France, Une analyse conversationnelle et prosodique,* CNRS, Sciences de langage.

Levac L. (1991), « L'arrangement intonatif dans les syntagmes verbaux en français parlé à Montréal, une étude phonosyntaxique », *Revue québécoise de linguistique*, n° 20/2 :41-71.

Lindblom B. (1991), « Final Lengthening in Speech and Music », in Lund, Garding *et al.* (éd.), *Nordic Prosody* : 85-101.

Lucci V. (1980), « L'Accent didactique », in Fónagy I. et Léon P. (dir.), *L'Accent en français contemporain, op. cit.* : 107-122.

Lucci V. (1983), *Étude phonétique du français contemporain à travers la variation situationnelle*, Grenoble, ULL.

Martin Ph. (1980), « Une théorie syntaxique de l'accent en français », in Fónagy I. et Léon P. (dir.), *L'Accent en français contemporain, op. cit.* : 1-12.

Martin Ph. (1987), « Prosodic and Rhythmic Structures in French », *Linguistics*, n° 25 : 925-949.

Martin Ph. (1996), « WinPitch, un logiciel d'analyse en temps réel de la fréquence fondamentale fonctionnant sous Window », *Actes des XXIVe journées d'étude sur la parole,* Avignon, mai 1996 : 224-227.

Martin Ph. (1998), « Association prosodie-syntaxe : Validation par synthèse », *22e Journée d'études sur la parole*, Martigny, Société française d'acoustique : 119-122.

Martin, Ph. (2009) *Intonation du* français, Paris, Armand Colin.

Martinet A. (1955), *Économie des changements phonétiques*, Berne, A. Francke.

Martinet A. (1960), *Éléments de linguistique générale*, Paris, Armand Colin.

Meschonnic H. (1982), *Critique du rythme. Anthropologie historique du langage*, Paris, Verdier.

Meschonnic H. (1992), *Critique du rythme*, Paris, Verdier.

Mertens P. (1993), «Accentuation, intonation et morphosyntaxe», *Travaux de linguistique*, n° 26, Louvain-la-Neuve, Duculot : 21-69.

Nord L. (1991), «Rhythmical – In what sense? Some Preliminary Considerations», in Enstrand O. and Kylander K. (éd.), *Perilus*, n° 13, «Current Phonetic Research Paradigms : Implications for Speech Motor Control», Stockholm.

Ouellet A.-M., Lavoie M. et Lavoie J. (1995), «Phonetic Cues at Sentence Boundaries in Quebec French : A Side Effect of Penultimate Syllable Duration», *Proceeding of the XIII*[th] *Congres of Phonetic Sciences*, Stockholm, vol. 4 : 376-379.

Pike K. (1946), *Intonation of American English*, Ann Arbor, University of Michigan Press.

Queneau R. (1959), *Zazie dans le métro*, Paris, Gallimard.

Rigault A. (1961), «Rôle de la fréquence, de l'intensité et de la durée vocalique dans la perception de l'accent en français», *Pro. 4*[th] *Congress Phon. Sc.*, Helsinki, 735-748.

Rossi M. (1980), «Le français, langue sans accent», in Fónagy I. et Léon P. (dir.), *L'Accent en français contemporain*, *op. cit.* :13-51.

Rossi M. (1997), «Is Syntactic Structure Prosodically Retrievable?», in *5*[th] *ESCA Workshop on Prosody European Conference on Speech Communication and Technology*, Rhodes.

Rossi M. (2001), «La désaccentuation en français», in Loffler et Lorian (éd.), *Hommage à Jean Perrot*, rééd. Paris, Société de linguistique : 373-385.

Séguinot A. (dir.) (1976), *L'Accent d'insistance*, Montréal, Paris, Bruxelles, Didier, coll. « Studia phonetica» 12.

Simon, A-M. (2004) *La structure prosodique du discours en français, Une approche multidimensionnelle et expérimentale du discours en français*, Bern, Berlin, Bruxelles, Frankfurt, New York, Wien, Peter Lang.

Thibault L. (1994), *Étude exploratoire du rythme en français québécois*, Québec, Université Laval, mémoire de maîtrise.

Vihanta V.V. (1991), « Signalisation prosodique de la structure informationnelle dans le discours radiophonique en finnois et en français», *Actes du XII*[e] *Congrès international des sciences phonétiques*, Aix-en-Provence, vol. II : 422-425.

Wenk B et Wioland F. (1982), «Is French really Syllable-Timed?», *Journal of Phonetics*, n° 10, 2 :193-216.

Wioland F. (1991), *Les Sons du français*, Paris, Hachette.

WIOLAND F. (2000), « Vers un modèle prosodique du français parlé », in Guimbretière É. (dir.), *La Prosodie au cœur du débat*, *op. cit.* : 13-19.
WUNDERLI P. (1988), « Le débit indice de l'interrogativité ? », *Tl*, n° 16 : 11-121.
WUNDERLI P. (1992), « Interrogation et accent d'insistance », in Martin Ph. (dir.), *Mélanges Léon*, Toronto, Mélodie et CSP : 569-583.
ZUMTHOR P. (1983), *Introduction à la poésie orale*, Paris, Klincksieck.

La poule grise

Laure Hesbois, dans son délicieux ouvrage sur *Les Jeux de langage*, passe en revue toutes les formes de refrains, dont beaucoup n'ont pas de sens mais sont devenus populaires à cause de leur rythmicité. Il en est de même pour les *comptines*, ces refrains du rituel des jeux d'enfants. Elles servent à scander, sur un air et un rythme connus, une suite de syllabes dont la dernière va désigner qui est le « chat », dans la partie du « Chat et la souris » ou tout autre jeu. Voici quelques comptines, bien connues, citées par Laure Hesbois :

Am stram gram,
Pic et pic et colégram,
Bour et bour et ratatam,
Am stram gram !

Une poule sur un mur,
Qui picote du pain dur,
Picoli, Picota,
Lève la queue et pis t'en va !

C'est la poule grise,
Qui pond dans l'église
C'est la poule noire,
Qui pond dans l'armoire,
C'est la poule brune,
Qui pond dans la lune,
C'est la poule blanche,
Qui pond sur une planche. (Bocomont)

« Le sens se construit à partir des exigences mélodiques et rythmiques, notamment en fonction de la rime, ce qui ne va pas sans surprise » (28-29). Les poules françaises ne sont pas les seules à éprouver ces bizarreries dues au rythme des comptines. Il en arrive aussi de belles aux tigres espagnols et à bien d'autres dans le monde, tant le rythme est universel.

Les formes déviantes de la norme

Ivan Fónagy (2002 : 69-70) conclut ainsi son chapitre sur l'accentuation :

Les formes déviantes de la norme, dès qu'on leur assigne une fonction ou dès qu'on les situe dans l'espace social rentrent dans l'ordre, sont incorporées au système verbal sans qu'on se rende compte de la modification du système. En cas d'incorporation incomplète, on parle de « faute de prononciation », ce qui permet de ranger provisoirement les cas les plus rétifs, jusqu'à la formation d'une catégorie permettant l'élargissement et la diversification du système. Vu sous cet angle, le système accentuel paraît intact, inchangé. On peut classer, en d'autres termes, invalider, de la même manière, les schèmes accentuels barytoniques des informations télévisées, des conférences ou des discours politiques, en les attribuant à des sous-codes déterminés et qui permettent de les ignorer au moment où on formule des règles générales de l'accentuation.

En vérité le code linguistique est l'ensemble ordonné des sous-codes linguistiques. Il est donc contradictoire d'accepter le changement d'un sous-code et de prétendre que le code, la langue, reste intact.

L'accent qui frappait régulièrement la dernière syllabe de mots, de groupes de mots et d'énoncés est devenu mobile. On ne peut le définir que par la probabilité de son apparition en fonction des divers facteurs (syllabation, catégorie grammaticale, rythme, place du mot, attitude du locuteur, genre verbal).

Ainsi, dans un syntagme nominal, formé d'un qualifiant et d'un qualifié, la probabilité (p) de l'accent initial est plus élevée si le groupe est composé de 3 syllabes et plus ou si le qualifiant précède le qualifié. Elle est plus élevée dans la lecture et dans la conférence que dans la conversation.

CHAPITRE 10

LA MÉLODIE ET L'INTONATION

La mélodie de la prose est tout le contraire d'un *recto tono* à la fois musical et figé. Le naturel, ici, est inimitable. Pour un comédien, il consiste à réinventer sans cesse, intuitivement, des mélodies sans notes, qui en disent plus long que le texte lui-même quant aux sentiments du personnage.

Bernard DUPRIEZ, *Gradus*

1. FRÉQUENCE, HAUTEUR, MÉLODIE ET INTONATION

Les changements de *fréquence* des vibrations des cordes vocales sont responsables de la *perception* des variations de *hauteur*, dont le déroulement crée la *mélodie* de la parole. On définit alors *l'intonation* comme *la structuration mélodique des énoncés*. L'intonation fait partie de la *prosodie*, dans laquelle on inclut tous les facteurs du rythme.

Ainsi, dans la phrase suivante, on a d'abord un découpage accentuel en quatre syntagmes ou unités syntaxiques de sens :

C'est Mau*rice*, qui va *voir* le doc*teur* Jac*quot*.
[sɛmɔ ˈʀis] [kiva ˈˈvwa :ʀ] [lədɔk ˈˈ tœ:ʀ] [ʒa ˈko]

Ces quatre syntagmes, ou groupes rythmiques, sont appelés *intonèmes* lorsqu'on les considère du point de vue de l'intonation. Le terme a été forgé par les linguistes qui considéraient que l'intonème pouvait jouer un rôle distinctif, analogue au *phonème.*

On verra que ce rôle *distinctif* est très limité en français et que la fonction de *l'intonème* est essentiellement de renforcer la structuration accentuelle démarcative et d'instaurer une hiérarchie dans l'expression du sens, par le mouvement mélodique. Ainsi dans l'énoncé ci-dessus, la mise en relief sémantique peut se faire par une proéminence de hauteur sur l'accent final sur *Mau\rice*, ou sur ceux de *\voir* ou de *doc\teur* ou de *Ja\cquot.*

Les fonctionnalistes séparent les deux aspects principaux de ce qui constitue la *prosodie* :

1) *l'accentuation*, utilisée pour établir des distinctions au niveau du monème ou des repères au niveau du groupe ;
2) *l'intonation* dont la mélodie renforce le rôle démarcatif de l'accentuation et organise la dépendance des groupes rythmiques entre eux dans la phrase et les phrases dans le paragraphe.

Certains linguistes, comme Crystal et Wunderli, considèrent que l'intonation est un donné complexe et qu'une approche *paramétrique* peut seule en rendre compte, en englobant mélodie, accentuation, tempo, etc., c'est-à-dire l'ensemble des paramètres prosodiques. Comme on a déjà traité des autres paramètres, on étudiera ici celui de la mélodie.

Au plan théorique, la mélodie constitue la *substance* de l'expression intonative. Sa *forme* s'organise en contours et niveaux pour constituer des *unités intonatives significatives.*

2. LE SIGNE INTONATIF

2.1 SIGNE MOTIVÉ

La plupart des auteurs s'accordent pour voir d'abord dans l'intonation *un signe motivé*, c'est-à-dire un signe qui reflète directement un mouvement spontané, naturel, échappant aux contraintes linguistiques des signes arbitraires et conventionnels que sont les phonèmes.

L'intonation, à ce premier stade, se manifeste de manière quasi universelle dans les *émotions primaires fortes :* douleur, joie, colère, tristesse. La *tension* physiologique forte accroît la fréquence de vibration des cordes vocales dans un cri de douleur. Le *relâchement* décroît cette tension, dans un moment de dépression. Dans le premier cas la mélodie s'élève, dans le second elle s'abaisse et reste plate.

L'intonation est un signe tellement motivé que les ressemblances entre les langues sont plus nombreuses que les différences, remarque Dwight Bolinger, et Isamu Abe constate que des langues aussi différentes que le swahili, l'hawaïen et le finnois présentent avec l'anglais et le français, par exemple, des ressemblances étonnantes. Mêmes types de contours pour l'ensemble de la phrase, mêmes type généraux pour les sémantismes de base : montée mélodique pour *continuité* et *question*, descente pour *finalité*.

2.2 SIGNE CONVENTIONNEL

Chaque langue, au cours de son évolution, a formalisé des patrons caractéristiques d'*attitudes*, telles que celles de la prière, l'ironie, la coquetterie, l'implication, les voix de charme, les voix des bonimenteurs, etc. Mais ce n'est qu'à un niveau de codification plus strictement stylisé que l'intonation est utilisée pour les modalités grammaticales.

Ivan Fónagy et Dwight Bolinger ont bien décrit les processus de conventionalisation, à partir d'intonations motivées. Ainsi la marque montante de continuité peut être envisagée comme une question à laquelle répond la marque descendante de finalité, ce qu'avaient déjà suggéré, il y a fort longtemps, Grammont et Fouché. Cependant, une telle stylisation, au niveau linguistique, se réalisera de manière bien différente, selon les langues. *L'accent étranger* vient justement de ce que chaque langue intone à sa manière.

Les deux types de signes intonatifs, *motivés* ou *conventionnels*, se retrouvent organisés de manière complexe, à différents niveaux du langage. Bolinger les résume dans un classement en quatre « couches » : la première est celle des fluctuations intonatives de l'émotion *non contrôlée* ; la seconde, celle des variations intonatives *émotives*, mieux contrôlées, et perceptibles surtout dans les syllabes inaccentuées ; la troisième, celle des variations intonatives *grammaticalement structurées* ; et la dernière, celle de *l'organisation intonative de la phrase, des paragraphes et autres fonctions discursives.*

3. FONCTIONS LINGUISTIQUES DE L'INTONATION

3.1 RÔLE LINGUISTIQUE GÉNÉRAL

Les fonctionnalistes, comme André Martinet, assignent aux phonèmes une fonction primordiale, *distinctive*, et à l'intonation une fonction secondaire, essentiellement *significative*. On constate, dans cette optique, que l'intonation a été longtemps absente des études linguistiques. On considérait que, d'une manière générale, la prosodie ne faisait qu'ajouter du sens au message linguistique. C'est le cas effectivement dans un énoncé neutre, non ambigu. Qu'on lise un bulletin météorologique sans intonation a peu d'importance. Qu'on le lise, comme c'est la mode, sur un ton enjoué par une journée ensoleillée et sur le ton triste par la pluie, n'ajoute pas non plus d'information linguistique au message.

D'autre part, il est certain qu'une langue qui n'utiliserait que la mélodie serait bien limitée. On a souvent évoqué les langues sifflées, comme le *silbo gomero* des Basques, décrit par André Class, ou encore les messages tambourinés de parlers africains qui communiquent par le rythme ou par sifflements modulés sans utiliser les unités phonématiques. En réalité leurs messages sont fort restreints et une seconde articulation permettant de combiner de nouveaux sens n'existe pas. En effet, dans les messages de ce genre, l'émetteur est obligé d'utiliser des formes récurrentes, stéréotypées, amplifiées. C'est seulement grâce à cette redondance qu'un texte, dont seule subsiste l'information prosodique, peut être décodé avec un minimum d'intelligibilité. Il faut, de plus, que l'association entre les mots et la prosodie ait été bien retenue, sinon c'est le drame de Toto qui savait l'air sur lequel les petits Français apprennent la table de multiplication mais qui en avait oublié les paroles ! Cependant, le rôle linguistique de l'intonation est primordial, tout d'abord dans les processus de perception. L'enfant qui ne connaît pas encore le sens des mots qu'on prononce, comme la personne devenue sourde à certains sons de sa langue, se repèrent aux structures rythmiques et mélodiques, pour tenter de restituer le message qui leur échappe.

En outre, dans le parler ordinaire, l'intonation joue de multiples rôles, que l'on peut diviser en deux grands groupes :

1) *indice, donc signe involontaire :* nous renseigne sur l'état émotionnel, l'humeur de notre interlocuteur, son origine, ses intentions cachées ;
2) *signal, donc signe volontaire :* nous indique une attitude, comme l'injonction, la question, la hiérarchisation des informations.

3.2 RÔLE DISTINCTIF AU NIVEAU DE LA PHRASE

En français, comme dans beaucoup de langues, le rôle phonologique de la mélodie est évident dans l'opposition de types phrastiques *non marqués grammaticalement*. On oppose ainsi *l'assertion* : Vous ne dites rien. ⇗ ⇘ à mélodie montante + descendante, à la *question totale* (à laquelle on répond *oui* ou *non*) *:* Vous ne dites rien ? ⇗ à mélodie montante et à *l'injonction* : Vous ne dites rien ! ⇘ à mélodie descendante plus abrupte.

Tous ces patrons phonologiques, schématisés ici, ont de nombreuses variantes ; ainsi la mélodie assertive, appelée également *déclarative*, peut très bien être tout à fait plate. Dans un énoncé bref, comme *oui*, elle peut n'avoir que la réalisation finale descendante. Bien que fluctuante, selon la syntaxe ou la modalité énonciative, elle est dite *non marquée phonologiquement* par rapport aux deux autres types intonatifs de base.

3.3 RÔLE DÉMARCATIF

La mélodie a un rôle redondant, de pair avec l'accentuation, pour assurer la *démarcation*, comme on l'a vu au chapitre précédent sur l'accentuation. La mélodie permet en outre de lever certaines ambiguïtés. Ainsi, la fonction adverbiale de *bien*, dans le premier des exemples suivants, est marquée par une mélodie plane, enchaînant les deux syntagmes, alors que la fonction adjectivale de *bien* est marquée, dans le second cas, par une montée ou une descente mélodique :

C'est bien → ce que vous dites... (C'est exactement ça.)
C'est bien ⇗ ce que vous dites... *ou :* c'est bien ⇘ ce que vous dites... (Dans les deux cas : Ce que vous dites est bien.)

3.4 RÔLE DE STRUCTURATION ET DE HIÉRARCHISATION

L'intonation joue d'abord un rôle de cohésion par la courbe d'enveloppe mélodique des intonèmes de base, réductible à deux grands types, a) *à contour montant* ou b) *à contour descendant* :

a) inaccentuée + accentuée b) inaccentuée + accentuée

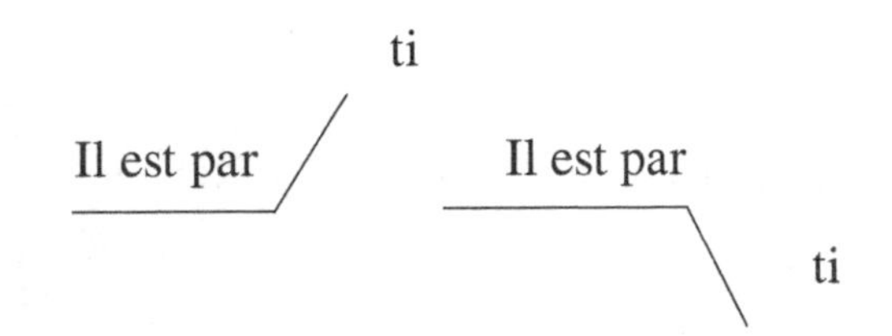

Sémantiquement, à l'état isolé, le type a) indique la *continuité* ; le type b) la *finalité*. Mais un processus *logico-syntaxique* a été mis en évidence par Philippe Martin. Après avoir observé que les dix intonations de base de Delattre ne représentent que des intonèmes de groupes accentuels isolés, Martin rappelle que, si l'on considère les mouvements mélodiques en contexte, on découvre une structuration de l'ensemble des énoncés par *oppositions de pente* des contours mélodiques.

Il y a des *contours internes* marquant la dépendance, du type :

La maison dont vous parlez... ≠ ...la maison dont vous parlez.

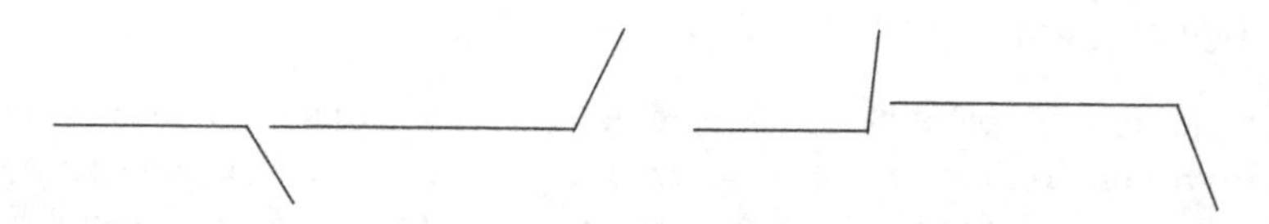

et des contours de structuration phrastique, comme pour les modalités suivantes dont l'intonation est tributaire de l'ordre *thème/propos*.

Si le propos (fait nouveau) précède le thème (fait dont on parle), on peut avoir :

a) *déclaration :* Il est arrivé, votre ami, tout à l'heure.

b) *question :* Il est arrivé, votre ami, tout à l'heure ?

Si le thème précède le propos, on peut avoir :

a) *déclaration :* Votre ami, tout à l'heure, il est arrivé.

b) *question :* Votre ami, tout à l'heure, il est arrivé ?

La hiérarchisation des syntagmes d'un même énoncé, comme celui cidessous, peut s'opérer par plusieurs combinaisons de pentes et d'accentuation :

Demain, je vais au théâtre avec Jean et Hélène.

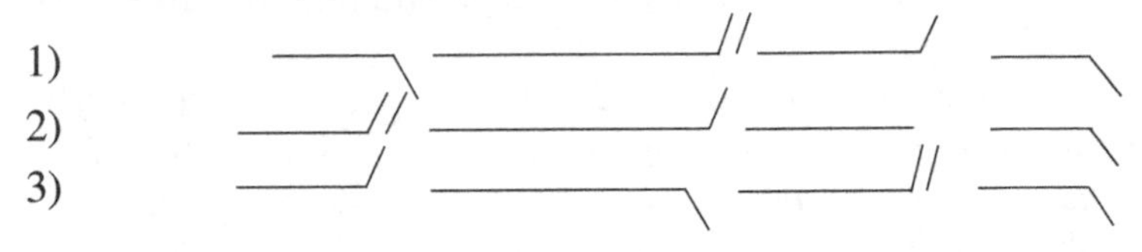

Le déplacement de l'accent mélodique change la focalisation du sens. Dans le premier cas, on attire l'attention sur le *théâtre*, dans le second sur *demain* et dans le troisième sur *Jean*.

4. L'INTONATION ET LES LINGUISTES

Il existe un très grand nombre d'études sur l'intonation, dont les principales ont été recensées par Hadding-Koch (1956), Léon et Martin (1969), Crystal (1969), Léon (1971b), Nash (1973), Di Cristo (1975), Wunderli, Benthin et Karash (1978), Meier (1984), Blanche-Benveniste et Jeanjean C. (1987), Lepetit (1992), Morel (1998), Lacheret-Dujour et Beaugendre (1999), Rossi (1999).

Les linguistes ont essayé de réduire les nombreuses et minutieuses descriptions de la mélodie, faites par les phonéticiens, à un nombre restreint de patrons intonatifs, sur le modèle de la phonologie qui, à partir de variantes multiples, dégage un inventaire limité de phonèmes pertinents.

Pierre Delattre et Georges Faure ont tenté de montrer ainsi, pour le français, que l'intonation pouvait être décrite en termes phonologiques. Mario Rossi a même suggéré, en 1977, que l'intonation constitue une *troisième articulation* dans la langue. Hagège, en 1978, refuse ces arguments en rappelant que les *intonèmes* ne sont pas commutables, comme les phonèmes, en un point précis de la chaîne, mais se déploient généralement sur toute une séquence. Il rappelle que ces unités n'ont pas non plus de fonction distinctive, comme les phonèmes, mais *significative*, à la façon des morphèmes. À la suite d'une longue série d'expérimentations et de recherches, Rossi proposera, en 1999, son modèle phonologique du système intonatif français.

Les Américains du Nord parlent de *segments* pour caractériser les unités phonématiques, d'où leur terme de *suprasegmentales* pour désigner les unités intonatives. Leur aspect *continu* est peu précis par rapport au caractère *discret* des phonèmes. On n'hésitera pas à distinguer entre « une bonne *b*ière » et une bonne « *p*ierre », même si le [b] et le [p] sont mal articulés, alors qu'il peut arriver que l'on soit en désaccord s'il s'agit de savoir si le même énoncé est dit sur le ton du doute, de la question, de l'ironie ou des trois à la fois.

C'est pourquoi, dans l'optique rigoureuse et réductrice de la phonologie praguoise et plus encore dans celle des générativistes, l'intonation s'est vue *marginalisée*. On en a fait un domaine restreint de la *sémantique*, oubliant que, au sens linguistique, la mélodie ajoute une large *signification énonciative*.

5. DESCRIPTION PHONÉTIQUE DE L'INTONATION : LES COURBES ET LES NIVEAUX

5.1 LES PREMIÈRES DESCRIPTIONS

Dans la description de l'intonation, le paramètre mélodique est le plus important. On l'analyse selon deux aspects, la forme des *courbes mélodiques* et les *niveaux de hauteur* où elles se situent.

Pour les représenter, plusieurs techniques ont été préconisées. Paul Passy, dès 1890, constatait que la mélodie de la parole présente une différence fondamentale avec celle de la musique et du chant :

> Dans la parole ordinaire comme dans le chant, la voix, grâce à l'action des cordes vocales, passe constamment d'une note à l'autre. Il y a pourtant une différence fondamentale dans la manière dont se font les transitions. Dans le chant, chaque syllabe, en général, se prononce sur une note donnée ; ou bien, si on passe d'une note à l'autre, cela se fait d'un bond, sans intermédiaire. Lorsqu'on emploie le « portamento » – ce qui est relativement rare – la voix traverse bien la série des notes intermédiaires ; mais elle le fait très rapidement et vient se reposer sur la note d'arrivée. Dans la parole, au contraire, la voix ne s'arrête presque jamais sur une note : elle ne passe pas non plus d'une note à l'autre ; elle glisse tout le long de l'échelle musicale, monte ou descend plus ou moins rapidement, mais toujours par degrés insensibles. En musique, j'écris par exemple :

Viens-tu ?

Mais pour représenter la parole, la notation

Viens-tu ?

ne serait encore que très approximative.

Quoi qu'il en soit la notation musicale est encore souvent employée dans la description phonétique. Il est d'ailleurs intéressant de voir comment les musiciens ont tenté d'exprimer les émotions par la mélodie, comme l'ont décrit Ivan Fónagy et Klara Magdics ou Michael Dobrovolsky.

Pour la description de la prose du français, Fónagy ainsi que Martins-Baltar se sont surtout intéressés à la représentation musicale des clichés mélodiques. En voici un exemple, emprunté à Fónagy et Bérard, pour une phrase interrogative avec une triple montée mélodique sur les 3 accents : *Il n'y ˋa qu'un bouˋcher iˋci ?*

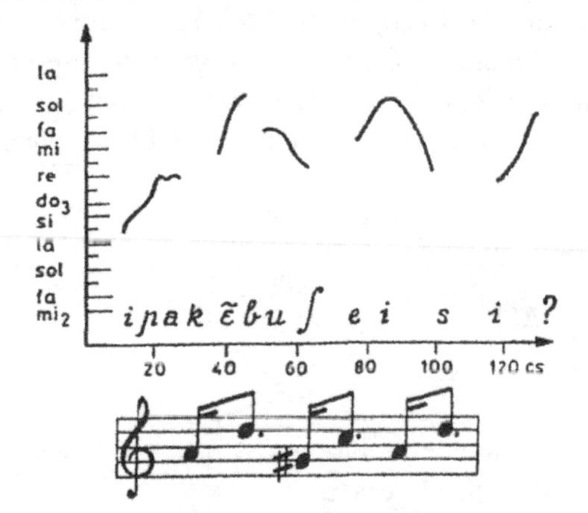

Figure 1. La courbe du haut est la représentation de l'enregistrement « Il n'y a qu'un boucher ici ? » [iɲakɛ̃buʃeisi]**, à l'analyseur de mélodie avec échelle musicale. En dessous, la transcription en musique de ce cliché mélodique (Fónagy, 2001 :139).**

Comme le dira Philippe Martin lui-même (2009 : 71) : « ce type de notation a l'avantage de tenir compte du rythme au travers de la durée des notes musicales et de leur regroupement en unités rythmiques, particularité qui ne se retrouve presque jamais dans les transcriptions contemporaines. »

D'autres phonéticiens, comme Bolinger, tentent d'imiter le mouvement des courbes mélodiques à l'aide de la représentation graphique des énoncés, comme dans l'exemple des schémas ci-dessous :

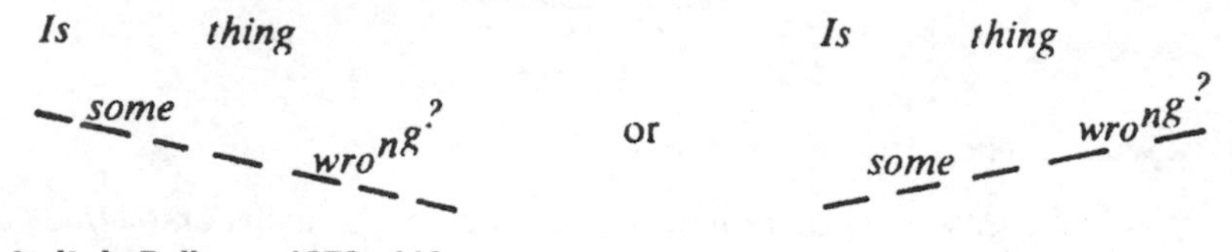

Extrait de Bolinger, 1972 : 112.

5.2 L'INVENTION DES NIVEAUX DE HAUTEUR MÉLODIQUES

Passy avait aussi suggéré de tenir compte de « la grandeur des intervalles » de hauteur. (Voir son analyse de « Oui », p. 203). Mais c'est Kenneth Pike qui formalisera le premier cette notion, avec l'emploi de niveaux intonatifs dessinés comme une sorte de portée musicale. Pierre Delattre, dans sa première série d'ouvrages pédagogiques (1947-1951) propose une représentation mélodique schématique de l'intonation de la phrase énonciative qui est, dit-il, « assez fixe en français », et représente, comme le suggérait aussi Grammont, une sorte de question à laquelle répond la seconde partie, selon le schéma suivant :

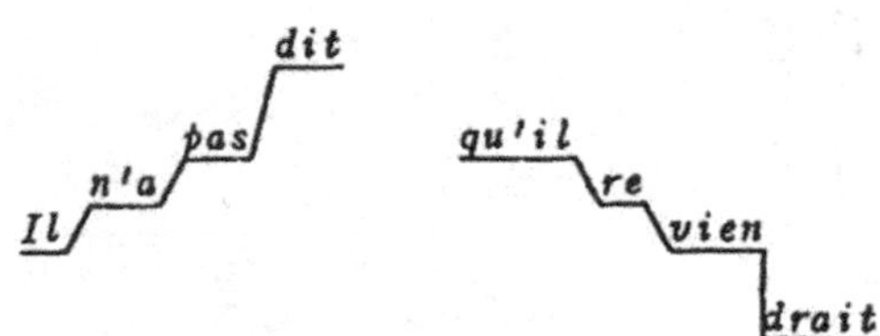

Delattre propose ensuite de représenter, à des fins pédagogiques, l'intonation, en escaliers, du type ci-dessous :

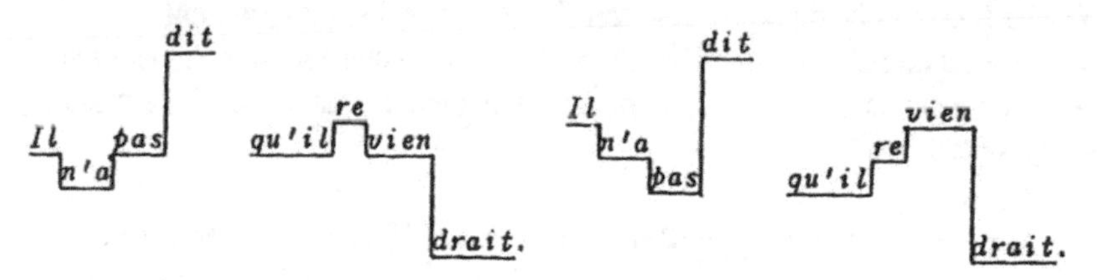

Extrait de Pierre Delattre, *Principes de phonétique française à l'usage des étudiants anglo-américains*, Middlebury, 1951, p. 50.

Delattre ajoute : « Remarquez que, dans une phrase comme celle qui suit, on peut distinguer quatre niveaux, comme indiqué dans la marge. » Ce faisant, Delattre avait à l'esprit l'invention de Kenneth Pike, linguiste de terrain, qui venait de publier, en 1945, son *Intonation of American English.* Delattre l'adaptera au français dans son article de 1966 : « Les dix intonations de base du français ». On avait proposé le même modèle, deux ans plus tôt, dans deux ouvrages pédagogiques (Léon et Léon, 1964). Depuis, ces modèles de description en niveaux ont été repris de nombreuses fois et améliorés, tels ceux de Rossi et DiCristo (1999).

Léon et Léon ainsi que Georges Faure ont ajouté un cinquième niveau pour tenir compte des intonations expressives. On doit noter que, à des fins pédagogiques, les niveaux d'intonation sont représentés équidistants. En réalité, la différence des intervalles s'accroît lorsqu'on s'élève du bas vers le haut de leur gamme.

5.3 LE REPÈRE DU FONDAMENTAL USUEL : NIVEAU 2

On a pris ici le niveau 2, pour le français, comme niveau de référence du *fondamental usuel*, niveau moyen ordinaire de la voix, auquel se réfère notre oreille. Il correspond à la hauteur du *euh* d'hésitation et, *grosso modo*, à la hauteur moyenne des syllabes inaccentuées. C'est par rapport à ce niveau, qui varie selon le sexe, l'âge et l'individu, que nous situons *les courbes mélodiques pour les repères sémantiques* :

– *continuité mineure :* 2-3 ; *continuité majeure* : 2-4 ;
– *finalité :* 2-1 ;
– *question totale* (à laquelle on répond par *oui* ou *non*) *:* 2-4 ;
– *ordre :* 4-1 ;
– *exclamation :* passage de la courbe mélodique par le niveau 5 ;
– *incise basse (parenthèse)* : niveau 1, intonation plate, avec pente descendante ou remontée finale, selon le sens (voir Martin) ;
– *incise haute (écho) : niveau 4.*

5.4 PATRONS INTONATIFS DE BASE

On donne, dans les figures 1 à 4, ci-après, des exemples de quelques patrons intonatifs de base, représentés en fonction des courbes et des niveaux mélodiques. Il va sans dire que ces patrons peuvent avoir bien des *variantes*, émotives, sociales ou autres. Delattre a noté une *continuité mineure*, par rapport à l'insistante, dite continuation majeure. Mais on pourrait tout aussi bien relever une *question mineure* par rapport à une *majeure*, de même pour la *finalité*, l'*ordre* ou *l'exclamation*.

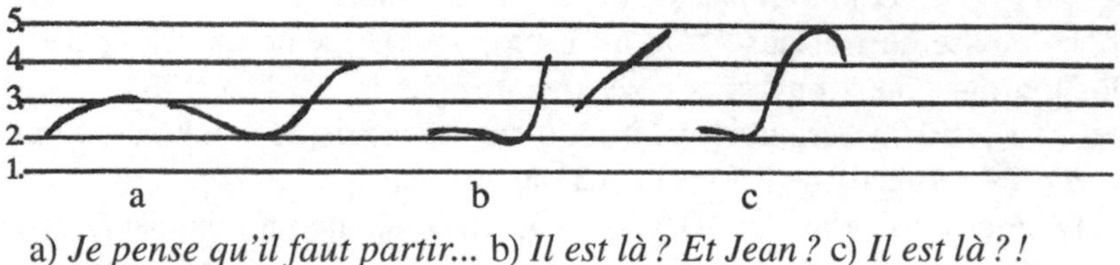

a) *Je pense qu'il faut partir...* b) *Il est là ? Et Jean ?* c) *Il est là ? !*

Figure 2 : a) Continuité mineure et majeure ; b) questions mineure et majeure ; c) question exclamative.

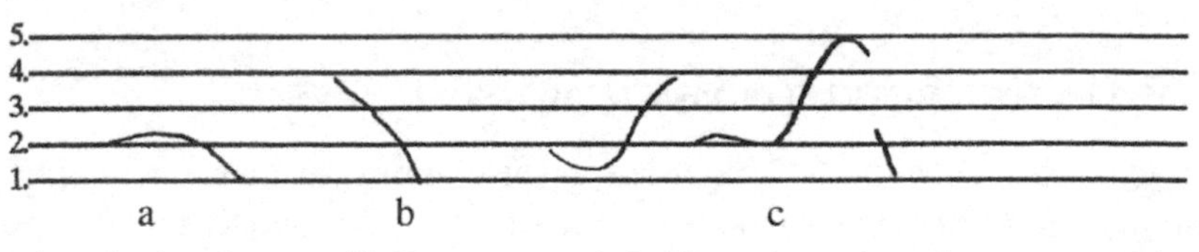

a) ... *à cinq heures.* b) *Vous sortez !* c) *C'est rien, c'est du vent, quoi !*

Figure 3. a) Finalité ; b) Ordre ; c) Exclamations.

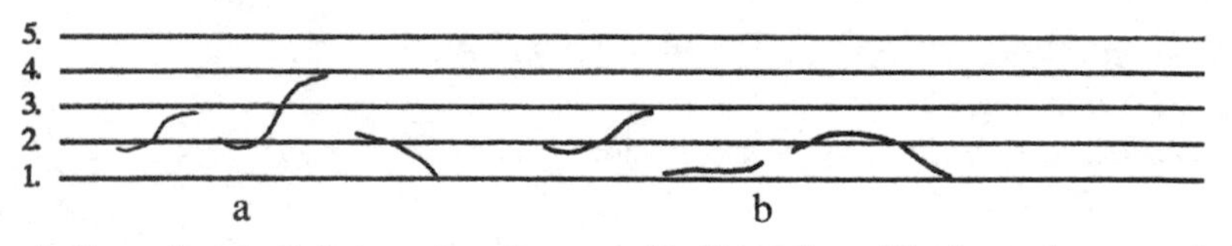

a) *Il arrive à Orly, a cinq heures.* b) *Demain, s'il pleut, je reste à la maison.*

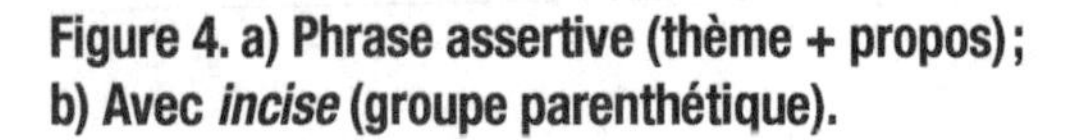

Figure 4. a) Phrase assertive (thème + propos) ;
b) Avec *incise* (groupe parenthétique).

5.5 L'INCISE

L'incise, dite aussi *parenthèse intonative*, dont les fonctions diverses ont été étudiées par Monique Nemni (1981) et Peter Wunderli (1987), peut également se réaliser comme *apposition*, dite aussi intonation *en écho*, en finale haute ou basse, comme dans les exemples de la figure 5, ci-après :

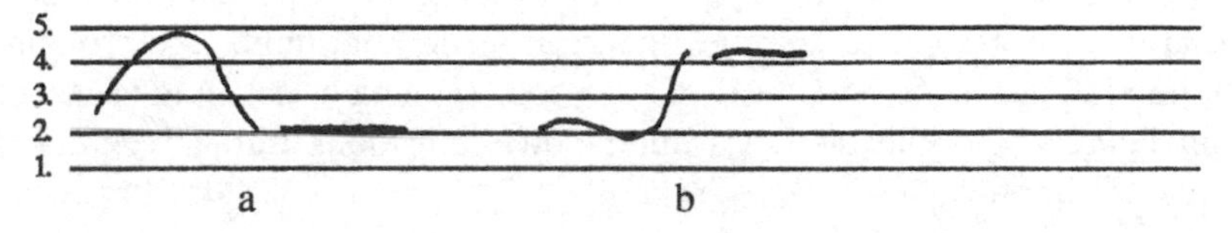

a) *Bien le bonjour ! Monsieur.* b) *Vous venez, Albert ?*

Figure 5. a) Apostrophe + apposition ; b) Question + apposition.

5.6 VARIANTES SÉMANTIQUES

Il faut redire que les formes des courbes peuvent avoir de nombreuses variantes, généralement responsables des effets phonostylistiques, comme par exemple un niveau d'attaque plus ou moins haut pour une question, une montée plus ou moins ample pour une continuation, une descente plus ou moins brusque pour une finalité ou un ordre.

Philippe Martin (2004) note ainsi plusieurs variantes, à propos de l'énoncé « C'est Marie qui n'a pas aimé le film », auquel on peut avoir des réponses telles que les suivantes :

1) C'est *Marie*
\ *qui n'a pas aimé le film* _____
/ qui n'a pas aimé le film -------
2) C'est *Marie*

Dans le premier cas, celle qui n'a pas aimé le film c'est Marie. Dans le second, on peut imaginer : voici Marie, elle n'a pas aimé le film.

L'explication de Martin se fonde sur la logique du thème + propos et en montre l'impact sémantique.

Bolinger insiste beaucoup sur les variantes produites par l'allure générale de la courbe, qu'il nomme la *tangente* (son schéma, ci-dessus p. 190). Pour le français, Wladislav Cichocki et Daniel Lepetit ont tenté une description analogue, ainsi que Anne-Marie Ouellet, pour le français québécois.

5.7 L'IMPLICATION

L'implication consiste souvent à interrompre un énoncé de manière telle que l'auditeur devine le sens du non dit, comme dans : *Il est venu...* sous-entendant :

évidemment et vous ne me l'avez pas dit… ou toute autre signification implicite que le contexte ou la connaissance des interlocuteurs pourra suggérer.

C'est la courbe intonative qui sera porteuse du sens impliqué. Selon Delattre, elle se réalise comme une courbe de continuité 2-4 prolongée comme la fin d'un S. Hirst et Di Cristo sont également de cet avis. À cela, Ivan Fónagy rétorque qu'il y a autant de réalisations intonatives que de modalités implicatives.

Léon et Bhatt ont étudié un corpus de questions radiophoniques comportant des implications. Il en résulte que les auditeurs ont donné cette étiquette à tous les énoncés comportant un triangle mélodique arrondi en son sommet, dont la pente est moins importante que celle des questions totales. Cette pente est suivie parfois d'un plateau mélodique et toujours d'une pente finale, souvent aussi longue que la pente initiale. On a eu par exemple :

Des caractères réels.

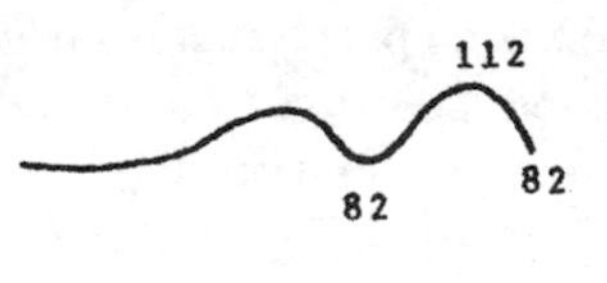

On peut avoir également une focalisation médiane de la question implicative, comme dans :

Vous étiez venu à Toronto…

On a parfois aussi une focalisation répétée de l'implication :

Morale purement morale ou physique aussi…

mɔʀal pyʀmɑmɔʀal ufizikosi

Philippe Martin a relevé un certain nombre de cas où un *contour de continuité majeure* comporte l'inflexion montante descendante normalement corrélée à l'implication, qui finit par perdre ainsi sa valeur implicative.

5.8 LA PENTE MÉLODIQUE : DE LA CONTINUITÉ À LA QUESTION

Il est un cas au moins où la forme de la courbe peut être sémantiquement déterminante, c'est celui de la *pente* montante. Plus l'angle se rapproche de 90 degrés, plus la courbe mélodique tend à être perçue comme une question. On définit alors la *pente* par le rapport entre la valeur numérique du changement de hauteur et celle de la durée. Ainsi une montée de 100 Hz en 50 cs sera de pente 2. Le même changement de hauteur en 25 cs sera de pente 4, etc. Le premier risque d'être perçu comme une continuité, le second comme une question. Léon et Bhatt ont vérifié ce principe dans des tests de perception. Toutefois la réalisation de la question totale s'opère souvent par une combinaison de pente et de niveau.

5.9 LE TRAIT D'ÉCONOMIE MÉLODIQUE

Passy signale ce qu'il appelle un phénomène « d'opposition » phonétique, d'après lequel une intonation montante est presque toujours précédée d'une descente et inversement. C'est pour lui un cas *d'économie phonétique.* En baissant la voix avant de monter, on n'a pas besoin de remonter très haut. Ce qui est significatif, c'est la différence de hauteur entre inaccentuée et accentuée. Fouché, dans ses cours, constatait le même type d'économie en finale assertive où la voix monte souvent sur la syllabe précédant la finale qui, ainsi, n'a pas besoin de redescendre très bas.

Ce principe physiologique d'économie phonétique rejoint les observations phono syntaxiques de Martin sur l'inversion de pentes.

6. LES PARAMÈTRES NON MÉLODIQUES

Aux querelles sur la pertinence des courbes ou des niveaux dans les fonctions intonatives, Daneš répond que le sens de la *forme* intonative se dégage de la combinaison de ces deux aspects de la *substance* mélodique. Mais il faut ajouter aussi que les paramètres non mélodiques peuvent modifier notre perception de l'intonation. Ainsi, Alain Grundstrom a montré, au terme d'une longue étude sur un corpus de français spontané, que sur les six types de courbes mélodiques perçues comme des *questions totales* (du type : *Vous venez ?*, sans marque grammaticale) deux patrons seulement étaient montants. Si les quatre autres ont pu être employés et reconnus comme interrogatifs, c'est que d'autres facteurs sont intervenus. Grundstrom trouve qu'un accroissement brusque d'*intensité* et un *raccourcissement* de la voyelle finale d'un énoncé tend à jouer un rôle compensatoire en l'absence de montée mélodique.

Fónagy et Bérard, se posant la même question, concluent au rôle important du contexte. D'autre part, Nicole Maury ainsi que Peter Wunderli ont établi que le *débit accéléré* tend à jouer le rôle de marque de questionnement.

Monique Nemni a montré que la *pause* joue souvent un grand rôle dans le repérage de l'incise, de même qu'une *chute d'intensité.* Cependant les travaux de Wunderli confirment « l'efficacité remarquable du contour plat, possible dans tous les contextes suprasegmentaux », donc en position initiale, médiale ou finale, pour tous les types de phrases.

En samoan, langue polynésienne, on ne trouve aucun indice prosodique permettant de distinguer une *assertion* d'une *question*, selon Isamu Abe. L'ambiguïté est levée par un haussement de tête et des sourcils pour marquer la question. Voilà qui simplifie bien les problèmes théoriques.

7. INTONATION ET SYNTAXE

L'intonation renforce le plus souvent l'organisation syntaxique, comme l'ont souligné un grand nombre d'auteurs, tels que Halliday, Fry, Bolinger, Pilch, Wunderli. Elle peut même se substituer à la syntaxe comme l'a souligné Rossi.

Pour le français, Monique Léon a recensé, dans un but didactique, les types syntaxiques, tels que groupes nominaux, verbaux, pronominaux, etc. Sa classification fait apparaître le rôle de cohésion joué par la syntaxe au niveau du syntagme et le rôle de hiérarchisation dans les différents types de modalités phrastiques. Michel Martins-Baltar a étudié les différentes fonctions syntaxiques et segmentatrices de l'intonation, dans la perspective des *actes de parole*. Dans son article de 1987, Philippe Martin a synthétisé l'essentiel des théories formalisées sur les relations logico-syntaxiques du système de l'intonation française.

Louise Levac rappelle que deux approches différentes ont vu le jour chez les théoriciens modernes, l'une supposant que la syntaxe détermine la composante intonative, l'autre considérant que c'est la structure accentuelle qui engendre l'intonation. L'observation de la réalité concrète montre que la vérité est des deux côtés. Or, sur ces problèmes, les générativistes restent souvent fort éloignés de la réalité, même s'ils ont élaboré un certain nombre de modèles intéressants, tels ceux de François Dell et Élizabeth Selkerk.

On a émis l'hypothèse, en 1971, que, d'une manière générale, l'intonation fonctionne en raison inverse de la grammaticalité du discours, dans la parole spontanée. Moins le message est structuré par la syntaxe, plus l'intonation doit prendre le relais du sens. Les travaux de Geneviève Caelen-Haumont confirment cette proposition. C'est en outre lorsque l'intonation contredit le sens donné par le lexique ou la syntaxe qu'elle remplit l'un de ses rôles phonostylistiques les plus nets. *Mais vous êtes intelligent!* peut très bien avoir une intonation signifiant le contraire du message verbal. Fónagy avait montré ainsi comment se manifeste l'ironie et Morel, dans son étude de 1995 sur l'exclamation, donne un exemple où seule l'intonation d'un « Bravo ! » permet l'interprétation dépréciative.

8. LE JEU DE L'INTONATION ET DE LA GRAMMAIRE

L'intonation renforce souvent le sens d'un énoncé, en soulignant l'inversion syntaxique ou la marque lexicale interrogative, comme dans les exemples a) et b) de la figure 5, ci-dessous. L'intonation a alors un rôle *redondant*, puisque la question est déjà indiquée grammaticalement. Si la voix monte, c'est qu'on insiste.

Mais le plus souvent, on a une mélodie non marquée phonologiquement, celle de l'énoncé déclaratif. On se contente alors de la seule marque grammaticale, comme dans l'exemple c). Généralement, lorsque la phrase commence par un mot interrogatif, la tangente mélodique est alors descendante, comme dans l'exemple d) ; il en est de même lorsque le morphème interrogatif est en finale, comme dans e) de la figure 5. Mais on note aussi souvent, dans ce dernier cas, une attaque plus élevée, au niveau 3. Adli a confirmé, dans une étude de 2004, la haute fréquence de cette intonation descendante pour l'interrogation déjà marquée morphologiquement.

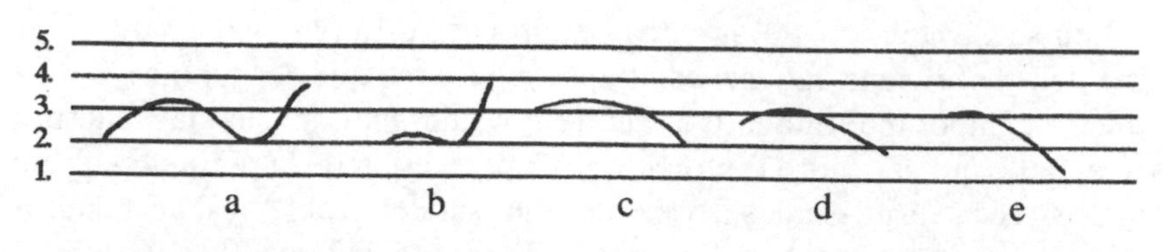

a) *Est-ce que vous venez ?* b) *Où est-il ?* c) *L'avez-vous vu ?* d) *Quand vient-elle ?* e) *Tu pars quand ?*

Figure 6. a) et b) questions redondantes ;
c) d) et e) questions non marquées phonologiquement.

Le même jeu sémantique se produit pour la modalité de *l'ordre*. Si la syntaxe est déjà marquée par la forme grammaticale de l'impératif, l'intonation peut prendre la mélodie neutre de la phrase déclarative. Pour être poli, on pourra même dire : *Passez-moi le sel*, avec une intonation légèrement montante, qu'on interprétera comme une question déguisée. Une injonction de syntaxe impérative, accompagnée de la mélodie impérative de la figure 6 (b), pourrait paraître blessante.

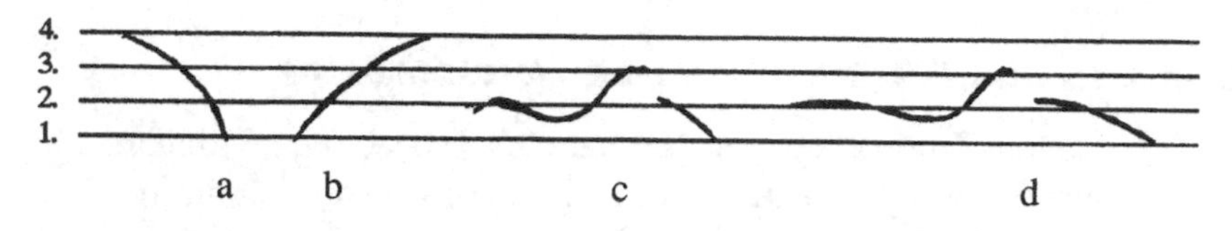

a) *Descendez.* b) *Descendez !* c) *Venez me voir demain.* d) *Passez-moi le sel, s'il vous plaît.*

Figure 7. Différentes réalisations de l'ordre :
a) impératif ; b) menaçant ; c) et d) poli.

On peut constater les mêmes phénomènes en anglais ainsi que dans de nombreuses autres langues. Chaque fois que la modalité phrastique est marquée grammaticalement, l'intonation peut être neutralisée et prendre le profil d'une modalité déclarative. Le phénomène est courant dans des langues comme le japonais où l'interrogation est marquée par un morphème, ajouté à l'énoncé ; ce qui n'empêche pas la voix de monter sur la finale si on le veut. Par contre, dans une langue qui ne possède pas d'outils grammaticaux interrogatifs du type « est-ce que », c'est la mélodie montante qui permet seule de marquer la question.

Dans les langues à tons où la hauteur est un paramètre distinctif dans les lexèmes isolés, les mouvements mélodiques phrastiques, dépendant de la syntaxe, tendent à neutraliser les marques tonales lexicales. Il paraît en être ainsi dans le parler ordinaire rapide en mandarin moderne, selon Philippe Martin.

9. ANALYSE COMPONENTIELLE DE L'INTONATION

L'intonation joue un rôle important pour nuancer les modalités de phrase. Sten cite, par exemple, le cas de l'intonation énumérative d'une phrase telle que : *il y avait des Anglais⬀, des Allemands⬀, des Turcs⬀, des Arabes⬀, des Portugais⬀, des Américains⬂*, où la mélodie montante de chaque groupe, sauf le dernier, marque bien la continuité.

Mais Sten fait remarquer qu'une intonation montante sur le groupe, suivie d'une chute sur chacune des syllabes finales, va ajouter à la continuité une nuance de sens qui pourra signifier une exagération. Ce que l'on a fait alors revient à composer une nouvelle signification, à partir de deux patrons intonatifs de base : *courbe de continuité + courbe d'exclamation.*

Le trait sémantique de continuité peut être également renforcé par une durée exagérée pour marquer sémiotiquement l'emphase, dans la lecture, la conférence, etc. C'est aussi une nouvelle habitude dans le parler moderne, surtout féminin, pour souligner l'énumération. Dans ce dernier cas, la montée mélodique est très longue et de pente faible : *Alors voilà, le dimanche, on joue, avec les enfants, on bavarde, on s'amuse...*

Le trait sémantique de continuité peut aussi voir sa mélodie inversée, pour marquer sémiotiquement la certitude, l'impérativité, comme on l'a déjà noté dans les discours de de Gaulle ou les chutes de continuité sont fréquentes.

Toute une combinatoire de traits sémantiques et sémiotique est possible avec des schémas plus complexes que ceux que l'on a notés. Une continuité peut devenir dubitative, surprise, joyeuse, angoissée, etc.

Passy avait bien vu l'existence d'une telle combinatoire lorsqu'il écrivait (1890 : 69) : « Quand nous voulons dire autre chose que ce qu'expriment nos paroles prises dans leur sens habituel, les intonations se mêlent d'une manière significative. » On a pu montrer ainsi comment une marque implicative, ou autre, peut s'ajouter à n'importe quel patron intonatif de base. On entre ici dans le domaine phonostylistique de l'intonation avec toutes ses variations d'ordre psychologique ou sémiotique, que l'on a rangées parfois aussi sous l'étiquette de *fonctions énonciatives.*

10. FONCTION IDENTIFICATRICE DE L'INTONATION

10.1 DIALECTALE

L'intonation est généralement une des traces les plus tenaces lorsqu'on tente de passer d'un système linguistique à un autre. Chaque parler de France a ses caractéristiques intonatives propres. Ainsi la mélodie de la Provence se marque-t-elle par un registre d'une étendue moindre mais avec une ligne mélodique plus modulée que celle du français standard :

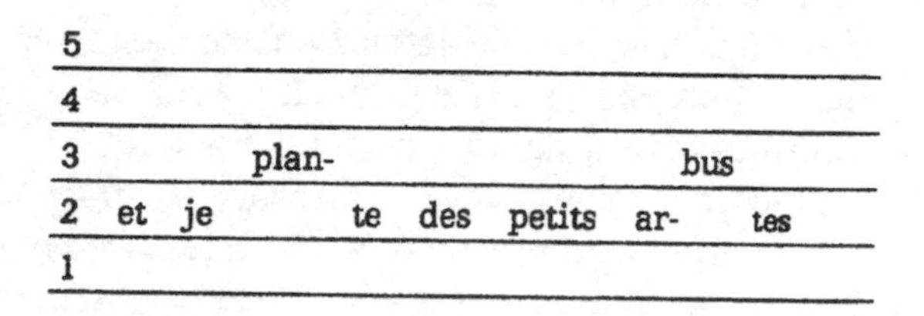

Figure 8. Exemple d'intonation provençale.
(D'après *Les Accents des Français,* Carton *et al.* 1983 : 52).

Une des raisons de cette modulation provençale provient du fait que, dans les groupes de continuité, la montée sur la syllabe accentuée est suivie d'une chute de ton sur l'E caduc final prononcé, comme dans l'exemple précédent, de la figure 7, analysé par Mario Rossi et Denis Autesserre.

Pour l'intonation du français canadien de l'Ontario, on a les travaux réunis par Léon et pour l'acadien par Lucci ainsi que les études de Holder. Pour le normand, ceux de Nicole Maury. Pour le québécois, la thèse de Monique Demers sur le cas du discours rapporté. Mais les études d'ensemble sur le système de la prosodie, des dialectes de la Nouvelle France paraissent peu nombreuses ou fragmentaires. Cependant, il faut noter l'étude de Cedergren et Perreault sur l'accentuation du québécois et celle de Poiré et Kaminskaïa sur le problème de normalisation du fondamental usuel (F0) dans l'analyse de deux variétés de langue.

10.2 SOCIOLECTALE

Les groupes sociaux sont également souvent identifiables par leur intonation. Pierre Guiraud oppose ainsi ce qu'il appelle d'un terme bien méprisant l'accent « crapuleux » de Paris, avec montée intonative et allongement sur l'avant dernière syllabe : *i s'est barré l'salaud* et l'accent « voyou », « avec nivellement de la ligne sonore » et, d'autre part, l'accent « mondain ». Ce dernier, écrit-il :

> entre le faubourg Saint-Germain et le quai d'Orsay, à l'autre extrémité de l'échelle sociale et de la tangente géographique, constitue une des formes les plus marquées et les plus cocasses de nos parlures. Il est caractérisé par le mouvement de la ligne mélodique dont les variations de hauteur (grave ou aigu) se déplacent sans relation apparente avec le contenu. D'où l'impression d'une sorte de gravité et de facilité. La ligne sonore est travaillée, ornée, ciselée en fioritures narcissiques. Le parleur se mire dans sa parole en faisant des ronds de voix.
>
> (1965 : 115-116)

On a montré que, en réalité, ce type de parlure snob repose surtout sur l'*amplification des contrastes* d'articulation, de débit, de rythme et de mélodie, comme dans l'exemple suivant :

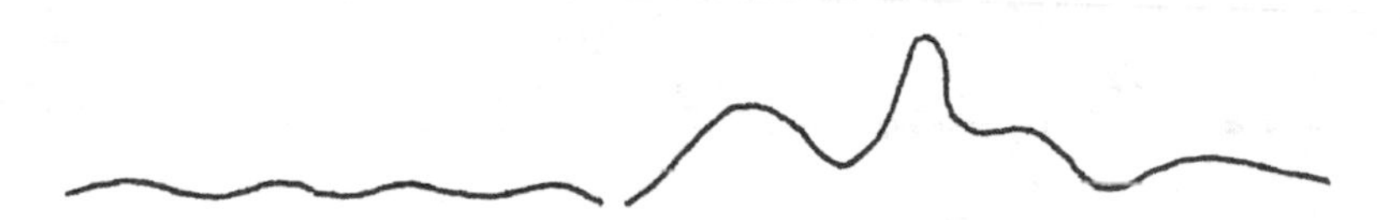

Vous savez qu'il est arrivé / une chose ahurissante à Gismonde
(Léon, 1971a).

La première partie est dite inarticulée, sur un ton plat, avec un tempo rapide et la seconde est très articulée, très modulée avec un accent d'insistance mélodique exagéré sur la syllabe *hu*.

Moraes, pour le brésilien, et Thomas, pour le français, ont trouvé la même portion *d'amplification des contrastes* prosodiques, comme phorostylène du parlé efféminé.

10.3 ÉMOTIVE

L'émotion primaire, spontanée, est *désordre physiologique.* Elle réagit directement sur le sphincter glottique et modifie en conséquence l'intonation. On pourra voir dans *Précis de phonostylistique* que la joie, par exemple, se manifeste par une intonation, haute, ondulée, à tempo rapide, alors que la courbe mélodique de la plainte est plane, plus basse et à tempo ralenti. Il se construit ainsi, par motivation directe, un symbolisme de l'intonation émotive. D'une manière générale, de nombreux paramètres *non linguistiques*, tels que l'intensité, le tempo, le débit, les contractions vocales, le souffle, s'ajoutent à la mélodie.

Les émotions très intenses ou les troubles pathologiques, comme ceux de l'aphasie, peuvent bouleverser complètement la courbe mélodique et entraver la compréhension du message référentiel. De même lorsque des éléments *extra-linguistiques* surviennent, tels le rire ou des sanglots.

Voici (fig. 9), un exemple (Léon, 1971) d'intonation d'une explosion de colère spontanée avec registre élevé, écarts mélodiques importants et un contour brisé, à forte intensité.

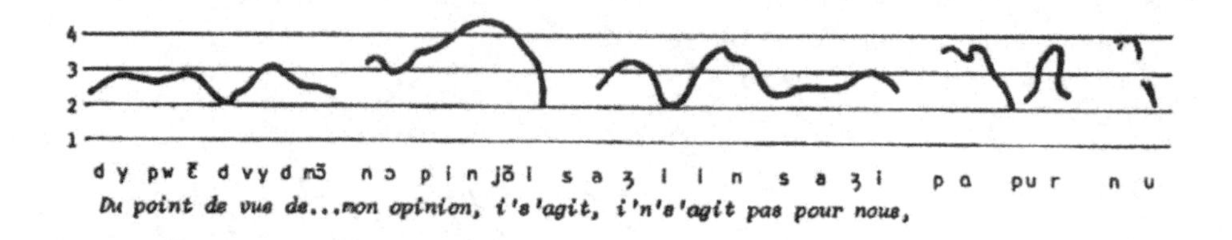

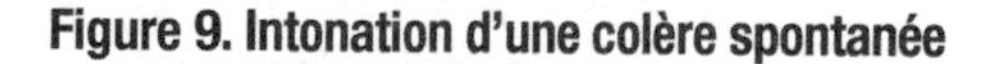
Figure 9. Intonation d'une colère spontanée

11. FONCTION IMPRESSIVE DE L'INTONATION : LES ATTITUDES

Lorsque les émotions sont contrôlées, elles deviennent des *attitudes* dont les nuances se surimposent au message référentiel. Passy en fournit quelques exemples, en notant les divers effets obtenus par les variations de niveaux, de courbes et de pentes. Il note : « Une interjection comme *ah !* prononcée avec une montée faible, indique curiosité, intérêt ; avec une montée forte, étonnement. »

Passy propose alors l'exemple du mot *oui*, en indiquant par un crochet └ s'il s'agit d'un registre bas ou haut ┌ et par des barres obliques la direction de la mélodie. « Ainsi, dit-il, le mot *oui*, prononcé avec diverses intonations, peut prendre les sens suivants :

Oui\		[C'est mon avis]
└ Oui\		[J'affirme cela]
┌ Oui/		[Est-ce vrai ?]
Oui//	montée forte	[Pas possible !]
Oui V		[C'est possible mais j'en doute]
Oui Λ		[C'est bien clair]
└ Oui/ V		[Sans doute, au premier abord; mais…]. »

Bien qu'extrêmement limitée, l'étude de Passy était déjà une excellente analyse phonostylistique des possibilités de l'intonation. Jusqu'à une époque récente, elle n'a malheureusement guère eu de continuateurs. Pierre Delattre a fait, lui aussi, dans un court article de 1969, des remarques sur « la nuance de sens par l'intonation ». Mais ce sont les travaux d'Ivan Fónagy, dont bon nombre ont été regroupés dans *La Vive Voix* et dans sa magistrale somme *Languages within Languages. An Evolutive Approach*, ainsi que son précieux ouvrage posthume, *Dynamique et changement,* qui font date, dans le domaine de l'expressivité intonative, tant pour le parler ordinaire que dans l'expression des émotions, des attitudes, de la transposition en musique. On trouvera aussi une série d'études, dans la série « Studia phonetica », en particulier dans les n°s 3, 4, 8, 12, 15, 16, 17 et 18.

Parmi les recherches dans lesquelles l'intonation expressive tient une place importante, Monique Callamand a exploré à des fins pédagogiques un ensemble d'*attitudes expressives.* On en retrouve également dans les recherches sur l'*énonciation* de Martins-Baltar ainsi que dans des analyses déjà citées à propos d'autres aspects de la prosodie, comme celles de Monique Léon sur les *stratégies de la parole* d'un discours à syntaxe minimale, les travaux de Pilch, les études des marques de discours radiophoniques par Callamand, celles de Léon et Bhatt, ainsi que de Matasci-Galazzi et Pedoya-Guimbretière, dans un ensemble de travaux réunis par Monique Callamand pour un numéro des *Études de linguistique appliquée*, où sont discutées aussi des problématiques d'ordre voisin, par Jacob, Lacoste et Rossi. Philippe Martin (1992) a réuni également plusieurs travaux importants sur *l'expressivité orale*. En particulier, ceux de Carton, Fónagy, Lhote, Roulet, Schogt, Tatilon, Walter, Wrenn et plus particulièrement l'article de Konopczinski (p. 245-253) sur les voix de charme des bébés, qu'elle compare à l'étude de Léon (1979) sur la voix charmeuse de Brigitte Bardot. Konopczynski établit que le jasis de charme est arythmique, avec de grands écarts de hauteur et une courbe intonative hyper modulée.

Les chercheurs prennent de plus en plus en compte le rôle phonostylistique de l'intonation, dans des études aussi diverses que celle de l'ironie par Fónagy ou de la prière et de la litanie, par Léon. Les acousticiens eux-mêmes qui, durant de longues années, ne se sont intéressés qu'à la micro-analyse du discours, commencent à remarquer l'intérêt de la macro-analyse intonative, comme on le voit, par exemple dans les *Actes* du congrès de Barcelone de 1991 sur *les styles parlés*. C'est ainsi que Björn Lindblom et ses collaborateurs, dans une étude encore essentiellement acoustique, consacrent une partie de leur exposé sur les causes de la variation discursive, à montrer les transformations mélodiques de l'adresse aux bébés. Les contours mélodiques de la mère deviennent exagérés et la voix monte très haut, comme pour imiter celle du petit enfant. Cet exemple d'usage de l'intonation pour *réduire la distance sociale* amène les auteurs à conclure que les recherches sur la parole devraient conduire à un *plus grand réalisme* (9).

On trouvera, plus amplement développées, dans *Précis de phonostylistique*, d'autres références aux deux grands rôles de l'intonation : *sémantique*, au niveau de la langue, et *sémiotique*, au niveau du discours. Plus encore que pour la description linguistique, une approche de type *paramétrique*, comme la souhaitaient David Crystal et Peter Wunderli, incluant non seulement des traits prosodiques mais aussi paralinguistiques, est nécessaire pour cerner certaines émotions ou attitudes. Tibbits montre, par exemple, que la prosodie de l'impatience se manifeste bien plus par des traits de tempo, tension et intensité que par la courbe mélodique des énoncés.

Un système de traits uniquement mélodiques, comme celui de Passy, est trop simple pour exprimer à la fois le *sens*, codé en langue, et la *signification* résultant de l'émotion ou de l'attitude, révélateurs du sujet d'énonciation dans la parole.

12. L'INTONATION DU TEXTE LITTÉRAIRE

Maurice Grammont réduisait le schéma de base de la phrase énonciative à : *protase de pente montante + apodose de pente descendante*. Sémantiquement, la première partie pouvait être considérée comme une question à laquelle répondait la seconde. Ainsi : *Jeanne, je t'aime* doit avoir la même structure mélodique montante + descendante que : *Je t'aime, Jeanne.* Ce schéma peut s'appliquer, grosso modo, à toute phrase « bien formée » de type écrit. (Voir également l'analyse de Bossuet, p. 73)

L'introduction de la notion *thème + propos* et celle d'inversion des pentes, de Martin, ont montré une bien autre complexité. De même les recherches sur la langue parlée, comme celles de Morel. Le schéma sémantique de Grammont lui-même n'est pas si facilement réalisable qu'il pourrait y paraître pour *la phrase littéraire,* la seule qui ait retenu son attention. Ainsi, dans les vers classiques du type :

> Tout autre que mon père/ l'éprouverait sur l'heure/.
> Elle a trop de vertu/ pour n'être point chrétienne/ (Corneille).

la focalisation peut très bien se placer sur la première partie de chaque hémistiche et non sur la fin de la césure. Néanmoins le concept de pente *générale* de Grammont peut s'appliquer à l'analyse *d'ensemble* de la phrase littéraire. On constate alors que la période classique tend à s'équilibrer en deux parties égales et symétriques, comme on l'a vu dans le chapitre précédent, avec la période de Bossuet. Alors que la phrase romantique comporte une protase courte, suivie d'une longue apodose, comme dans ce texte de Chateaubriand :

« *Un soir* / je m'étais égaré, à quelque distance des chutes du Niagara. *Bientôt*/ je vis le jour s'éteindre autour de moi ».

Par contre, c'est l'inverse pour la phrase dite artiste, telle la suivante, de La Fontaine :

« *Il m'est même arrivé de manger*/ le berger. » (Léon 1993). On trouvera l'analyse d'autres exemples dans Borel-Maisonny (1961 : 149-155), Morier (1961 : 237 *sq.*). De son côté, Ivan Fónagy (1983 : 272-307) a tenté de retrouver l'intonation d'un poète en reconstituant la mélodie de son texte.

13. PERTE ET ACQUISITION DE L'INTONATION

13.1 PERTE DU LANGAGE

Crystal, en 1975, et Bhatt, en 1985, constatent que les recherches sur l'acquisition et la perte du langage ont été presque totalement consacrées aux aspects articulatoires. L'intonation se structure pourtant avant la mise en place du système phonématique. C'est l'intonation aussi qui se maintient le plus longtemps dans les cas de perte du langage. L'étude de Bhatt montre les corrélations entre différents types d'aphasies et l'intonation des malades et prouve l'existence de compensations prosodiques pour pallier les désintégrations phonématiques.

L'aphasie peut bouleverser complètement la courbe mélodique et entraver la compréhension du message référentiel. Dans l'ouvrage de Castarède et Konopczynski, plusieurs auteurs ont étudié des voix de mères parlant à leurs enfants autistes. La courbe mélodique plate indique leur voix monocorde, sans aucune nuance de sens ou d'expressivité, coupée du monde extérieur.

13.2 ACQUISITION DU LANGAGE

Philippe Theunissen a montré que les tout jeunes enfants utilisent une mélodie montante pour exprimer un désir, une mélodie montante-descendante (exclamative) pour se référer à leurs jouets et à ce qu'ils aiment et une mélodie descendante, dans le calme pour nommer les choses qui les entourent. Crystal soutient que l'enfant acquiert peu à peu, hiérarchiquement, les éléments du système prosodique. Konopczynski a montré, de son côté, que la perception rythmique et mélodique précède l'acquisition des structures prosodiques grammaticales. Entre 8 et 24 mois, le bébé utilise toute la gamme des possibilités, « explorant jusque dans les extrêmes de sa tessiture (de 90 à 2 000 Hz, M = 400 Hz) avec de brusques variations de tous les paramètres ». Le bébé commence très tôt à imiter les mélodies qu'il entend autour de lui, particulièrement les chansonnettes et les comptines que sa mère lui répète sans qu'il en sache encore la signification verbale. Il possède dès 9 mois la maîtrise des 5 modalités de base que Konopczynski énumère ainsi : *question, affirmation, ordre, appel, charme.* À ces premiers patrons mélodiques s'ajoutent ceux des émotions, entretenus par les liens affectifs avec la mère.

La didactique des langues a de plus en plus recours à la prosodie pour l'apprentissage du français langue étrangère comme le montrent les importants travaux réunis par Élizabeth Guimbretière, dans *Apprendre, Enseigner, Acquérir : La prosodie au cœur du débat.*

14. LA THÉORIE FONCTIONNELLE COGNITIVE DE MARTIN

14.1 LE GRAND MÉNAGE

Philippe Martin fait le ménage des anciennes théories et critique Delattre qui, dans son exposé des « dix intonations de base du français » mélange des éléments plus ou moins syntaxiques (courbes de continuation majeure, mineure) et les modalités de phrases (interrogation, assertion, commandement, parenthèse, etc.).

Il critique également les descriptions métriques auto-segmentales. Ses reproches vont aussi à un certain nombre de systèmes modernes de transcriptions, dont le fameux ToBi (*Tones and Break Index*), basé sur un modèle de notation des tons de l'igbo, langue africaine. Cette notation bonne à tout faire propose 2 tons, haut et bas, correspondant aux points d'inflexion de la courbe mélodique ou aux cibles mélodiques visées par le locuteur.

14.2 L'ANALYSE DE L'ORALITÉ

Martin se pose résolument en analyste du français *oral*, dans l'optique des recherches de Claire Blanche-Benveniste (2005). Il rappelle la règle de Wioland (1985) stipulant que dans *une séquence de 7 syllabes*, on a au moins un accent. Il faut sans doute tenir compte de la vitesse de parole. Les annonceurs de télévision sont capables d'avaler toutes les proéminences accentuelles.

14.3 L'ANALYSE FONCTIONNELLE COGNITIVE

Martin stipule plusieurs types d'accent, comme dans la séquence : *le frère d'Henri*, avec accent lexical, final, dans *Hen\ri;* et secondaire, initial, ici dans : *le \frère.* Ce genre de séquence accentuelle, largement ignorée dans la phonétique classique, est pourtant typique de l'oralité.

Il rappelle la règle de collision d'accent : on ne peut avoir deux accents successifs, sauf séparés par une pause.

Tout énoncé est considéré comme un *noyau*, qui peut être indépendant, tel : *Venez.* On trouve dans cette catégorie les termes de *classe ouverte* (noms, verbes, adjectifs, adverbes) et des termes dépendants, de *listes fermées* (articles, pronoms, etc.).

Toute dépendance syntaxique s'organise autour de ce noyau, par la règle innovatrice du *contraste de pente.* Soit l'exemple :

Ma gentille voisine (C2 \) et sa grand-mère (C1//) m'ont invité (Cd\\),

Le premier groupe rythmique sera descendant pour marquer sa dépendance avec le groupe suivant. Si l'on compare avec l'analyse traditionnelle de Delattre, dans son exemple :

Si ces *œufs (/*Continuité mineure*) étaient frais (//*Continuité majeure*) j'en mangerais (\\Finalité)*, la continuité mineure de Delattre reflète une prononciation de lecture alors que celle de Martin se trouve la plus fréquente en parole spontanée. En réalité, Martin montre que le contour sur *œuf* est neutralisé et peut donc être réalisé par un contour quelconque, pourvu qu'il se différencie de tous les autres contours qui pourraient apparaître à sa place.

Martin étudie les réalisations phonétiques des fameuses dislocations et leurs relations de dépendance :

Dislocation à gauche : *Le lendemain*, grande surprise (Préfixe montant / +Noyau descendant\)

Dislocation à droite : Grande surprise, *le lendemain* (Noyau descendant \+ Suffixe descendant\)

Il en donne un grand nombre d'exemples complexes (p. 163-172).

14.4 COMPARAISON AVEC 3 AUTRES LANGUES LATINES

Comparant l'espagnol, l'italien et le portugais, au français, Martin constate les mêmes contours qu'en français pour les syntagmes verbaux et l'inversion de leurs pentes. Mais l'accentuation lexicale entraîne des réalisations différentes de celles du français dans les syntagmes nominaux.

14.5 CONGRUENCE

Lorsque la structure syntaxique est la même que la structure prosodique, il y a alors congruence et redondance, comme dans une question marquée syntaxiquement et prononcée avec une marque intonative.

14.6 LA NOTION D'AMPLITUDE

Au lieu de se référer à la notion de niveaux, Martin la remplace par celle d'amplitude des contours, dont la manipulation semblerait plus facile pour une notation phonologique et sans doute pour la synthèse de la parole. Il ne s'en sert guère que dans deux brefs tableaux pour distinguer phonologiquement les modalités de leurs variantes (p. 88 et 89).

14.7 L'INCISE

Martin stigmatise le « mythe » de l'incise (p. 172-179), contestant les traits qu'on lui attribue habituellement (marquée par une chute mélodique à son début, une intonation plate, etc.). Il distingue 2 cas : une structure indépendante et une structure dépendante. La première se termine par un courbe descendante ; la seconde par un courbe montante qui la rattache au groupe suivant.

Martin examine encore les problèmes de l'ambiguïté, de la coordination, de l'ellipse et propose de nouvelles analyses.

14.8 LA PHONOSTYLISTIQUE

Dans le courant des recherches phonostylistiques de Léon et Fonagy, Martin étudie plusieurs discours politiques anciens et modernes. Les premiers emphatiques, à grands intervalles ; les seconds de courbes descendantes, mimant l'affirmation ou la détermination.

On trouvera enfin la liste des derniers travaux intonatifs des chercheurs les plus méritants, avec critiques bonnes ou moins bonnes. L'ensemble est une remarquable synthèse intonosyntaxique d'un système cohérent du français oral spontané actuel.

15. PROSODIE ET TRAITEMENT AUTOMATIQUE DE LA PAROLE

Lacheret-Dujour et Beaugendre ont fait une importante revue (1999 : 203-264) des travaux sur le traitement automatique de la parole en français. Traitements des différents paramètres acoustiques de l'intonation (J. Vaissière, 1982), syntaxiques (G. Bailly, 1983), macro-mélodiques (H. Fujisaki et H. Sudo, 1971) ; extension des modèles neurologiques (Y. Morlec, 1997) ; génération à partir de mouvements perceptivement pertinents : système de l'IMSI (Beaugendre, 1994) ; approche lexicale (V. Aubergé, 1991), analytique de P. Mertens (1987), prosodique (Di Cristo, 1982), pluri-paramétrique par règles (Beaugendre et autres, 1997).

16. UN BILAN DES MODÈLES INTONATIFS (DE 1987 À NOS JOURS)

Les mêmes Lacheret-Dujour et Beaugendre ont présenté également un bilan des modèles intonatifs récents, dont voici quelques conclusions :

– Rossi et Mertens ont établi les contraintes de congruence intonosyntaxique, qui remettent en question la théorie avancée, ces dernières années, selon laquelle la prosodie serait une structure autonome.

– Les travaux de Morel et du laboratoire de morphosyntaxe de Paris-III les mènent à la conclusion que les paramètres acoustiques sont le reflet direct du contenu sémantique. Ces paramètres sont motivés, comme le soutenaient Isamu Abe, Dwight Bolinger ou Ivan Fónagy, entre autres, et pourvus d'une fonction iconique. Cette position est controversée dans les modèles phonologiques, eux-mêmes de plus en plus remis en question, comme dans l'étude de terrain d'Adli sur les morphèmes interrogatifs impliqués dans la syntaxe interrogative.
La description de Mertens est fondée essentiellement sur des jeux de traits acoustiques et de tons à différents niveaux. Pour lui, comme pour Morel, les modèles intonatifs reposent sur une interprétation énonciative.

Les critiques concluent en regrettant que les principaux auteurs des théories intonatives ne tiennent pas suffisamment compte des facteurs contextuels et que les études sur le parler spontané réel, avec ses accidents phoniques nombreux, restent à faire. Ils déplorent également le manque de coopération entre les chercheurs.

Ce qui n'est pas toujours vrai, à considérer les multiples travaux d'équipe et de collaboration de chercheurs des centres de plus en plus nombreux, et la prolifération des corpus dans tout l'hexagone (GARS, CURAL, PFC, CFPP, etc.), dont certains accessibles sur Internet. Les études qui résultent de ces travaux sont souvent extrêmement techniques, informatisées, et hérissées de statistiques mathématiques. Aujourd'hui, l'expertise linguistique seule ne suffit plus.

17. L'AVENIR DES ÉTUDES INTONATIVES

L'avenir des études intonatives passe par l'analyse d'importants corpus de parole. Des outils modernes faciliteront la tâche des chercheurs. Parmi les moyens technologiques sophistiqués, on doit compter ceux qui permettent d'observer la courbe mélodique en temps réel, de l'écouter, réécouter autant de fois que l'on veut, tout en en observant le déroulement.

L'énoncé suivant, dont on a déjà vu l'un des aspects au chapitre 3, montre d'autres possibilités de lecture : mesure automatique des durées, des intensités et des hauteurs, courbe oscillographique, spectre (large ou étroit) et surtout déploiement de la courbe intonative.

Dans cet exemple, la fréquence fondamentale a été extraite par l'analyseur de mélodie WinPitch. On observe la montée mélodique sur l'adverbe interrogatif *Comment* et une remontée légère sur *vous*. Le reste de la phrase se comporte comme une ligne générale assez plate, signalant l'apposition, avec cependant des traces de l'accentuation. L'exemple est une illustration de la redondance. L'intonation n'a pas besoin d'être marquée en finale d'énoncé puisqu'elle est déjà signalée linguistiquement par l'adverbe interrogatif.

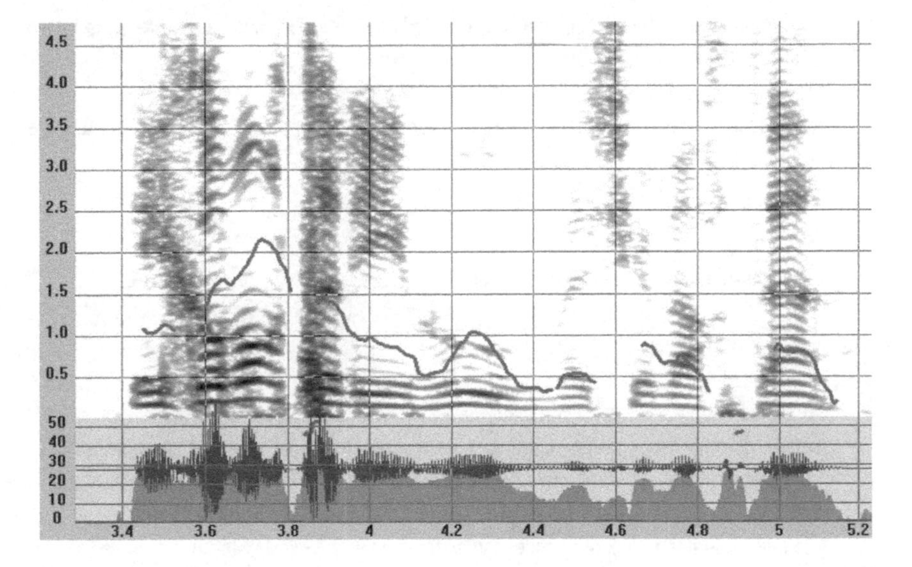

Figure 10. « Et comment allez vous, monsieur Martin ? »

Problématique et questions

1. Y a-t-il, dans le parlé spontané courant, des énoncés sans intonation ? Pourquoi ? Quels sont les types de messages qui n'ont pas d'intonation expressive ?
2. L'une des façons d'analyser l'intonation serait de diviser son domaine en *sémantique* et *sémiotique*. Dans les deux cas, il s'agit de création de sens. Mais quelle différence peut-on y voir ?
3. Quelles sont les possibilités de réalisations des pentes intonatives des énoncés suivants, selon le modèle de Martin ? *Demain, c'est vous qui partez ? Demain, c'est vous qui partez. C'est vous qui partez demain ? C'est vous qui partez demain. Qui part demain ? vous ?*
4. Quelles sont les réalisations prosodiques possibles de l'énoncé suivant, proposé par Delattre : [la sœ.ʀ dəʒaklavalevu].
5. Dessinez sur une portée à cinq niveaux les énoncés suivants ou notez les niveaux, comme dans : « $_2$Ce soir^3 » « ^{2}je sortirai$_1$ ».

C'est formidable ! ce que vous dites. Qu'est-ce que vous allez faire, madame Dupont ? Qu'est-ce que vous allez faire ! Taisez-vous ! s'il vous plaît. Vous sortez quand ? Et vous revenez le... ? Vous prenez du thé ou du café ? Du lait ou de la crème ? Un sucre ? Vous en prenez trois !

6. Indiquez, pour l'énoncé suivant, deux mélodies. L'une avec incise, l'autre sans incise. Quelle est la différence de sens ?
Les premières qui n'ont pas l'air conditionné sont moins chères.
7. De quelles fonctions relèvent les intonations : dialectales, émotives, sociolectales, du doute, de l'ironie ?
8. Transcrivez phonétiquement le texte suivant :

Prier, pleurer, gémir, est également lâche,
Fais énergiquement ta longue et lourde tâche

(Alfred de Vigny)

9. Indiquez l'accentuation de ce texte et commentez.
10. Dans l'énoncé *Tu vas au cinéma ce soir avec ta mère ?* le jeu de l'accentuation et de la mélodie combinées permet de dégager trois sens différents. Lesquels et comment ?
11. Quels sont les schémas mélodiques possibles des deux vers cités au paragraphe 12 p. XXX?
12. Quelles sont les deux principales innovations de la théorie de Martin ?

(Réponses p. 268)

BIBLIOGRAPHIE

ABE I. (1979), « Intonation as a Universal in Language Teaching », *Humanities Review*, n° 5, Tokyo Institute of Technology : 245-251.

ADLI A. (2004), « Y a-t-il des morphèmes intonatifs impliqués dans la syntaxe interrogative du français ? » in Trudel et Sedlig (dir.), *Nouveaux départs en phonologie : les conceptions sub- et suprasegmentales,* Tübingen, Narr.

ADRIAEN M. (1986), « Teaching Intonation : The Case of French », *Working Papers in Second Language Teaching*, n° 1: 33-52.

ADRIAEN M. (1989), *De la connaissance de l'intonation*, Toronto, Thèse de PHD, Université de Toronto.

AUBERGÉ V. (1991), *La synthèse de la parole : des règles aux lexiques*, Grenoble, thèse.

BAILLY G. (1983), *Contribution à la détermination automatique de la prosodie du français parlé à partir d'une analyse syntaxique; établissement d'un modèle de génération*, Grenoble, thèse, Institut national polytechnique.

BALLY C. (1941) Intonation et syntaxe, *Cahiers de Saussure*, I : 33-42.

BALIGAND R. et James É. (1973), «Les structures mélodiques du franco-ontarien», in Grundstrom et Léon (dir.), *Interrogation et intonation, op. cit.* : 122-167.

BEAUGENDRE F. (1994), *Une étude perceptive de l'intonation du français*, Thèse de doctorat, Paris-XI.

BEAUGENDRE F. , Hermes D. et Leenardt (1997), Automatic Labelling of Prosodic Events, Eindhoven, *Annual Progress Report of the Institute of Perception Research.*

BERRENDONER, A. (2003) Grammaire de l'écrit vs grammaire de l'oral : le jeu des composantes micro et macro syntaxiques, in Rabatel A. réd. *Interactions orales en contexte didactique*, PUL, Lyon : 249-264.

BHATT P. et LÉON P. (1991), «Melodic Patterns in Three Types of Radio Discourses», in Llisteri et Poch (dir.), *Proceedings of the ETRW : Phonetics and Phonology of Speaking Styles, op. cit.* : 11-1 - 11-4.

BLANCHE-BENVENISTE Cl. et JEANJEAN C. (1987), *Le Français parlé*, Paris, Didier.

BLANCHE-BENVENISTE C. (2005) Corpus de langue parlée et description grammaticale de la langue, *Langage et société*, 121/122 - 2007/3-4 : 129-141.

BLOOMFIELD L. (1933), *Language*, New York, Holt, Rinehart and Winston.

BOÉ L.-J. et CONTINI M., «Étude de la phrase interrogative en français», *Bulletin de l'Institut de phonétique de Grenoble*, n° 4 : 85-102.

BOLINGER D. (1972) (éd.), *Intonation, Selected Readings*, Harmondsworth, Penguin Books.

BOLINGER D. (1951), «Intonation : Levels versus Configuration», *Word*, n° 7 : 199-210.

BOLINGER D. (1989), *Intonation and its Uses*, Standford, California, Stanford Univesity Press.

BOREL-MAISONNY S. (1961), «Les éléments musicaux de la parole», in Tarneaud J. et BOREL-MAISONNY S., *La Voix et la Parole*, Paris, New York, Barcelone, Maloine : 146-161.

BOULAKIA G. (1985) Intonation et ambiguïté, in Fuchs (ed.) *Aspects de l'ambiguïté et de la paraphrase dans les langues naturelles* : 39-71, Bern, Lang.

BRUCE G.F. et TOUATI P. (1991), «On the Analysis of Prosody», in Llisteri et Poch (dir.), *Proceedings of the ETRW : Phonetics and Phonology of Speaking Styles, op. cit.* : 13-1 - 13-4.

CAELEN-HAUMONT G. (1991), «Linguistic and Prosodic Features of Speaking Styles in French Text Readings», in Llisteri et Poch (dir.), *Proceedings of the ETRW : Phonetics and Phonology of Speaking Styles, op. cit.* : 14-1 - 14-7.

CALBRIS G. et MONTREDON J. (1980) *Oh! Lala. Expression intonative et mimique*, Paris, CLF.

CALLAMAND M. (1973), *L'Intonation expressive*, Paris, Hachette.

CALLAMAND M. (1987), « Aspects prosodiques de la communication », *Études de linguistique appliquée*, Nouvelle série, vol. 66.

CALVET L.-J. (1984), *La Tradition orale*, Paris, PUF, coll. « Que sais-je », n° 2122.

CARTON F., ROSSI M., AUTESSERRE D. et LÉON P. (1983), *Les Accents des Français*, Paris, Hachette, coll. « De bouche à oreille ».

CICHOCKI W. et LEPETIT D. (1986), « Intonational Variability in Language Contact : F_0 Declination in Ontario French », in Sankoff D. (dir.), *Current Issues in Linguistic Theory*, n° 53 : 239-247.

CLASS A. (1963), « Les langues sifflées, squelettes informatifs du langage », in Moles A. et Vallancien B. (dir.), *Communications et langages*, Paris, Gauthier-Villars : 129-139.

CRYSTAL D. (1969), *Prosodic System and Intonation in English*, Cambridge, Cambridge University Press.

CRYSTAL D. (1970), « Prosodic System and Language Acquisition », in Léon P., Faure G. et Rigault A. (dir.), *Prosodic Feature Analysis/Analyse des faits prosodiques*, *op. cit.* : 79-90.

CRYSTAL D. (1975), *The English Tone of Voice*, Londres, Arnold.

DANEŠ F. (1960), « Sentence Intonation from a Functional Point of View », *Word*, n° 16 : 34-54.

DANON-BOILEAU N. (1992), « Intonation et structure de l'énoncé oral », in Néel F., PIERREL J.-M. et SABAH G. (éd.), *Séminaire Dialogue,* Dourdan : 31-41.

DANON-BOILEAU N.. et Morel M.-A., « Intonation et intention. Du supra-segmental au verbal. (Le malheur de la question, c'est la réponse) », in Richard-Zappella J. (ed.), *Colloque sur le questionnement social*, IRED, Université de Rouen : 155-163.

DELATTRE P. (1966), « Les dix intonations de base du français », *French Review*, n° 41/3 : 326-339.

DELATTRE P. (1969), « L'intonation par les oppositions », *Le Français dans le monde*, n° 64 : 6-13.

DEMERS M. (1992), *Statut prosodique de la particule là, en français québécois*, Chicoutimi, Université du Québec, mémoire de maîtrise.

DEMERS M. (1996), *Prosodie, syntaxe et discours : le cas du discours rapporté en français québécois oral spontané,* Québec, Université Laval, thèse de doctorat.

DEMERS M. (2003), *Registre et voix sociale*, Montréal, Nota Bene, coll. « Langue et pratique discursive ».

DI CRISTO A. (1975), *Soixante et dix ans de recherches en prosodie*, Aix-en-Provence, Publications de l'Université de Provence.

DI CRISTO A. (1975), « Recherches sur la structuration prosodique de la phrase française », *Actes des 6e journées d'études sur la parole*, Toulouse : 95-116.

Di Cristo A. *et al.* (1982), *Prosodie et reconnaissance automatique de la parole*, publication du GRECO, Communication parlée, GALF.

Dodane Chr. (2000), « L'apprentissage précoce d'une langue étrangère : une solution pour la maîtrise de l'intonation et de la prononciation », in Guimbretière É. (dir.), *Apprendre, enseigner, acquérir : la prosodie au cœur du débat, op.cit.* : 229-248.

Dobrovolsky M. (1992), « Joy », in Martin Ph. (dir.), *Mélanges Léon*, Toronto, Mélodie et CSP : 109-164.

Dupriez B. (1980), *Gradus. Les procédés littéraires* (Dictionnaire), Paris, UGE, 10/18.

Fagyal S. (1999) Clichés intonatifs. Révision des contours intonatifs stylisés en français, *Faits de langue*, # : 17-25.2006).

Faure G. (1970), « Contribution à l'étude du statut phonologique des structures prosodématiques » in Léon P., Faure G. et Rigault A. (dir.), *Prosodic Feature Analysis/ Analyse des faits prosodiques, op. cit.* : 94-108.

Fónagy I. (1969), « Métaphore d'intonation et changement d'intonation », *Bulletin de la Société de linguistique de Paris*, n° 64 : 22-42.

Fónagy I. (1971), « Le signe conventionnel motivé », *La linguistique*, n° 7 : 55-80.

Fónagy I. (1980), *La Métaphore en phonétique*, Ottawa, Didier, coll. « Studia phonetica », 17.

Fónagy I. (1991), *La Vive Voix, essais de psycho-phonétique*, Paris, Payot.

Fónagy I. (2001), *Languages within Language. An evolutive Approach*, Amsterdam, Philadelphie, John Benjamins Publishing Company.

Fónagy I. (2003), « Des fonctions de l'intonation », *Flambeau*, Tokyo, revue de la section française de l'Université des langues étrangères, n° 29 : 1-20.

Fónagy I. et Bérard E. (1973), « Questions totales, simples et implicatives », in Grundstrom et Léon (dir.), *Interrogation et intonation, op. cit.* : 53-97.

Fónagy, I. (2006) *Dynamique et Changement*, Louvain-Paris-Dudley, Ma.

Fujisaki H. et Sudo H. (1971). A generative Model for the Prosody of Connected Speech in Japanese, *Annual Report of Engineering Research Institute*, 30 Japan, pp. 75-80.

Grundstrom A. (1973), « L'intonation des questions en français standard », in Grundstrom et Léon (dir.), *Interrogation et intonation, op. cit.* : 19-51.

Grundstrom A. et Léon P. (dir.), *Interrogation et intonation*, Montréal, Paris, Bruxelles, Didier, coll. « Studia phonetica » 8.

Guimbretière É. (dir.) (2000), *Apprendre, enseigner, acquérir : la prosodie au cœur du débat,* Rouen, Publication de l'université.

Guiraud P. (1965), *Le Français populaire*, Paris, PUF, coll. « Que sais-je ? », n° 1172.

Hadding-Koch K. (1956), « Recent Work on Intonation », *Studia Linguistica*, Lund, 10/2 : 77-96.

HAGÈGE Cl. (1978), « Intonation, fonctions syntaxiques, chaîne-système et universaux des langues », *BSLP*, n° 73/1 : 1-48.

HANTIKKA J. (1981), « Questions de réponses et bien d'autres encore », *Langue française*, n° 52 : 56-69.

HALLIDAY M.A.K. (1967), *Intonation and Grammar in British English*, La Haye, Mouton.

HIRST D. (2005) « Form and function in the representation of speech prosody », in Hirose, Hirst and Sagisaka (eds.), *Speech Communication* 46 (3-4) : 334-347.

HOLDER M. (1992), « Observations sur l'intonation acadienne de la Nouvelle Écosse », in MARTIN Ph. (dir.), *Mélanges Léon*, Toronto, Mélodie et CSP : 190-201.

Konopczynski G. (1991), *Le Langage émergent : aspects vocaux et mélodiques*, Hambourg, Buske Verlag.

KONOPCZYNSKI G. (1992), « Note sur les énoncés de charme enfantins », in Martin Ph. (dir.), *Mélanges Léon*, Toronto, Mélodie et CSP : 245-253.

KONOPSCZYNSKI G. (1992) Note sur les énoncés de charme enfantins in Martin Ph. *Mélanges Léon*: 243 -253.

LADD R. (1980), *The Structure of Intonational Meaning*, Bloomington, Indiana University Press.

LAURET B. (2000), « Interaction des aspects segmentaux et suprasegmentaux en phonétique expérimentale contrastive et implications en enseignement/apprentissage de la prononciation », in Guimbretière É. (dir.), *Apprendre, enseigner, acquérir : la prosodie au cœur du débat, op. cit.* : 85-134.

LACHERET-DUJOUR, A. et BEAUGENDRE F. (1999), *La Prosodie du français*, Paris, Ed. CNRS.

LÉON M. (1979), « Culture, didactique et discours oral », *Le Français dans le monde*, n° 145 : 46-53.

LÉON M. (1964), *Exercices systématiques de prononciation française*, Paris, Hachette-Larousse.

LÉON P. (1971a), *Essais de phonostylistique*, Montréal, Paris, Bruxelles, Didier, coll. « Studia phonetica » 4.

LÉON P. (1971b), « Où en sont les études sur l'intonation ? », *Actes du 7e Congrès international des Sciences phonétiques*, La Haye, Mouton : 113-156.

LÉON P., FAURE G. et RIGAULT A. (dir.) (1970), *Prosodic Feature Analysis/Analyse des faits prosodiques*, Montréal, Paris, Bruxelles, Didier, coll. « Studia phonetica » 3.

LÉON P. et BHATT P. (1987), « Structures prosodiques du questionnement radiophonique », *ELA*, n° 66 : 88-105.

LÉON P. et MARTIN Ph. (1969), *Prolégomènes à l'étude des structures intonatives*, Montréal, Paris, Bruxelles, Didier, coll. « Studia phonetica » 2.

LÉON P. et ROSSI M. (dir.) (1979), *Problèmes de prosodie*, Montréal, Paris, Bruxelles, Didier, coll. « Studia phonetica » : 17 : *Approches théoriques* ; 18 : *Expérimentations.*

LÉON P. et MARTIN, Ph. (1972) « Machines and measurements », in Bolinger D. (ed). *Intonation*, London, Penguin.

LÉON P. et MARTIN Ph. (1977) Des accents, in *The Melody of Language*, Harsh R. (ed.), p. 125-137.

LÉON P. (1979) Standardisation vs. diversification dans la prononciation du français contemporain, in Hollien H. and P. (eds.) *Current Issues in the Phonetic Sciences* : 541-549, Amsterdam, Benjamins

LÉON P. (1981) « BB. Ou la voix charmeuse », *Studia Phonetica* 18 : 159-171.

LÉON P. et LÉON M. (1991) « Sylvie Joly ou la mère super dépassée », in *Hommages à Fernand Carton*, Nancy, *Verbum* 14/2-3-4 : 287-296.

LÉON P. (1999) Litanie, prière et poésie, in Perrot, J., *Polyphonie pour Ivan Fonagy* : 270- 280.

LÉON P. et MARTIN Ph. (1999) « Prosodie et technologie » *in* Guimbretière E. (dir.), *La prosodie au cœur dudébat*, p. 135-149.

LEPETIT D. (1992), *Intonation française, enseignement et apprentissage*, Toronto, Canadian Scholars' Press.

LHOTE É., BARRY A.O. et Tivane A. (2000), « Acquisition et apprentissage de la prosodie : une double approche vocale et discursive », in Guimbretière É. (dir.), *Apprendre, enseigner, acquérir : la prosodie au cœur du débat, op. cit.* : 21-46.

LINDBLOM B., BROWNLEE S., DAVIS B. et MOON S.J., (1991), « Speech Transformations », in Llisteri J. et Poch D. (dir.), *Proceedings of the ETRW : Phonetics and Phonology of Speaking Styles, op. cit.* : 1-10.

LLISTERI J. et POCH D. (1991) (dir.), *Proceedings of the ETRW : Phonetics and Phonology of Speaking Styles*, Barcelone, Dpt. de filologia, Laboratori de fonètica, ESCA Workshop.

LONCHAMP F. (2002) Notes sur la syntaxe des constructions disloquées et focalisées, *Scolia* 11 : 123-150.

LUCCI V. (1992), *Phonologie de l'acadien*, Montréal, Paris, Bruxelles, Didier, coll. « Studia phonetica » 7.

MARTIN Ph. (1975), « Analyse phonologique de la phrase française », *Linguistics*, n° 146 : 35-68.

MARTIN Ph. (1987), « Prosodic and Rythmic Structures in French », *Linguistics*, n° 25/5 : 925-950.

MARTIN Ph. (1992), « Il était deux fois l'intonation », in Martin Ph. (dir.), *Mélanges Léon*, Toronto, Mélodie et CSP : 293-304.

MARTIN Ph. (2004), « Intonation de la phrase dans les langues romanes : l'exception du français », *Langue française*, n° 141, *Le Français parmi les langues romanes* : 36-55.

MARTIN Ph. (dir. 1992) *Mélanges Léon*, Toronto, Mélodie.

MARTIN Ph. (2008) *Phonétique acoustique*, Paris, Armand Colin.

MARTIN Ph. (2009) *Intonation du français*, Paris, Armand Colin.

MARTINET A. (1960), *Éléments de linguistique générale*, Paris, Armand Colin.

MARTINS-BALTAR M. (1977), *De l'énoncé à l'énonciation, une approche des fonctions énonciatives*, Paris, CREDIF-Didier.

MATASCI-GALAZZI E. et PEDOYA-GUIMBRETIÈRE (1987), « À l'écoute de Bernard Pivot : une stratégie de hiérarchisation des informations par la prosodie », *ELA*, n° 66 : 106-117.

MAURY N. (1979), « L'interrogation mélodique ? – Oui, mais... », in Léon et Rossi M., coll. « Studia phonetica » 18 : 29-37.

MAURY N. (1992), « La modalité impérative dans un parler normand, morphosyntaxe, emploi des formes, prosodie », in Martin Ph. (dir.), *Mélanges Léon*, Toronto, Mélodie et CSP : 305-326.

MAURY N. et WRENN Ph. (1973), « Questions totales et interrogation mélodique en français canadien de l'Ontario », in Grundstrom A. et Léon P. (dir.), *Interrogation et intonation*, *op. cit.* : 99-122.

MEIER R. (1984), *Bibliographie zur Intonation*, Tübingen, Niemeyer.

MERTENS P. (1989), *L'intonation du français, de la description linguistique à la reconnaissance automatique*, Doctorale dissertatie, Leuven, Dpt. linguïstiek.

MERTENS O. (2008) Syntaxe, prosodie et structure informationnelle, une approche prédictive pour l'analyse de l'intonation dans le discours, Travaux de Linguistique, 56/1 : 87-124.

MORA E. (1990), « Phonostylistique de l'intonation : différentiations dues au milieu social et au jeu des locutions », *Revue québécoise de linguistique*, 19(2) : 73-92.

MORAES J. A. (1997), « À propos des marques périodiques du style effeminé en portugais brésilien », *in Polyphonie pour Ivan Fónagy*, Paris, L'Harattan, 343-351.

MOREL M.-A. (1995), « L'intonation exclamative dans l'oral spontané », *Faits de langue*, n° 6, *L'Exclamation*, Paris, PUF.

MOREL M.-A. (1998), *Grammaire de l'Intonation, l'exemple du français*, Paris, Ophrys.

MOREL M.-A., DANON-BOILEAU L. (1998), *Grammaire de l'intonation, l'exemple du français oral*, Paris, Ophrys.

MORIER H. (1961) *Dictionnaire de poétique et de rhétorique*, Paris, PUF.

MORLEC Y. (1997), *Génération multiparamétrique de la prosodie du français par apprentissage automatique*, Grenoble, thèse, Institut de la communication parlée.

NASH R. (1973), « Soviet Work on Intonation 1968-70, with Additional Bibliography Including 1971 », *Linguistics*, n° 113 : 63-104.

NEMNI M. (1973), *Vers une définition syntaxique et phonologique de l'incise en français canadien et en français standard*, thèse de Ph. D., University of Toronto.

NEMNI M. (1980-1981), « L'identification de l'incise par l'intonation », in Léon P. et Rossi M. (dir.), *Problèmes de prosodie*, *op. cit.* : 18 ; *Expérimentations* : 103-111.

OUELLET A.-M. (1993), *Les Tendances de la ligne de déclinaison en français québécois*, Université Laval (Québec), mémoire de maîtrise.

PASSY P. (1890), *Études sur les changements phonétiques*, Paris, Didot.

PILCH H. (1977), « Intonation in Discourse Analysis », *Phonetica*, n° 34, 2 : 81-92.

PIKE K. (1945), *The Intonation of American English*, Ann Arbor, University of Michigan.

ROSSI M. (1977), « L'intonation et la troisième articulation », *BSLP*, 72/1 : 55-68

ROSSI M. (1985), « L'intonation et l'organisation de l'énoncé », *Phonetica*, n° 42 : 135-156.

ROSSI M. (1987), « Peut-on prédire l'organisation prosodique du langage spontané ? », *ELA* n° 66 : 20-48.

ROSSI M. (1999), *L'Intonation : le système du français, description et modélisation*, Paris, Orphrys.

ROSSI M., Di Cristo A., Hirst D., Martin Ph. et Nishinuma Y. (1981), *L'Intonation, de l'acoustique à la sémantique*, Paris, Klincksieck.

SALINS G.-D. de (2000), « Ethnographie de la communication, "la voix" et ses valeurs socioculturelles », in Guimbretière É. (dir.), *Apprendre, enseigner, acquérir : la prosodie au cœur du débat*, *op. cit.* : 261-290.

STEN H. (1962), *Phonétique française*, Copenhague, Munksgaard.

SZMIDT Y. (1968), « Étude sur la phrase interrogative en français canadien et en français standard », in Léon P. (éd.), *Recherches sur la structure phonique du français canadien*, Montréal, Paris, Bruxelles, Didier, coll. « Studia phonetica » 1.

SZMIDT Y. (1976), *L'interrogation totale dans le parler de Lafontaine, Ontario. Ses formes et ses modalités intonatives*, Université de Toronto, thèse de doctorat.

SZMIDT Y. (1979), « Niveau de voix caractéristique des questions totales », in Léon P. et Rossi M. (dir.), *Problèmes de prosodie*, Montréal, Paris, Bruxelles, Didier, coll. « Studia phonetica » 19 : 17-28.

THEUNISSEN Ph. (1974), « Recherche sur l'íntonation dans le premier langage de l'enfant », *Le Langage et l'Homme*, n° 24 : 42-46.

TIBBITS E.L. (1973), *Prosodies of Impatience of Three Statements*, University of Leeds, Phonetic Department Report, 4 :14-27.

THOMAS A. (1991), Phonostylistique du parlé efféminé, *in* P. Léon, D. Heap et R. Davis, *Sémiolinguistique du discours*, Information/Communication 12 : 14-52.

VAISSIÈRE J. (1980), « La structure de la phrase française », *Ann. Sc. Sup.*, Pise, 3/102 : 529-560.

VAISSIÈRE J. (1982), *Utilisation des paramètres suprasegmentaux en reconnaissance automatique comme aide à la segmentation en phonèmes*, *in* Di Cristo *et al.* (1982, dir.)

VAISSIÈRE J. (1990), « Music, Brain and Language, Perceiving rythme in French », *Actes du XIIe Congrès international de sciences phonétiques*, vol. 4, Aix-en-Provence : 258-261.

VIHANTA V.V. (1991), « Signalisation prosodique de la structure informationnelle dans le discours radiophonique en finnois et en français », *Actes du XIIe Congrès international de sciences phonétiques*, Aix-en-Provence, vol. 2 : 422-425.

WINPITCH (2003), http://www,winpitch.com.

WUNDERLI P. (1987), *L'Intonation des séquences extraposées en français*, Tübingen, G. Narr.

WUNDERLI P. (1988), « Le débit, indice de l'interrogativité ? », *Travaux de linguistique*, Tübingen, 16 : 11-121.

WUNDERLI P. (1989), « Dialectologia Ricierca sul'intonatione », in *Dialectologia Italiana Oggi*, Tübingen, Holtus-Retzettin-Pfister.

WUNDERLI P. (1990), « Intonation und Prosodie », *LRL*, n° 5/1 : 34 *sq.*

WUNDERLI P. (1992), « Interrogation et accent d'insistance », in Martin Ph. (dir.), *Mélanges Léon*, Toronto, Mélodie et CSP : 568-583.

WUNDERLI P. (1993), Compte rendu de « Phonétisme et prononciations du français, de Pierre Léon », in *Vox Romanica*, n° 52 : 347-352.

WUNDERLI P., Benthin K. et Karash A. (1978), *Französiche Intonationforschung*, Tubingen, G. Narr.

YAGUELLO M. (1984), *Les fous du langage*, Paris, Seuil.

ZERLING, J-P., de Castro Moutinho, L. (2002) Analyse comparée de trois patrons prosodiques, en français et en portugais européen, *TIPS-Travaux de l'Institut de phonétique de Strasbourg* : 115-148.

Valeurs assignées aux intonations simples ou primitives dans l'« Histoire naturelle de la parole », 1772, de Court de Gébelin

> Les idées étant d'une nature absolument différente des sensations, ne purent être peintes par les mêmes signes ; et comme les sons peignaient les sensations, les intonations peignirent les idées : il ne serait pas même difficile de faire voir qu'il règne entre les sons et les intonations les mêmes différences qu'entre les sensations et les idées : aussi la nature qui doua les animaux de sensations et non d'idées, leur donna les sons et leur refusa les intonations.
>
> Mais toute espèce d'idée ne pourra être peinte par quelque intonation que ce soit : cela supposerait que les idées n'ont rien qui les distingue et que les intonations réunissent toutes les mêmes propriétés et dans le même degré : deux suppositions également absurdes. Que firent donc les hommes à l'égard du langage ? Ils l'assortirent à leurs idées. Les idées agréables furent peintes par des intonations agréables ; les idées rapides, par des intonations rapides ; les lentes par des lentes ; celles dont les qualités étaient

contraires à celles-là, furent peintes par des intonations qui contrastaient avec celles-là. Tel fut le premier mobile qui forma les langues, d'où naquirent les premiers mots, qui se diversifièrent ensuite à l'infini, en se combinant les uns avec les autres.
(Extrait du chapitre VIII, «Origine du langage», cité par Marina Yaguello, 1984 : 174)

On voit que le problème de l'intonation a pu être envisagé de façon bien plus simple qu'aujourd'hui ! Même si sont déjà là les idées de contenu, d'expression, de motivation du signe et de combinatoire.

Ingénieux ingénieur (Rendons à César...)

Avant Paris 7 (aujourd'hui : Paris Diderot), Philippe Martin a d'abord été un brillant ingénieur au laboratoire de phonétique du département de français de l'université de Toronto, où l'on tentait d'imiter l'analyseur de mélodie de Harlan Lane de l'université du Michigan à Ann Arbor. Les courbes intonatives obtenues étaient fausses pour certaines voyelles, telle que le [y], dont la fondamentale était moins intense que la seconde harmonique. Or notre analyseur était basé sur le fait que la fondamentale est toujours la plus forte des harmoniques. Philippe écrivit des programmes informatiques qui résolurent alors les problèmes. En 1969, un colloque torontois réunissait tous les grands du monde intonatif de ce temps, dont Dwight Bolinger, Kenneth Pike, David Crystal, Philip Lieberman, André Rigault, Georges Faure, Jean-Paul Vinay, Peter Denes. Ce dernier, le jour de cette rencontre historique, avait affirmé, au cours de la Table Ronde finale – présentée par Éric James – que les ordinateurs super-puissants de ses laboratoires de la Bell s'étaient révélés incapables de produire le signal intonatif en temps réel. Démonstration de Philippe Martin, ce même jour : son pre mier analyseur de mélodie fonctionnait bel et bien en temps réel et sur plusieurs octaves ! (Léon, Faure, Rigault *et al.*, 1970). C'était le début de longues et fructueuses recherches qui aboutiraient au merveilleux WinPitch (www.winpitch.com), bien connu maintenant de tous les phonéticiens, et qui allait permettre des analyses rapides et précises de textes oraux spontanés.
Notons, au passage, que Martin a contribué grandement à stimuler la recherche française, un peu endormie à l'époque, avec la publication de la bibliographie des *Prolégomènes à l'étude des structures intonatives* (Léon et Martin, 1969). On notera également, par la suite, les vingt-et-une publications de la série des « Studia Phonetica », où les chercheurs de France ont été largement impliqués, comme dans les deux volumes dirigés par Léon et Rossi. On rappellera aussi le premier bilan des recherches intonatives (Léon, 1971), exposé au Congrès international de phonétique de Montréal, que Mario Rossi qualifiera plaisamment de « non vide », dans sa propre somme, non négligeable, de 1999.
On connaît la suite ! Sur l'air de « Ça ira, ça ira ! »

CHAPITRE 11
LE JEU DU « E CADUC »

> L'E muet qui tantôt existe, tantôt ne se fait presque point sentir qu'il ne s'efface entièrement et qui procure tant d'effets subtils de silences élémentaires et qui termine et prolonge tant de mots par une sorte d'ombre...
>
> Paul VALÉRY, *Variétés III*

1. DÉFINITION DU E CADUC

Le E caduc doit son nom au fait qu'il peut tomber, comme les feuilles d'automne. On dira aussi bien *Je sais* que *J'sais*. On l'appelle également, pour la même raison, *E instable*, ou *E muet*. Les anciens grammairiens le nommaient aussi *E féminin* parce qu'il est encore, à l'écrit, la marque morphologique du féminin pour distinguer, par exemple, *aimé* [eme] de *aimée* [em :e]. Dans ce dernier cas, le E caduc a disparu très tôt à l'oral, remplacé par un allongement compensatoire qui marquait ainsi le féminin. On entend encore ce féminin dans la prononciation de quelques provinciaux. Les phonéticiens anglo-saxons et quelques autres, avant-gardistes, utilisent également le terme *schwa* (qui signifie *rien*, ou *néant*, en hébreux), pour désigner le E caduc. En réalité, ce E existe bel et bien, réalisé, ou virtuel, mais n'est jamais *rien*.

André Berri (2008) signale également d'autres appellations et fait une claire revue critique de la question. Fernand Carton (1999) en avait exposé également une utile rétrospective, depuis les anciens grammairiens, tels Chifflet et Mougues, jusqu'à nos jours.

En français moderne, l'E muet de fin de mot indique la prononciation de la consonne finale, comme dans *parte* [part], en face de *part* [pa :ʀ].

Le timbre du E caduc est très instable, fluctuant selon les régions, les individus ou le contexte. Son timbre est entre le EU ouvert d'un mot comme *seul* et le EU fermé d'un mot comme *ceux*. On pourra entendre ainsi à Paris *Je sais*, et *Prends-le*, avec les E caducs [ə] de *Je* et de *le* prononcés avec le timbre du Eu ouvert [œ] de *jeune* ; mais on pourra aussi entendre *Prends-le*, avec la voyelle de *le* articulée avec un Eu fermé [ø], comme dans *jeu*, dans les autres dialectes de la France du Nord. En français standard, le timbre du E caduc ressemble à la voyelle que l'on prononce dans l'hésitation : *euh*... C'est aussi le timbre du rire spontané des enfants. Plus tard, les adultes timbrent souvent leur rire sur un son vocalique qui peut aller du [i] au [a] en passant par toutes sortes d'autres possibilités expressives.

La graphie sans accent du E caduc pose aux étrangers un problème d'identification. Devant consonne double ou SC, on a en effet un timbre fermé, comme dans *effet*, *descente*, ou ouvert comme dans *erreur*, *terrible*, témoignages de la distribution de la voyelle en syllabe fermée, à date ancienne, du fait de la prononciation des consonnes doubles à cette époque-là. Actuellement, le E caduc n'apparaît qu'en syllabe ouverte, comme les E de cet énoncé : *Je/ le/ re/de/man/de/ ce/ re/por/ta/ge/.*

On peut noter que le E caduc des préfixes peut se trouver devant une consonne redoublée, le S, pour éviter la prononciation sonore z, comme dans *ressentir*, *ressembler*, etc.

D'autre part, quelques mots présentent l'ancienne orthographe d'une voyelle affaiblie en E caduc dans : *monsieur* [məsjø], *faisan*, *faisant* [fəzɑ̃], *faisait* [fəzɛ].

2. RÉALISATIONS DU E CADUC

Dans l'énoncé suivant : *Euh...ce film(e) tchèqu(e)*, on a relevé quatre timbres de E caducs. Le premier, dans *Euh*, est la voyelle d'hésitation la plus fréquente du français. Le troisième E, dans *film(e)*, est un E caduc parasite, qui apparaît dans les groupes consonantiques trop complexes ou trop inhabituels de la langue. Il sert de « bourre » phonétique, pour faciliter l'articulation. Le E final de *tchèqu(e)* est une détente consonantique très courante en français et de plus en plus vocalisée en E caduc. Le seul véritable E caduc, au plan linguistique, est ici le E de *ce*.

3. LE E CADUC EST-IL UN PHONÈME?

Le E caduc a un rôle marginal dans la phonologie du français. On ne trouve pas de termes lexicaux courants où le E caduc puisse s'opposer à un autre phone pour former une paire minimale. Que le E de *portemanteau* soit prononcé ou non ne change rien et on ne voit pas quel mot nouveau entraînerait la substitution du E caduc à une autre voyelle, dans ce mot.

Cependant si l'on admet que le E caduc a pour variante *zéro phonique* (c'est-à-dire une absence de son), dans tous les cas où il représente une ancienne prononciation, on pourra dire qu'il a un rôle phonologique. Ainsi *porte* s'oppose à *porté*, *porta* ou lexicalement à *Porto*.

On a de même des oppositions lexicales comme *le haut/l'eau* ou morphologiques, comme *le/les*, où le E caduc joue un rôle phonologique évident, en particulier dans le premier cas où il ne peut pas même être remplacé par zéro phonique.

4. RÈGLES DISTRIBUTIONNELLES GÉNÉRALES

– E caduc initial de groupe rythmique

Dans ce cas, le E caduc est instable. On entend aussi bien : *Je pars* que *J'pars*, *Regarde* que *R'garde* et *Demain* que *D'main*.

– E caduc final de groupe rythmique

En général, il ne se prononce pas. On dit : *Je pens(e)*, *Il y en a quatr(e)*.

– E caduc intérieur de groupe rythmique

a) Précédé d'une seule consonne prononcée, il tombe : *la p(e)tite* [laptit], *trois s(e)maines* [trwasmɛn], *six f(e)nêtres* [sifnɛtʀ].

b) Précédé de plus d'une consonne prononcée, il se prononce : *un(e) petite* [ynpətit], *trent(e) semaines* [trɑ̃tsəmɛn], *sept fenêtres* [sɛtfənɛtʀ].

5. VARIATIONS CONTEXTUELLES

– Une *consonne occlusive* au début d'un groupe rythmique a tendance à maintenir le E caduc. On dit : *Que voulez-vous* plus aisément que *Qu'voulez-vous*.

– Le *risque d'une confusion phonologique* fait que l'on garde le E caduc de mots comme *dehors* (opposé à *dors*) ; de même dans les monosyllabes précédés de l'article défini *le*, comme dans *le huit*, *le onze*.

– *L'influence étymologique* a fait conserver le E caduc devant tous les mots avec le H dit aspiré. Il était en réalité expiré, c'était un souffle, mais son souvenir est resté vivace dans la langue. On le marque par le E caduc. On dit donc : *le Hollandais* [ləɔlɑ̃dɛ] en gardant le E caduc.

Les mots avec H aspiré en français sont d'origine germanique, anglo-saxonne, nordique, turque, arabe, mexicaine, etc. Leur date d'emprunt est postérieure à celle du fonds latin, dont le H est devenu muet depuis les débuts de la langue. C'est pourquoi on dit *l'homme*, avec élision du E caduc, mais *le harnais*, *le hareng*, *le homard*, *le harem*, *le haricot*, avec le E caduc prononcé. Le H aspiré, qui a perdu son souffle en français moderne, a alors un peu la même fonction que des guillemets, gardant au mot son individualité, grâce à la prononciation du E caduc. Pour cette raison, on appelle aussi ce H *disjonctif.* On trouvera, ci-après, p. 233, la liste des principaux mots commençant par un *H aspiré.*

Dans le maintien d'un E muet devant une autre voyelle, comme dans *le haricot* [ləariko], selon les phonéticiens traditionnels, le français enchaîne les deux voyelles contiguës sans heurt entre les deux. En réalité, on observe parfois, entre ces deux voyelles, un coup de glotte. Sa fonction est double. D'une part, il joue le rôle de la consonne manquante à la séquence habituelle C + V, d'autre part, il renforce cette fonction de guillemets phoniques, évoquée ci-dessus, que l'on retrouve devant un mot insolite, bizarre ou expressif.

La rencontre de deux voyelles, comme dans *le homard* [leɔma:ʀ], semble bien contraire à la syllabation française. La tendance populaire à l'évolution vers la suppression du E caduc devant une autre voyelle, même précédée du H aspiré, est évidente dans des injures comme *peau d'hareng!* ainsi que dans les liaisons populaires, de plus en plus répandues, comme : *desZharicots, des ZHollandais.*

– *La distribution.* La langue cherche à éviter des groupes inconnus ou peu fréquents. Des séquences comme KN dans un mot comme *quenouille*, ou GN dans *guenon*, conservent plus facilement leur E caduc que *fenouil* et *renom.*

Lorsque plusieurs E caducs se suivent, on constate que certains groupements sont plus fréquents que d'autres. On retrouve ainsi souvent les groupes : *Je n(e), de n(e), que t(e), c(e)que.* Par contre, d'autres groupes sont très instables comme *je l(e)* ou *j(e) le, je m(e)* ou *j(e) me*, etc. L'un des derniers recensements sur le problème est celui de Dauses.

Pour expliquer toutes ces fluctuations, beaucoup de théories ont été émises. Grammont insiste surtout sur les facteurs de difficultés articulatoires ; Martinet sur la fréquence d'emploi ; Delattre sur l'aperture des consonnes qui facilitent ou non la chute du E ; Malécot sur l'ordre séquentiel ; Weinrich et Pulgram sur la séquence et les jonctures. On a résumé ces principales théories (Léon, 1966) auxquelles on a ajouté celle du facteur rythmique. Des études plus considérables, comme celle de Morin, ont replacé le E caduc dans son évolution historique. D'autres, récentes, ont étudié surtout les facteurs sociologiques ou dans des perspectives de phonologie générative. Anita Berit Hansen les a bien résumées dans son étude de 1994.

6. LE E CADUC ET LA LOI RYTHMIQUE

À partir de tests (1966), on a trouvé que le E caduc dans des structures phoniques identiques se comportait différemment selon la forme prosodique de l'énoncé. On a ainsi les couples :

porte-crayon [pɔʀtkʀɛjɔ̃] / port*e*-plume [pɔʀtəplym]
garde-barrière [gardbarjɛ :ʀ] / gard*e*-boue [gaʀdəbu]
arc-boutant [arkbutã] / ours blanc [ursəblã], etc.

Ces exemples montrent que le E caduc tombe s'il est suivi de deux syllabes mais reste – ou apparaît, comme dans *oursE blanc* – s'il n'est suivi que d'une seule syllabe. Il y a là un facteur rythmique important. On tend à accentuer les mots composés ci-dessus sur la seconde et la troisième syllabe ; on évite ainsi d'avoir deux syllabes à la suite. Cela répond à la question que se posait André Martinet dans son enquête sur le français contemporain. Si les Français disent *un oursE blanc*, en ajoutant un E caduc, alors qu'ils ne l'ajoutent pas forcément dans *un arc-boutant*, malgré le fait que la séquence [ʀsb] est probablement plus aisée à articuler que celle de [ʀkb], comme le notait Malécot, c'est ici la structure prosodique qui joue le rôle le plus important et non le fait qu'il y ait plus d'arcs-boutants que d'ours blancs à Paris.

Ajoutons que la suppression du E caduc est toujours plus facile à la jonc-ture externe (*Bonaparte manchot* [bɔnapart#mãʃo]) que dans un mot à forte cohésion (*bon appartement chaud* [bɔnapartəmãʃo).

7. FONCTION PHONOSTYLISTIQUE IDENTIFICATRICE DU E CADUC

7.1 FONCTION IDENTIFICATRICE RÉGIONALE

Une articulation à accentuation forte entraîne une suppression plus grande des E caducs, comme on peut le constater dans des parlers ruraux de la France du Nord. Les paysans normands disent sans problème *l'b'deau* (le bedeau), *la b'daine* (la bedaine), sur le modèle de prononciations dialectales comme un *g'vâ* (un cheval), *quat'k'nâles* (quatre enfants).

Les Normands, comme les autres ruraux des dialectes de l'ouest, suppriment également le [oe] inaccentué de : *seulement*, qui devient : *s'ment*. La même voyelle tombe dans *peut-être,* qui de vient : *p'têt*, qui est aussi très répandu dans le français ordinaire familier.

Le maintien du E caduc en toutes positions a longtemps caractérisé les parlers méridionaux du sud de la Loire. On peut imaginer que nombre d'entre eux prononcent encore non seulement *le bedeau* et *une bedaine* avec tous les E caducs, mais aussi tous ceux de *Je ne te le redemande pas*. Cependant, sous l'influence des médias et la pression citadine, le Midi français se standardise, comme le montre bien l'étude d'Alain Thomas sur trois générations de Niçois. Dans son corpus, Thomas constate une diminution de la prononciation du E caduc non standard dans une proportion de 24 % par génération (1992 : 512). Résultats confirmés en 2006. Il est intéressant de constater que, ici encore, ce sont les filles qui sont le moteur du changement. Elles prononcent 30 % de moins de E caducs que les garçons.

On voyait apparaître déjà dans l'enquête de Martinet, de 1945, bien des variations pour toutes les régions de France. Ainsi, un groupe figé à Paris comme *Je n(e)* se prononçait-il plutôt *J'ne* à Besançon.

Actuellement, à Paris, le E caduc qui s'élidait couramment dans des mots comme *renseignement*, *enseignement*, s'y prononce de nouveau de plus en plus. Ici encore, répétons que la plupart des changements s'opèrent sous l'influence des médias et aussi des femmes, qui sont toujours les premières à se mettre à la mode. Une étude sociolinguistique de la question montrerait, en face des traces des anciens dialectes, celles des diverses couches sociales et des phénomènes plus généraux. L'évolution se fait dans le sens de la standardisation dans les strates *jeunes, mobiles, favorisées, urbaines*.

7.2 FONCTION IDENTIFICATRICE SOCIOLECTALE

Henriette Walter, dans sa *Phonologie du français* ainsi que dans des travaux postérieurs, indiquait une résurgence du E caduc en toutes positions mais surtout en initiale. Elle avançait l'idée que le phénomène caractérisait surtout les jeunes, favorisés. C'était également l'avis d'Ivan Fónagy. Mais il n'en est rien selon l'enquête plus récente de Hansen, portant sur deux corpus de français parlé parisien effectué à dix-sept ans d'intervalle. Elle conclut son étude en déclarant : « C'est la chute du E caduc qui fait jeune et non pas le maintien » (1994 : 45). C'est ce que semblent prouver également les études de Thomas, sur la standardisation méridionale, citées plus haut.

Un autre facteur tend à faire garder le *E caduc initial de syntagme*, c'est l'accentuation, d'origine expressive mais en train de se stabiliser, en tant que marque syntaxique du français moderne, comme dans : « JE m'demande ... », avec montée mélodique importante sur JE. De même dans les structures négatives impératives, comme : « NE le dites à personne ».

Par contre, un autre phénomène sociolectal moderne est l'apparition d'un E caduc final, même dans des mots où il n'y en a jamais eu, comme dans : *Bonjour-eu ! Qu'il est snob-eu !* À la suite de l'examen d'un corpus de français parlé spontané, on a émis l'hypothèse que ce nouvel E caduc final marquait essentiellement un parler surtout féminin, puisqu'on en trouvait 13,4 % chez les hommes et 24,6 % chez les femmes, dans une enquête de 1987. Cela semblait confirmé, en 1990 puis 1997, par d'autres travaux d'Anita Hansen.

Il faut noter que ce E caduc parasite final ne semble apparaître qu'après une consonne sourde ou sonore, occlusive ou non. Il fonctionne comme une sorte de détente consonantique vocalisée. Son timbre est souvent très ouvert, comme dans : *Arrête* [arɛtœ :], ou même proche d'un [a] très antérieur, comme dans : *Dominique !* [dɔminika :]. Selon Fómagy, on entend même le Eu expressif final après voyelle : *« c est fou ! Eu »*.

8. FONCTION PHONOSTYLISTIQUE IMPRESSIVE DU E CADUC

8.1 LE DISCOURS JEUNE ET EXPRESSIF

Les exemples donnés également par Fónagy, en 1989, au sujet de l'apparition de ce E caduc final sont très souvent attribués à des jeunes. Dans tous les corpus examinés, on remarque aussi le grand nombre de cas où le phénomène se produit soit en clausule impérative, comme : *Arrêt-e !*, exclamative, comme *Merd-e !*, ou encore dans l'appel : *Pierr-e !* Le Eu serait donc devenu un marqueur exclamatif, quelle que soit sa distribution phonique.

Carton (1999) appelle joliment ce E caduc final prononcé : *épithèse vocalique.* Il en confirme la prononciation avec une courbe mélodique exclamative.

8.2 LE DISCOURS PUBLIC

Le besoin d'intelligibilité amène la redondance et le E caduc tend ainsi à se prononcer plus au téléphone où on ajoute même des E parasites, comme dans *vingt-E-trois* [vɛ̃tətrwa], le français ordinaire ayant du mal à articuler des consonnes doubles (dites aussi géminées). En outre, toute adresse publique, discours, sermon, conférence, ralentit le débit et entraîne la prononciation d'un grand nombre de E caducs. Lucci l'a bien montré pour les discours didactiques. À l'inverse, la conversation spontanée rapide tend à gommer les E caducs facultatifs.

Le discours politique use beaucoup du jeu du E caduc, comme de celui de la liaison. Les deux semblent constituer des marques phonostylistiques concomitantes. On a étudié, dans les *Essais de phonostylistique*, dix discours entiers de De Gaulle, prononcés entre 1959 et 1962 (enregistrements sonores Sonorama). La fréquence d'emploi de 5,4 %, y est légèrement supérieure à celle du discours normal qui est de 4,9 %. Mais la dispersion par rapport à la moyenne est très grande. Les moyennes elles-mêmes varient de 2,4 % à 8,6 %. Il est évident alors que l'orateur adapte chaque fois son phonostyle au type de discours qu'il veut projeter et au public qu'il veut convaincre. Ou bien il joue, tout simplement de contrastes, passant d'un extrême à l'autre pour surprendre.

Dans ce corpus, la distribution du E caduc, toujours maintenu à l'initiale par De Gaulle, pouvait paraître, à cette époque-là, l'indice d'un style soutenu. Mais des suppressions systématiques du parler ordinaire apparaissaient chez lui comme marques de familiarité : *On n'trouv'ra pas...un point d'vue*, etc. Lorsque le ton se faisait très oratoire, les E caducs s'accumulaient comme supports syllabiques de l'insistance, comme dans : *Cela, je ne le ferai pas!* où l'orateur prononçait tous les E caducs, en même temps qu'il martelait chaque syllabe.

Un autre indice de style oratoire était, chez De Gaulle, la prononciation nette et claire d'un E caduc final, suivant une détente consonantique : *débâcl-e, tumult-e, parad-e, mondial-e...*

Ce E caduc additionnel final, relevé en 1966, ressemblait déjà au E exclamatif des jeunes, noté ci-dessus.

8.3 LE DISCOURS POÉTIQUE

Dans la diction classique, tout E caduc se prononce devant consonne, comme dans : *Je ne parlerai pas, je ne penserai rien* (Rimbaud). Cette tradition visait à donner plus de sonorité au vers. Dans celui qu'on vient de citer, si les E caducs facultatifs en conversation sont supprimés, l'alexandrin se réduit à 8 syllabes : *Je n'parl'rai pas, je n'pens'rai rien.* De ce fait le rythme syllabique du poème est détruit. Les diseurs modernes qui n'ont pas le sens esthétique classique massacrent ainsi allègrement les plus beaux vers de notre littérature.

Guiraud, dans son étude sur le *Narcisse* de Valéry, constate que 78 % des mesures monosyllabiques sont suivies d'un E caduc non élidé, alors que le même phénomène n'apparaît que dans 38 % des cas après les mesures dissyllabiques, dans 34 % après les trisyllabiques et dans 20 % après les quadrisyllabiques. Cela montre bien que, dans l'esprit du poète, le E caduc joue le rôle d'un silence en musique.

Même en l'absence de toute donnée scientifique, on peut affirmer que dans la conscience linguistique d'un Français, le E caduc prononcé est associé à l'idée du « beau langage » et sa suppression à une manière de « parler négligé ». Il n'est, pour en témoigner, que d'observer des textes voulant transcrire la langue parlée. Raymond Queneau en a donné de réjouissants exemples. Au lieu de voir dans la graphie de *Si j'vous d'mandais d'dir'ça...* un énoncé familier, relevé dans la bouche d'un académicien à l'émission d'*Apostrophes*, bien des gens risquent encore de conclure à la transcription d'une parlure « populaire », voire « vulgaire ».

Il faut ajouter que le E caduc est loin d'être le seul phone qui tombe souvent dans le français familier. La chute tout entière du *ne* de négation, celle du *l* du pronom *il*, du ʀ dans les groupes consonantiques finaux, etc. sont bien connues. On étudie plus en détail leur incidence sociolinguistique dans *Précis de phonostylistique*. En voici une brève illustration, extraite d'*Apostrophes*, la même série d'émissions littéraires, où intervenait l'académicien mentionné ci-dessus : *C't'à dire... bon... ben... m'enfin... Y' en a d'aut'...* Pour ne prendre qu'un exemple, celui du meneur de jeu de cette émission littéraire, Bernard Pivot, supprime le *ne*, dans 57,8 % des occurrences. *Il ne faut pas croire...* devient *Faut pas croire...*, etc. ! Faut s'y faire.

Problématique et questions

1. Justifiez la prononciation de E sans accent orthographique dans les mots suivants : *tennis, tenir, serrer, serin, dessin, dessus, refaire, effet, descente, ressentir.*
2. En suivant les règles générales de la prononciation du E caduc, barrez ceux qui devraient tomber dans les énoncés suivants : *à demain*; *dans une semaine*; *un appartement*; *des petites fenêtres neuves*; *plus de trente demandes*; *sur ce, laissez-le. Pourquoi? – Parce que. Je ne sais pas.*
3. En appliquant la règle rythmique, supprimer les E caducs qui peuvent tomber dans : *porte noire, porte magnifique, garde-malade, garde-fou, appartement.*
4. Découpez les énoncés suivants en groupes rythmiques : *Je ne sais pas où ça se trouve. Ce que vous me demandez suppose donc une petite recherche.*
5. Transcrivez ces mêmes énoncés.
6. Quels sont les termes lexicaux qui peuvent donner des paires minimales avec E caduc ? Donnez des exemples.

7. Transcrivez en phonétique les énoncés suivants, en notant, s'il y a lieu, les assimilations consonantiques que peut entraîner la chute des E caducs : *J(e) vois, J(e)sais, J(e)lis, méd(e) cin, paqu(e)bot.*
8. Expliquer les assimilations qui se produisent dans les cas suivants, après chute du E caduc : *app(e)ler, nois(e)tier, proj(e)ter, inconc(e)vable, un coup d(e) cœur.*
9. Quel est le jeu du E caduc dans les vers suivants, selon la diction classique :

Mais battue ou de pluie ou d'excessive ardeur
Languissante elle meurt, feuille à feuille déclose

(Ronsard)

10. Quel est l'effet produit par ces graphies de Raymond Queneau, tirées de *Zazie dans le métro* : *Itipstu, queue ça te plaise ou queue ça ne te plaiseu pas ?* Pourquoi ?
11. Parmi les mots suivants, souligner ceux qui commencent par un *H* muet : *harpon, hache, haie, hameau, homme, hameçon, haïr, haine, horrible, héron, hibou, hurluberlu, hangar, hélice, hollandais, haricot, honte, humide, homard, hôpital, hormone, huitième, Huron, hasard, hôtel, hybride, homéopathie, hirondelle, hiver, hélicoptère.* À vérifier dans le dictionnaire !

(Réponses p. 269)

BIBLIOGRAPHIE

BARRI A. (2008) Aspects phonétiques et phonologiques du E muet français, *Fragmentos, Revista de Lingua e Literatura Estrangeras*, 30 (2006) :199-217.

BAZYLKO S. (1981), « Le statut de [ə] dans le système phonématique du français contemporain et quelques questions connexes », *La linguistique*, n° 17/1 : 91-101.

BOUHOURS P. [1671] (1920), *Entretiens d'Ariste et d'Eugène*, Paris, Bossard.

DAUSES A. (1973), *Études sur l'E instable dans le français familier*, Tübingen, Niemeyer.

DELATTRE P. (1951), « Le jeu de l'E instable intérieur en français », *French Review*, n° 24, 4 : 341-351.

DELAS D. (1989), « Du E muette », in Koskas É. et Leeman D. (dir.), *Genre et Langage.* Actes du colloque tenu à Nanterre les 14, 15, 16 décembre 1988.

DELL F. (1973) « E muet, fiction graphique ou réalité », *in* Anderson et Kiparski, *Studies presented to Morris Halle*, New York, Reinhart-Winston, 26-50.

DURAND J. et LAKS B. (2000) Relire les phonologues du français. Maurice Grammont et la loi des trois consonnes, *Langue française*, 126 : 22-38.

FÓNAGY I (1989), « Le français change de visage », *Revue romane*, n° 24/2 : 225-254.

Grammont M. (1894), «La loi des trois consonnes», *Mémoires de la Société de linguistique de Paris*, 53-90.

Guiraud P. (1953), *Langage et versification dans l'œuvre de Paul Valéry. Étude sur la forme poétique dans ses rapports avec la langue*, Paris, Klincksieck.

Hansen A. (1990), *Analyse sociolinguistique de deux évolutions linguistiques dans le français parlé à Paris : la stabilisation du E caduc inter-consonantique et l'apparition d'un E caduc final*, Copenhague, mémoire de maîtrise de l'université.

Hansen A. (1991), «The Covariation of [ə] with style in Parisian French : an empirical study of E caduc and pre-pausal [ə]», *Proceedings of the ETRW phonetics and phonology of speaking styles*, Barcelone : 30-1 - 30-5.

Hansen A. (1994), «Étude du E caduc. Stabilisation en cours et variations lexicales», *French Language Studies*, n° 4 : 25-54.

Hansen A. (1997), «Le nouveau E prépausal dans le français parlé à Paris», in Perrot J. (dir.), *Polyphonie pour Ivan Fónagy*, Paris, L'Harmattan : 173-198.

Heap D., Nadasdi T. et Tennant J. (1992), «Élision des semi-voyelles en français : représentations sous-jacentes et variation», in Martin Ph. (dir.), *Mélanges Léon*, Toronto, Mélodie et CSP : 165-187.

Léon P. (1966), «Apparition, maintien et chute du E caduc», *La Linguistique*, n° 2 : 70-84.

Léon P. (1971), *Essais de phonostylistique*, Montréal, Paris, Bruxelles, Didier, coll. « Studia phonetica » 4.

Léon P. (1987), «E caduc, facteurs distributionnels et prosodiques, dans deux types de discours», *Proceedings, XI International Congress of Phonetic Sciences*, Tallinn, Estonie, vol. 3 : 109-112.

Léon P. (1988), «Variation situationnelle et indexation sociale : rôle des syncopes phonématiques et de l'accent», in Slater C., Durand J., Bate M. (dir.), *Occasional Papers of the University of Essex, French Sound Patterns Changing Perspectives*, Essex, 223-240.

Léon P. et Tennant J. (1990), « Bad French and Nice Guys : a Morphophonemic Study», *French Review*, n° 63 : 763-778.

Lucci V. (1983), *Étude phonétique du français contemporain à travers la variation situationnelle*, Grenoble, ULL.

Malécot A. (1955), « The Elision of the French Mute-E within Complex Consonantal Clusters», *Lingua*, n° 5, 1 : 46-60.

Malécot A. (1976), « The Effect of Paralinguistic Variables on the Elision of the French Mute E», *Phonetica*, n° 33 : 93-112.

Martinet A. (1945), *La Prononciation du français contemporain*, Paris, Droz.

Martinet A. (1969), « Qu'est-ce que le E muet ? », *Le Français sans fard*, Paris, PUF.

Morin Y.-Ch. (1976), «The Status of mute E», *Studies in French Linguistics*, n° 1/2 : 79-140.

MORIN, Y. (1983) La nature phonologique du E caduc, *Papers in Linguistics.*

Plante Chr. (1988), *L'Épistolaire, un genre féminin ?*, Genève, Paris, Champion.

PERINI, N. (1980) Note di fonetica e di fonologica :la cosidetta, ë muta » del francese, *Filologia Moderna,* 4 :181-200.

PLEASANT-VARNEY, J. (1956), *Études sur l'E muet, timbre, durée, intensité, hauteur musicale,* Paris, Klincsieck.

PULGRAM E. (1961), « French /E/ Statistics and Dynamics of Linguistic Subcodes », *Lingua*, n° 10 : 305-325.

RACINE I. et GROSJEAN F. (2002), « La production du E caduc facultative est-elle prévisible ? Un début de réponse », *Journal of French Language*, n° 12 : 307-321.

RACINE, I. (2008) Les effets de l'effacement du Schwa dans la production et la perception de la parole, Thèse, U. de Genève.

THOMAS A. (1992), « Évolution du E muet en français niçois », in Martin Ph. (dir.), *Mélanges Léon*, Toronto, Mélodie et CSP : 501-515.

TRANEL B. (1987), « French Schwa and non Linear Phonology », *Liguistics*, n° 25 : 845-866.

SCHANE, (1968) On the abstract Character of the French E muet, *Glossa* 2 : 150-163.

SELKERK, E. (1978) The French Foot, on the status of mute E, *Studies in French Linguistics,* ½ : 141-150.

VALDMAN, A. (1972) The loi de position as a pedagogical norm, *Papers in linguistics and phonetics to the memory of Pierre Delattre,* The Hague, Mouton : 473-485.

WALTER H. (1977), *La Phonologie du français*, Paris, PUF.

WALTER H. (1988), *Enquête phonologique et variétés régionales du français*, Paris, PUF.

WEINRICH H. (1961), « Phonologie der Sprechpause », *Phonetica*, n° 7 : 4-18.

YAGUELLO M. (1990), *Histoires de lettres*, Paris, Seuil, coll. « Point virgule ».

ZWANENBURG, W. (1968) Quelques remarques sur le statut phonologique du e muet en français, *Word,* 24 : 508-518.

E féministe ?

Cet E marquant le féminin n'a pas manqué d'être associé à la féminité, tout au long de l'histoire de la langue française. Il est vu dès la Renaissance, voyelle faible et tombant aisément, comme symbole de la femme douce et fragile. Étienne Tabourot des Accords, cité par Christine Plante, distingue dans ses *Bigarrures* « des terminaisons *viriles, simplement masculines, féminines,* parce que la première voyelle qui les rencontre en un mot qui les suit les cache et couvre, comme ferait un homme qui cacherait de son manteau une femme et *pucelles* qui, comme vierges ne souffrent aucune violence au milieu d'un vers ».

Les règles métriques de la rhétorique feront dire du maintien du E féminin qu'il apporte un charme poétique au vers. Cet E muet «fait les rimes féminines, qui donnent une grâce singulière à notre poésie», écrit fantasmatiquement le père Bouhours. Jusqu'à la fin du XIXe siècle, un imaginaire linguistique de cet E féminin continuera à hanter les poètes et les rêveurs de la langue.
Depuis, les femmes ont pris la parole mais certains E continuent d'être muets et obstinément...féminins !

Les pièges du H aspiré

Voici les mots les plus courants, avec le H « aspiré », qui n'a jamais été aspiré, a perdu son souffle, mais continue à empêcher la liaison et l'élision :
La hache, la haie, la haine, haïr, en haillon, le hall, la halle, les halles, le halo, le hâle, le hameau, le hamac, la hanche, le hangar, hanter, happer, le harakiri, harassement, harasser, le harcèlement, hardi, la hardiesse, le harem, le hareng, la harpe, le harpon, le haricot, le hasard, la hâte, la hausse, le haut, la hauteur, le haut bois, le Havre, hérisser, le hérisson, la hernie, le héros, le héron, la herse, le hêtre, heurter, le hibou, hideux, harceler, la hernie, la hiérarchie, hocher, le hochet, le hochement, la Hollande, le Hollandais, une Hollandaise, le homard, la Hongrie, le Hongrois, la Hongroise, la honte, honteux, hors de, le hors d'œuvre, la hotte, le houblon, la houille, la housse, le hublot, huer, les Huns, le huit, le huitième, hurler, le hurlement, le Huron, le hussard.

Faux amis ! Les mots suivants ont un H muet que le parler populaire méconnaît souvent et prononce, par hypercorrection, sans élision : « *le hameçon* » , « *le hiatus* », au lieu de : *l'hameçon, l'hiatus.*
La règle voudrait également que l'on prononce : *le handicap*, mais l'usage est de plus en plus avec élision : *l'handicap*, qui a entraîné *l'handicapé*, etc.
H a été ajouté, au Moyen Âge, dans les mots suivants : *huître, huile, huit,* pour éviter des confusions avec d'autres monosyllabes.
On fait donc l'élision dans les 2 premiers mots, d'origine latine : *l'huître* et *l'huile.* Mais on prononce : *le huit*, comme avec H aspiré, peut-être parce qu'il s'agit d'éviter la confusion avec *huître*, dont la prononciation populaire laisse tomber la finale consonantique -tre.

CHAPITRE 12
LES PHÉNOMÈNES SYNTACTIQUES : LIAISONS ET ENCHAÎNEMENTS

« Je suis zému. – Vive Zému ! »
Marcel COHEN,
Nouveaux regards sur la langue française

1. ENCHAÎNEMENTS ET LIAISONS

1.1 ÉLISION ET ENCHAÎNEMENT

La phonologie du français a longtemps mal toléré les séquences *d'enchaînement vocalique* : *voyelle + voyelle*, du type *à ˇ Arles*, en dehors des formes verbales comme *aˇeu*, *aˇété*.

La langue a réduit à une seule voyelle certaines de ces rencontres vocaliques, appelées *hiatus*, du type *la + amie*, *le + ami*, *le + homme*, *si + il*, *que + elle*, *que + il*, etc., *à l'amie*, *l'ami*, *l'homme*, *s'il*, *qu'elle*, *qu'il*, etc.

Le phénomène est appelé *élision*, à cause de la chute d'une voyelle. Mais cette réduction relève en fait d'un cas d'enchaînement syntactique. La langue semble rechercher le patron distributionnel le plus fréquent de la syllabation française : *consonne + voyelle*, à tel point que l'on a ajouté des consonnes euphoniques comme dans : *a-t-on*, *sera-t-il*, *chante-t-il*, où le T d'insertion n'est sans doute pas uniquement analogique. On le trouve aussi dans des formes populaires telles que : « Marlborough s'en va-T-en guerre ».

1.2 L'ENCHAÎNEMENT CONSONANTIQUE

On nomme ainsi un autre type de lien syntactique, comme dans *grand(e) amie*, où la consonne finale du mot *grande* [gʀɑ̃:d] va se trouver enchaînée à la voyelle initiale du mot *amie* [ami] pour donner le découpage syllabique [gʀɑ̃/da/mi].

1.3 LA LIAISON

La liaison est le résultat d'un état de langue ancienne où toutes les consonnes étaient prononcées. Heureuse époque ! Vers le XIe ou le XIIe siècle, les consonnes finales ont commencé à ne plus se prononcer. Ce n'est que dans la mesure où elles se trouvaient enchaînées à la voyelle suivante, à l'intérieur d'un même groupe rythmique, qu'on les a conservées.

Le résultat actuel est que la consonne finale d'un mot, encore écrite, ne se prononce pas devant consonne, devant H aspiré ou en finale, comme le *t*, dans *petit pas* [ptipa], *petit homard* [ptiɔma:ʀ] et, en finale, *petit* [pti], mais qu'elle se prononce devant voyelle ou H muet, comme dans *petit ami* [ptitami], *petit homme* [ptitɔm]. Dans la parole spontanée de la conversation ordinaire, la consonne de liaison s'enchaîne de la même manière que la consonne d'enchaînement consonantique à la voyelle qui la suit. Dans le flot de la conversation, on syllabe de la même façon *petit ami* [pti/ta/mi] et *petite amie* [pti/ta/mi]. On ne syllabera [ptit/ami] que si on nous fait répéter.

Les consonnes d'enchaînement ne changent jamais de nature alors que, dans la liaison D devient [t] tandis que S, et X deviennent [z].

On a ainsi, d'une part, *grande* [grɑ̃:d] et *grande amie* [grɑ̃.dami] mais d'autre part *grand* [grɑ̃] et *grand ami* [grɑ̃.tami] ; *quand* [kɑ̃] et *quand il* [kɑ̃til ; *prend* [prɑ̃] et *prend-il* [prɑ̃til] ; *second* [zgɔ̃] et *second étage* [zgɔ̃teta:ʒ], etc.

Les seuls cas où la consonne d'enchaînement change de nature sont ceux du *f*, dans *neuf heures* [nœvœ:ʀ] et *neuf ans* [nœvɑ̃].

2. OCCURRENCES, GRAPHIES ET RÉALISATIONS PHONIQUES DES LIAISONS

La fluctuance des liaisons interdit toute statistique en dehors d'un cadre sociolinguistique. Type de discours, région, âge, sexe, etc. On peut seulement dire qu'*en langue*, 50 % environ des cas *possibles* de liaisons sont avec [z] ; quant à [t] et [n], ils se partagent à peu près également la presque totalité des autres 50 %. Les liaisons avec [ʀ] et [p] représentent moins de 1 % du reste.

Les graphies des consonnes de liaison et leurs réalisations phoniques sont :

Avec la prononciation [z] graphies :

– S comme dans *les amis* [lezami]
– Z .... *chez elle* [ʃezɛl]
– X .... *deux autres* [døzo:tʀ]
Avec la prononciation [t] graphies :
– T comme dans *voit-elle* [vwatɛl]
– D .... *quand il pleut* [kɑ̃tilplø]

Avec la prononciation [n] graphie :
– N comme dans *on a dit* [õnadi]

Avec la prononciation [ʀ] graphie :
– R comme dans *premier étage* [pʀɔmjeʀeta:ʒ]

Avec la prononciation [p] graphie :
– P comme dans : *beaucoup aimé* [bokupeme]

3. MÉCANISME DE LA LIAISON : LA COHÉRENCE SYNTAGMATIQUE

3.1 RÈGLE DE COHÉRENCE SYNTAGMATIQUE

Dans le parler ordinaire, la liaison apparaît seulement à l'intérieur du groupe rythmique. Il n'y a donc *pas de liaison après un mot accentué.* On dira : *petit˘ en\fant* mais *un pe\tit/avec sa mère* ; dans le premier exemple *petit* est un adjectif inaccentué, d'où la liaison avec le mot suivant ; dans le second cas, *petit* est un nom accentué, il ne se lie donc pas au groupe suivant.

Mais si la règle qui *interdit* la liaison entre deux groupes rythmiques différents fonctionne assez bien, l'inverse n'est pas vrai. On relève de plus en plus de liaisons qui ne sont pas faites à l'intérieur d'un même groupe. On entend ainsi *sans avoir peur*, prononcé avec ou sans liaison après *sans*.

3.2 LES 3 TYPES DE LIAISON

On a donc trois sortes de liaisons du point de vue d'un modèle normatif : *obligatoires*, *interdites*, *facultatives*. Les trois dérivent de la règle de cohérence syntagmatique. (Notons au passage les sens ici complémentaires de *syntagmatique*, référant au contenu grammatical du groupe rythmique et *syntactique*, à la forme selon laquelle s'enchaînent les syllabes dans le groupe.)

4. NON COHÉRENCE SYNTAGMATIQUE : LIAISON INTERDITE

Dans tous les cas où la liaison est interdite, son absence marque une *rupture* accentuelle, intonative, une limite sémantique ou, dans le cas du H aspiré, une trace de *séparation* étymologique. L'absence de liaison n'entraîne pas de coupure sonore. Les syllabes restent enchaînées, en général sans coup de glotte. On passe d'une voyelle à l'autre sans heurt, comme dans : *un toit immense* [œ̃ twaimɑ̃:s], sans liaison après *toit* mais avec enchaînement des deux voyelles [ai].

4.1 LIAISON INTERDITE ENTRE DEUX GROUPES RYTHMIQUES

On note ici la liaison interdite par // comme dans les exemples suivants, entre deux groupes rythmiques : *Alors // il arrive. Maintenant // il pleut. Quand // est-il venu ? Comment // a-t-il fait ça ?*

L'interrogation avec inversion revient à créer de la même manière deux groupes rythmiques, empêchant ainsi la liaison : *Vont-ils // arriver ? Vont-elles // écouter ? A-t-on // essayé ?*

Un groupe nominal à adjectif postposé se comporte comme deux groupes rythmiques, la langue tendant à mettre un accent secondaire sur le substantif dans ce cas-là, comme dans : *un en\fant // ado\rable, des \sacs //à \vendre.*

4.2 LIAISON INTERDITE DEVANT DES UNITÉS À ISOLER

Pour une plus grande intelligibilité, dans le cas de monosyllabes, ou des citations : *Il dit // oui, mais // oui, des // « ah » et des // « oh », les // huit, les // onze*. Dans ces deux derniers exemples, *huit* et *onze* fonctionnent comme des termes disjoints, en comparaison des unités à forte cohésion que sont *dix-huit*, *vingt-huit*, etc., où la liaison se fait. La fréquence basse de *cent // onze* justifie peut-être la non-liaison de ce terme joint.

4.3 LIAISON INTERDITE DEVANT H ASPIRÉ

Devant un H aspiré, souvenir du temps où il était prononcé, la liaison ne se fait pas, comme dans : *les hérissons* [leerisɔ̃], *les huttes* [leyt], *les hameaux* [leamo]…

(Voir le tableau du H aspiré, p. 235)

4.4 LIAISON INTERDITE APRÈS LA CONJONCTION *ET*

Comme dans : Il va *et* // il vient, un jaune *et* // un blanc. *Et* marque deux termes d'égale importance, comme dans : *Il est grand* et *obèse* [grãeɔbɛ :z].

5. COHÉRENCE FORTE DU GROUPE NOMINAL : LIAISON OBLIGATOIRE

Liaison obligatoire dans le groupe nominal : déterminants + noms ou pronoms. Ces déterminants sont des articles définis ou indéfinis ou des adjectifs.

La cohérence de ce groupe est forte et la liaison y est faite sans exception, comme dans : *les*[z]amis, *un*[n]ami, *les*[z]*autres*[z]amis, *quels*[z]amis, *chez*[z] eux, *grand*[t]enfant, *second*[t]étage], *dernier*[ʀ]étage.

6. COHÉRENCE VARIABLE DU *GROUPE VERBAL* : DEUX TYPES DE LIAISON

6.1 COHÉRENCE FORTE : LIAISON OBLIGATOIRE

La cohérence du groupe verbal est forte avec tous les satellites du verbe, les *pronoms sujets et les compléments adverbiaux.*

Dans ces cas-là, la liaison se fait toujours, comme dans : *vous*[z]avez, *ont*[t]ils, *aiment*[t]-elles, *en*[n]avez-vous, *en*[n]ont-elles, *en*[n]y allant, *en*[n] *en*[n]emportant, *prenez*[z]-en, *allez vous*[z]-en, *pensez*[z]-*y*.

6.2 COHÉRENCE FAIBLE : LIAISON FACULTATIVE

La cohérence est faible entre deux formes verbales. Elle tend à être un peu plus forte après une forme auxiliaire et diminue si la première forme est un semi-auxiliaire ou une forme verbale pleine. Ainsi dans les trois exemples suivants, la chance d'entendre une liaison diminue de 1 à 3 :

1) J'y suis[z]allé
2) Je vais[z]écouter
3) J'avais[z]une chance

7. COHÉRENCE VARIABLE DES GROUPES *ADVERBIAUX* OU *PRÉPOSITIONNELS* : LIAISON VARIABLE

La cohérence dépend ici de deux facteurs: la possibilité d'accentuation et la longueur de l'adverbe ou de la préposition.

– La liaison tend à être *obligatoire avec les formes monosyllabiques*, qui sont inaccentuées et entrent ainsi dans la loi générale de cohérence syntagmatique, comme dans : *en*[n]effet, *en*[n]avant, *dans*[z]une heure, *sous*[z]une table, *rien*[n]à faire, *tout*[t]à côté, etc.

Cependant la liaison reste obligatoire après *en*, comme dans *en effet*, *en avant*, *en été*.

– La liaison tend à être *facultative dans les formes de deux syllabes*, qui reçoivent un accent secondaire : *devant*[t] une porte, *depuis*[z]un mois, *après*[z] une tempête ; et dans les formes susceptibles de porter un accent d'insistance, comme dans : ˋ*trop*[p] indulgent, ˋ*plus*[z]aimable, ˋ*moins*[z] humide, etc.

8. SYNTAGMES À FORTE COHÉRENCE : LES GROUPES « FIGÉS »

Tous les syntagmes indécomposables du point de vue morphologique constituent des groupes dont la liaison s'est figée. On fera donc obligatoirement la liaison dans : *sous-officier, États-Unis, Nations unies, Champs-Élysées, tout à coup, tout à fait, tout au moins, tout au plus, c'est-à-dire, mot à mot, petit à petit, nuit et jour, accent aigu, avant-hier, il était une fois, pot-au-feu*, etc.

Par contre, si l'on a affaire à une locution figée mais décomposable morphologiquement, pouvant entrer dans un paradigme et dont le premier terme est accentuable, *la liaison est presque toujours interdite*. Si on ne fait pas de liaison dans *du nord*/au sud, *bon*/à rien, *à tort*/et à travers, *du riz*/au lait, etc., c'est que toutes ces locutions-là peuvent servir à former : *du nord*/à l'est, *bon*/à tout, *à tort*/ou à raison, *du riz*/au chocolat, etc.

On entend parfois sans liaison : *de plus en plus, de moins en moins, de mieux en mieux,* où le premier terme du syntagme tend à être accentué.

9. RÔLE PHONOLOGIQUE DE LA LIAISON

9.1 RÔLE DISTINCTIF

La liaison ou l'absence de liaison peuvent jouer un rôle *distinctif* dans quelques paires minimales du lexique :

les/hauteurs /leotœ:ʀ/ ≠ les[z]auteurs /lezotœ:ʀ/
les/hêtres /leɛtʀ/ ≠ les[z]êtres /lezɛtʀ/
les/héros /leeʀo/ ≠ les zéros /lezeʀo/, etc.

9.2 RÔLE MORPHOLOGIQUE

La liaison est la seule marque morphologique de l'opposition *singulier/pluriel* dans le code oral pour certaines formes verbales, comme :

Il aime ≠ ils[z]aiment
Elle arrivait ≠ elles[z]arrivaient, etc.

9.3 MARQUE REDONDANTE

Le plus souvent la liaison est une marque morphologique *redondante*, aussi bien dans le groupe nominal que dans le groupe verbal. Exemples : *des ˘ amis, plusieurs ˘ amis* (le pluriel est marqué à la fois par la forme du déterminant et par la liaison) ; *elles ˘ apprennent* (le pluriel est marqué à la fois par la terminaison verbale et la liaison).

9.4 RÔLE NEUTRALISATEUR

La liaison *neutralise* certaines oppositions dans le cas des adjectifs terminés par la voyelle nasale [ɛ̃]. En effet, la voyelle nasale des adjectifs tels que : *moyen, certain, ancien, plein,* se dénasalise dans la liaison. Il en résulte que l'opposition *masculin/féminin* ne fonctionne plus à l'oral, si les mots sont isolés : *ancien ami* et *ancienne amie* se prononcent de la même manière [ɑ̃sjɛnami].

À noter que, dans le cantique de Noël, *Divin enfant* est dénasalisé en [divinɑ̃fɑ̃].

Il en est de même avec l'adjectif *bon*, qui se dénasalise aussi dans la liaison. On prononce de la même manière : *bon élève* et *bonne élève* [bɔnelɛv:]

10. RÔLE PHONOSTYLISTIQUE DE LA LIAISON

Les liaisons *facultatives*, comme les E caducs facultatifs, sont des signes mesurables, qui permettent d'évaluer l'un des aspects phonostylistiques les plus facilement décelables de la prononciation. Leur nombre et leur distribution peuvent fluctuer énormément en fonction d'une multitude de variables.

10.1 FONCTION IDENTIFICATRICE

Résidu de l'ancienne prononciation des consonnes finales, la liaison est d'abord un *indice* de parlers conservateurs. Les ruraux en font plus que les citadins et les vieux plus que les jeunes.

Léon et Tennant ont trouvé, en 1988, dans une des émissions littéraires télévisées d'*Apostrophes*, qu'un groupe d'intervenants à qui des juges avaient attribué, à l'audition, l'étiquette *jeunes*, supprime 67 % des liaisons facultatives du corpus, alors que le groupe jugé *âgé* en supprime 38 % seulement.

Le groupe perçu comme *le moins éduqué* supprime 59 % des liaisons facultatives et *le plus éduqué* n'en supprime que 27 %.

Le fait est confirmé par l'étude d'Alain Thomas de 1990 qui compare des locuteurs de diverses classes d'âge à des académiciens français et canadiens. Ces derniers réalisent 100 % des liaisons facultatives. On est donc aussi conservateur à ce niveau-là des deux côtés de l'Atlantique. Mais dans les parlers francophones du Canada, la liaison décroît beaucoup plus vite qu'en France chez les jeunes, comme l'ont montré, entre autres, Van Ameringen et Cedergren.

10.2 FONCTION IMPRESSIVE

Dans la même émission littéraire, mentionnée ci-dessus, on a constaté que le présentateur, Bernard Pivot, supprimait 47 % des liaisons facultatives. Il ne s'agissait certainement pas d'un indice identificateur d'appartenance à une classe sociale ou à une couche d'âge mais plutôt d'un *signal impressif* dénotant un style volontairement *familier* et détendu. En ce sens, la liaison joue, à un degré plus important encore, un rôle analogue à celui du E caduc. C'est un *marqueur de discours.*

Le nombre des liaisons augmente lorsqu'on passe du spontané à la lecture ou à la conférence. Les manuels de diction classique recommandent de faire toutes les liaisons possibles. Et il y a, là aussi, un imaginaire linguistique poussant à chercher l'élégance de la parole dans le maximum de liaisons. Ainsi beaucoup d'annonceurs font-ils des liaisons abandonnées depuis longtemps dans la conversation spontanée. Ils sont également influencés par la graphie du texte, qu'ils lisent le plus souvent sur un prompteur qui défile devant eux.

Une des liaisons, classique, maintenant, du discours radiophonique ou télévisuel est la liaison avec le R, comme dans *aller[R]à l'Élysée.* Cette liaison était tombée en désuétude et passait même pour une marque de pédantisme. Mais comme elle est maintenant répétée des centaines de fois par semaine, les auditeurs commencent à l'imiter et on devra peut-être un jour l'adopter, sous peine de passer pour conservateur ! Au téléphone, une opératrice vous dira : *Veuillez laisser-R- un message après le bip sonore.* Un chansonnier se moquait de cette élégance en disant qu'après, il irait *pisser-R-un coup.*

Les bons orateurs savent adapter le nombre et la distribution des liaisons à leur type de public. Si on se reporte à l'étude de 1971, déjà citée pour le E caduc, on constate que De Gaulle peut faire varier le taux des liaisons facultatives effectuées de 9 à 100 %, selon son auditoire. Un exemple éloquent de l'art oratoire du Général est celui du discours où il commence par dire: « ... nous avons-Z-assumé... » avec une liaison indice de beau style, puis se reprend pour articuler plus fortement : « avons[ʔ]assumé... » en remplaçant la liaison par un signal qu'il juge sans doute plus oratoire, celui du coup de glotte.

11. ÉVOLUTION DE LA LIAISON

Répétons que, dans l'évolution du français, la langue a toujours cherché à maintenir sa structure d'enchaînement syllabique *consonne* + *voyelle.* La tendance était si grande que dans les parlers non soumis à des forces normatives, comme les dialectes non littéraires, on observe souvent l'insertion d'une consonne parasite lorsque deux voyelles se trouvent en contact. On a, par exemple : « Ol a -*z*-eu pou » [olazypu] (« Elle a eu peur », en normand), « Je l'ai-*z*-eu » [ʒəlezy] (parlers ruraux de l'Ouest français), « Mais-*y*-où donc qu'i va? » [mejudõkiv*a*] (« Mais où donc qu'il va ? », Centre-Ouest français), etc.

Cette même tendance se retrouve dans les langues latines. L'italien, par exemple, insère un [d] pour éviter l'hiatus dans des séquences comme : **a un concerto*, qui devient : *ad un concerto*.

Cependant, pour le français, il semble qu'à l'époque moderne, cette recherche d'une consonne intermédiaire, comme lien syntactique, soit freinée par la peur d'enfreindre la norme, dans les milieux jeunes. *La chute de la liaison entraîne donc de plus en plus d'hiatus, qui gardent habituellement l'enchaînement vocalique, dans la parole spontanée.* Il faut noter pourtant, surtout dans un parler expressif, que lorsque la liaison n'est pas faite, on lui substitue parfois un coup de glotte, retrouvant ainsi encore la séquence C + V.

C'est peut-être sous l'influence d'accents secondaires, souvent expressifs, que la liaison se perd. La force analogique joue aussi. Il y a toujours deux chances sur trois de ne pas prononcer une consonne finale, comme dans *pas*. En finale : « Il ne sait *pas* » [ilnəsɛpɑ] ; devant consonne : « *pas* beau » [pɑbo] ; d'où, devant voyelle, la tendance à répéter le patron et à dire alors : « *pas* / amusant » [pɑamuzɑ̃], sans liaison.

La vitesse de parole est responsable de groupes prosodiques qui ne tiennent pas compte de la division sémantique, comme dans cette liaison qui choquait tant Marcel Cohen (1947) : « Le Temps-Z- en France » . Exemple plus récent : celui du présentateur du journal télévisé sur France 2, David Pujadas, qui termine chaque soir sa présentation par : « Merci à tous les spectateurs qui nous suivent à [...] et partout –T- ailleurs. » Dans cette liaison sans enchaînement, il fait une légère pause, précédée d'un petit coup de glotte, avant le T de « Partout ». Mais cet adverbe n'est pas suffisamment accentué pour entraîner l'absence de liaison. Marie Drucker fait la même liaison. Une parole rapide a créé la cohérence du groupe et provoqué la liaison.

Le même Pujadas qui, pourtant, n'est pas si snob, relate le fait que quelqu'un « ... tente d'empêcher –R-un homme... » d'en tuer un autre ». (Journal de 20 heures, 6 janvier 2011). Coquetterie de parole ou lecture mécanique du prompteur ?

12. LA LIAISON SANS ENCHAÎNEMENT

Dans la conscience morphologique des Français, il semble que la consonne de liaison reste encore souvent attachée au mot auquel elle appartient. Cette survivance du temps où toutes les consonnes finales se prononçaient est encore bien notable dans les parlers ruraux, régionaux ou populaires, et se produit même dans le parler ordinaire où l'on entend *Quand je...* prononcé : [kɑ̃tʒɔ].

Lors d'une hésitation, on peut avoir : *Elle est... euh*, comme [ɛlɛt/ ø], alors qu'on aurait attendu que le [t] se soit lié au [ø] suivant. Pierre Encrevé, à partir d'un corpus de discours politiques, a bien observé le phénomène, qu'il appelle *liaison sans enchaînement*. Il cite, par exemple, le cas d'un ancien Premier ministre disant une première fois, avec une liaison enchaînée : « Quand Monsieur Mitterrand était ministre, et Dieu sait qu'il l'a beaucoup été... [bokupete]. » Il se reprend aussitôt, entendant « un écho désastreux » et dit cette fois : [bokupʔete], ajoutant un coup de glotte pour éviter une fâcheuse confusion (1988 : 273). Encrevé note que, dans son corpus, le coup de glotte apparaît dans 92 % des cas de liaisons sans enchaînement ; les 8 % restant donnant lieu à l'apparition d'un E caduc. Il relève une moyenne de 48,6 % des liaisons facultatives effectuées. Parmi ces liaisons, celles réalisées sans enchaînement varient, chez deux politiciens connus, de 0 % pour Rocard à 18,7 % pour Debré. Encrevé constate une très grande dispersion des moyennes, sans toutefois donner les écarts types, et conclut que seuls les sociologues pourront peut-être un jour tirer des renseignements valables sur le jeu de ces phénomènes. C'est là un scrupule que ne partagent pas les statisticiens, pour qui les méthodes d'échantillonnage sont aussi valables que celles portant sur des grands nombres.

Les chiffres d'Encrevé paraissent bien confirmer que la fréquence de la liaison augmente en fonction de l'imaginaire linguistique d'un « beau style ». Elle varie en fonction non pas de l'origine sociale lointaine du sujet mais selon son degré d'éducation et sa faculté d'adaptation au public auquel il est confronté. D'autre part, la liaison sans enchaînement – et c'est là où des chiffres auraient été utiles – paraît bien relever du discours public plutôt que de celui de la conversation spontanée. Ce type de liaison indexe une hésitation involontaire due à un changement d'intention discursive ou signale une coquetterie oratoire d'un genre nouveau.

13. LA LIAISON « FAUTIVE »

Reprenant le modèle de la *Grammaire des fautes*, de Henri Frei, Monique Léon a étudié les liaisons « fautives » à partir d'un corpus d'entretiens radiophoniques de parole spontanée. « Velours », du type : *Il sont-Z-avec elle*, ou « cuirs », comme : *Je suis-T-allé*, ces liaisons entrent dans ce que Monique Léon appelle, d'une part, « l'action de la dynamique articulatoire, déclenchée par l'analogie [...] et, d'autre part, le désir de projeter de soi une image valorisante ». Elle montre que le mécanisme linguistique de la liaison fautive fonctionne essentiellement selon un processus de similitude morphologique. Le [z] fautif apparaît comme l'extension de la marque du pluriel : *cent-Z-enfants, mille-Z-îles*... et le [t] fautif comme celle de la troisième personne du singulier : *il va-T-aller, elle parle-T-encore.*

Monique Léon pose aussi la question du lapsus freudien qui pourrait entrer en ligne de compte dans une étude des liaisons fautives. Mais il semble bien que les facteurs linguistiques soient ici les plus importants.

Certains linguistes refusent de considérer comme valable le fait d'inclure dans les règles normatives l'interdiction de la liaison dans des exemples tels que *soldat // anglais, des bois // immenses*, argumentant qu'il ne s'agit pas là de consonnes latentes, susceptibles de se lier. C'est ignorer la force d'analogie pour un étudiant étranger, ou le rôle prestigieux qu'a toujours eu la liaison, par exemple dans la diction poétique. On peut entendre encore clamer, à la Comédie française, ce vers de Racine : « … qui fut pour tout un peuple une nuit-T-éternelle », sans parler du « dévot-T-ermite » de La Fontaine, qui devient « dévot termite » dans les dictées, à l'école.

Répétons que l'on doit dire, selon les normes : *un hiatus* et *des hameçons* [œ̃njatus e dezamsɔ̃] avec liaison, contrairement à une tenace croyance populaire.

14. LA LIAISON REVISITÉE

Dans un numéro de *Langages*, de 2005, plusieurs auteurs passent en revue les problèmes de la liaison, sous le titre : « De la phonologie à la cognition. » John Bybee en vient à notre conclusion que « la liaison se maintient là où la cohésion syntactique (sic) est forte ». Jean-Pierre Chevrot, Céline Dugua et Michel Fayol étudient les trois phases de l'acquisition des liaisons par les enfants. Sophie Wauquier-Gravelines et Virginie Braud se préoccupent du même problème vu sous l'angle de la phonologie générative. Marie-Hélène Côté examine le statut lexical des consonnes de liaison et Yves-Charles Morin repose la question de savoir si la liaison est bien un moyen d'éviter les hiatus. Elsa Spinelli et Fanny Meunier montrent le rôle des indices acoustiques dans la reconnaissance de la liaison en parole enchaînée. Olivier Bonami, Gilles Boyé et Jese Tseng offrent une nouvelle formalisation des consonnes latentes qui sont pour eux un « appendix » du « corps phonologique d'un signe linguistique ». Bernard Laks résume l'aspect linguistique du problème dans son étude « La liaison et l'illusion », montrant comment le phénomène dépend à la fois de la phonologie (perte des consonnes finales), de la morphologie (préservation des marques personnelles) et de la graphie (influence de l'orthographe).

15. LA LIAISON SELON LE CORPUS PCF

Un vaste corpus, *Phonologie du Français Contemporain* (PFC <www.project-pcf.net>), décrit par Jacques Durand, Bernard Laks et Chantal Lyche (2002 et 2005), a donné lieu à une publication sur la question de la liaison, par Durand et Lyche, dans *Journal of French Language Studies* (2008, p. 33-66). Les auteurs reprennent le texte de cet article et le développent longuement et minutieusement, sous le titre : *French liaison in the light of corpus data,* sur Internet (2010). En 2011, Bernard Laks dirige sur le même thème le numéro 169 de *Langue française.* On y voit avec étonnement que les enquêtes de Chomsky n'étaient pas sérieuses – ce qu'un certain nombre de linguistes, tel Jean-Claude Chevalier, subodorait déjà depuis longtemps.

Ils affirment que, pour être valable, une étude sur le sujet doit en envisager tous les aspects : linguistique, sociologique et géographique. Ainsi, 600 sujets de diverses régions de la francophonie ont été enregistrés pour lire des listes de mots, des passages écrits et participer à des conversations. Le tout codé numériquement a permis de donner de nouvelles statistiques, corrigeant les multiples études dont on trouve les références (un total de 98) en fin d'article. Certains ouvrages ont eu plusieurs rééditions, que les auteurs ont parfois ignorées. Mais il s'agit d'un examen assez intéressant de la question. Les principales conclusions confirment, dans l'ensemble, notre exposé des précédentes éditions du présent ouvrage.

Les résultats du PFC donnent le T comme première liaison en nombre (dans le discours ?) et non le N. Ils confirment que la liaison dite obligatoire se fait de moins en moins ; que le français du midi est plus conservateur, ajoutant que la liaison facultative dépend plus des mots liés que de la catégorie où on la traite habituellement.

Mais les auteurs ont *« minimisé les différences de registre ».* C'est-à-dire que la liaison n'est pas étudiée en fonction de différents types de discours, *leur corpus ne s'y prêtant pas.* Tous leurs chiffres sont donc à revoir de ce point de vue-là, car les situations de communication suscitent, on l'a vu maintes fois, des marqueurs de discours, dont la liaison est l'un des plus importants.

On imagine que ce vaste corpus servira, en tout cas, à une étude labovienne, prenant en compte les variables : âge, sexe et éducation. On pourrait prévoir, par exemple, que les filles de 15 à 20 ans de milieu populaire feront moins de liaisons que les garçons du même groupe (elles sont toujours novatrices dans les changements linguistiques) et que les femmes, entre 30 et 40 ans, de couches sociales favorisées feront plus de liaisons que celles du groupe jeune, défavorisé.

Problématique et questions

1. Fait-on la liaison dans les exemples suivants ? Pourquoi ? *Demain - on arrive. Jacques - et Jean. Et - en plus - il crie. Vont-ils - entendre? Les - hauteurs. En - hurlant. Un - hameçon. Un - hiatus.*
2. Quels sont, dans les exemples suivants, les groupements à forte cohérence ? À quels types de syntagmes appartiennent-ils ? *Les autres amis*; *chez eux*; *des idées impossibles à réaliser ! Ils en ont. En ont-elles ?*
3. Notez l'accentuation et les liaisons ou non liaisons qui en résultent.
4. Transcrivez : *On en a parlé. Laissez-en. Allez-y. On en a. Vous êtes entrés en ouragan ! Il allait à Mexico.*
5. Faites des paires minimales avec les mots suivants : *les héros, les auteurs, les Huns, en eau, les hauts.*
6. Expliquez pourquoi la liaison peut ne pas se faire dans les groupes suivants : *C'est adorable ! Ça n'est pas amusant. Assez instructif ? Depuis un an, rien à faire !*
7. Transcrivez en phonétique : *Moyen Âge, bonne amie, bon ami, bons amis, bonnes amies, certain âge, âge certain, effet soudain, soudain effet, enfant divin, « Divin enfant ».*
8. Pourquoi trouve-t-on plus de liaisons dans les parlers ruraux que dans les parlers urbains ?
9. Expliquez les termes *velours* et *cuirs*, comme métaphores de liaisons fautives.
10. Encrevé donne les chiffres suivants pour l'occurrence des consonnes de liaisons sans enchaînement : dans son corpus de discours politiques : t :77,5 , z : 17,5 %, ʀ : 3 %, n : 1,5 %, p : 0,5 %. Comment interprétez-vous ces données ?
11. Quels sont, parmi les mots suivants, ceux qui ont un H muet ?
hameau, hameçon, horrible, haricot, hurluberlu, harpon, hamac, hélice, humide, hormone, hybride, homéopathie, hélicoptère, hôpital.
12. Quelle critique principale peut-on faire au corpus PFC tel qu'il est présenté ?

(Réponses p. 270)

BIBLIOGRAPHIE

Ashby W. (1981), « French liaison as a sociolinguistic phenomenon », in Cressey W. et Napoli D.J., (dir.), *Linguistic Symposium on Romance Languages*, Washington D.C., Georgetown University Press, 9 : 46-57.

Bauche H. (1928), *Le Langage populaire*, Paris, Payot.

Bonami O., Boyé G. et Tseng J. (2005), « Sur la grammaire des consonnes latentes », *Langages*, n° 158 : 89-100.

Bybee J. (2005), « La liaison, effets de fréquence et constructions », *Langages*, n° 158 : 24-37.

Chevalier J.-C. (2010), *Chroniques de linguistique dans* La Quinzaine littéraire, Toulon, Éd. des Dauphins.

Chevrot J.-P., Fayol M. et Laks B. (dir.) (2005), « La liaison, de la phonologie à la cognition », *Langages*, n° 158, juin.

Chevrot J.-P., Dugua C. et Fayol M. (2005), « Liaison et formation des mots en français : un scénario développemental », *Langages*, n° 158 : 38-52.

Chevrot J. P., Chabanal D. et Dugua C. (2007) Pour un modèle de l'acquisition des liaisons basé sur l'usage : trois études de cas, *Journal of French Language Studies*, 17 : 103-129.

Cohen M. (1947), *Histoire d'une langue, le français*, Paris, Les Éditeurs français réunis.

Côté M.-H. (2005), « Le statut lexical des consonnes de liaison », *Langages*, n° 158 : 66-78.

De Jong D. (1994) La sociophonologie de la liaison orléanaise, in Lyche (ed) *French Generative Phonology : Retrospective and Perspectives, AFLS/ESRL* : 95-130.

Delattre P. (1966), *Studies in French and Comparative Phonetics*, La Haye, Londres, Paris, Mouton : 39-55.

Delattre P. (1966) *Studies in French Phonology,* The Hague, Mouton.

Dell, F.(1973) *Les règles et les sons,* Paris, Herman.

Durand J. et Lyche, C.(2008) French Liaison in the light of corpus data, *Journal of French Language Studies,*18/1 : 33-66. (Internet, 2010.)

Encrevé P. (1988), *La Liaison avec et sans enchaînement. Phonologie tridimensionnelle et usages du français*, Paris, Seuil.

François D., *Français parlé. Analyse des unités phoniques et significatives d'un corpus recueilli dans la région parisienne*, Paris, SELAF.

Frei H. (1929), *La Grammaire des fautes*, Genève, Paris, Slatkine Reprints, 1982.

Gadet, F. (2003) *La variation sociale en français*, Paris, Ophris.

Houdebine-Gravaud A.-M. (2011), « Trésor de la langue française ordinaire », Mélanges en l'honneur de Claudine Normand, Paris, Ophris.

Lacheret,A., Lyche C. (2006) « Le rôle des facteurs prosodiques dans l'analyse du schwa et de la liaison », *in* Simon A.C. (ed.), *Bulletin PFC 6.* RRSS, Toulouse, Le Mirail et CNRS : 27-49.

Laks B. (2005), « La liaison et l'illusion », *Langages*, n° 158 : 101-125.

LAKS B. (2006), «Les hommes politiques et la liaison (1909-1981)», in *Colloque Hommages à Encrevé*, Paris, ministère de la Recherche.

LAKS B. (dir.) (2011), « La phonologie du français », *Langue française*, 169.

LÉON M. (1979), «Culture, didactique et discours oral», in *Le Document sonore authentique. Le français dans le monde*, n° 145 : 46-53.

LÉON M. (1984), «Erreurs et normalisation : les liaisons fautives en français contemporain», *Revue de phonétique appliquée*, n° 69 : 1-9.

LÉON P. (1971), «L'art oratoire du Président de Gaulle», in Léon P., *Essais de phonostylistique*, Montréal, Paris, Bruxelles, Didier, coll. «Studia phonetica» 4 : 131-142.

LÉON P. et TENNANT J. (1988), «Observations sur la variation morphonologique et phonématique dans "Apostrophes"», Toronto, *Information/Communication*, n° 9 : 20-47.

LÉON P. et TENNANT J. (1990), «Bad French and Nice Guys : a Morphophonemic Study», *French Review*, n° 63 : 763-778.

MALÉCOT A. (1975), «French Liaison as a Function of Grammatical, Phonetic and Paralinguistic Variables», *Phonetica*, n° 32/3 : 161-179.

MARTINET A. et Walter H. (1973) *Dictionnaire de la prononciation du français dans son usage réel,* Paris, France Expansion.

MARTINON Ph. (1913), *Comment on prononce le français*, Paris, Larousse.

MORIN Y.-Ch. (1990), «La prononciation de [t] après *quand*», *Linguisticae Investigationes*, n° 14/1 : 175-189.

MORIN Y.-Ch. (2005), «La liaison relève-t-elle de la tendance à éviter les hiatus ?», *Langages*, n° 158 : 8-23.

SPINELLI E. et MEUNIER F. (2005), «Le traitement cognitif de la liaison dans la parole enchaînée», *Langages*, n° 156 : 79-88.

THOMAS A. (1990), «Normes et usages phonétiques de l'élite francophone en France et en Ontario», Toronto, *Information\Communication*, n° 11 : 8-22.

TRANEL. B. (2000) Aspects de la phonologie du français et la théorie de l'optimalité, *Langue française, 126 : 39-72.*

VALDMAN A. (1982), «Français standard et français populaire», *French Review*, n° 56/2 : 218-277.

VAN AMERINGEN A. et CEDERGREN H. (1981), «Observations sur la liaison en français de Montréal», in Sankoff D. et Cedergren H. (dir.), *Variation Omnibus*, Edmonton, Linguistic Research Inc. : 141-149.

WAUQUIER-GRAVELINES S. (1995), «Deleting Ghost Phoneme : The liaison enchaînée, in French», in *Procedings of the XIIIth International Congress of Phonetic Sciences*, Stockholm, vol. 2 : 562-565.

WAUQUIER-GRAVELINES S. et Braud V. (2005), « Proto-déterminant et acquisition de la liaison obligatoire en français », *Langages*, n° 158 : 79-88.

WIOLAND F. (1987) *Prononcer les sons du français,* Paris, Hachette.

Liaisons dangereuses

La liaison a un effet comique lorsque l'acteur, Michel Simon, joue un personnage populaire qui veut faire le distingué : il déclare pompeusement, avec son accent faubourien : « M'alors, avant, y avait pas d'meub'Z ici ! »

***

Raymond Queneau fait un usage ludique de la liaison fautive dans ces vers :

> Neuf mois de ventre il fut
> Puis il a tété

(Petite cosmogonie portative)

***

Les *cuirs* et les *velours* sont appelés aussi des *pataquès*. Selon Martinon, l'expression viendrait de deux dames qui voulaient paraître importantes. Un jeune homme leur demande, au théâtre, si l'éventail qu'il a trouvé est à elles. La première répond : « Il n'est point-Z-à moi. » La seconde dit : « Il n'est pas-T-à moi. » Et, ajoute Martinon : « Le beau diseur de continuer : "Il n'est point-Z-à vous, il n'est pas-T-à vous, je ne sais pas-T-à qu'est-ce ?" ». D'où le pataquès, qui a vite fait le tour de Paris.

***

Devinette (niveau école primaire) : Faut-il dire : Sept et cinq « font onze » ou : sept et cinq « font-T-onze » ?

CONCLUSION

Ce bref panorama du phonétisme et des prononciations du français nous amène à envisager la langue selon un modèle proposé par Eugenio Coseriu, dans son ouvrage, *Système, norme, usages*.

Le système est, en phonologie, cet ensemble restreint de phonèmes, d'accents, de pauses et d'intonèmes, qui permet à tous les francophones de communiquer, quelles que soient leurs origines dialectales, sociales, leurs émotions et leurs attitudes.

La norme est plus large, puisqu'elle rend compte des réalisations du système dans la parole. Elle se situe à un premier niveau de variation linguistique. Elle a souvent été *prescriptive*, dans le passé, lorsqu'un grammairien ou un phonéticien condamnait la prononciation des autres et, du fond de son bureau, édictait des lois intransgressibles.

Mais la norme peut aussi être *descriptive*, lorsqu'elle se fonde sur l'observation de l'ensemble des prononciations. Il s'agit alors, en réalité, de *normes*, au pluriel. De Vaugelas à Passy, on compte ainsi de nombreux observateurs d'une réalité linguistique mouvante. À l'époque moderne, c'est Martinet, avec son enquête sur *La Prononciation du français contemporain*, qui a fait la première étude sociolinguistique du français, montrant la voie à la description objective des parlures du français.

Il y a eu, pendant les dernières décennies, beaucoup de travaux québécois sur la question. On a cherché à savoir non seulement quel était le comportement mais aussi *l'attitude* des gens vis-à-vis de leur langue. Ce sont toujours les plus défavorisés qui ont les plus grands complexes d'infériorité. Il naît ainsi des mythes, à partir de jugements de valeur et de préjugés socioculturels. Ils finissent par constituer ce qu'on pourrait appeler la *norme de l'imaginaire*. Chaque fois qu'il veut changer de place dans la société, le sujet parlant doit accommoder son parler. Celui du citadin devient le modèle du rural qui veut aller à la ville, celui du chef de bureau est la cible de l'employé qui veut une promotion. Le prestige ne cherche pas toujours ses normes dans le sens *défavorisé* → *favorisé*, mais on retrouve immanquablement une dynamique où, malgré une tolérance nouvelle, le besoin d'intégration et la valeur symbolique du groupe sont de puissants moteurs aux changements de prononciation.

Les *usages* représentent une couche encore plus large que les deux précédentes. Ce sont toutes les *variations* qui ont été décrites par les phonéticiens et dont on a tenté de rendre compte analytiquement ici. L'aspect *phonématique* de ces variations a deux volets. Le premier est linguistique et facilement décelable. C'est le jeu des timbres vocaliques et consonantiques, des E caducs, des liaisons – phénomènes quantifiables, qui servent aux sociolinguistes d'indexes de classes ou d'âge. Le second est sémiotique. Il est plus caché, constitué par un symbolisme articulatoire, qui s'exerce sur l'ensemble des signifiants. En témoignent les qualificatifs de : parler *pointu, gras, clair, sombre,* etc.

Mais c'est certainement l'aspect *prosodique* qui joue le plus grand rôle diversificateur, pour créer mille usages différents dans nos prononciations. Là encore, à côté des nuances relativement bien codées du volet linguistique, c'est surtout le sémiotique qui est à la fois le plus caché et le plus important. On en a examiné de plus près le fonctionnement avec les émotions et les attitudes générées par les situations de communication, dans notre *Précis de phonostylistique*. Mais on a pu déjà observer ici les mécanismes sémiotiques de la variation du débit, des pauses, du rythme et de l'intonation.

Ce sont toutes ces fluctuations qui donnent vie au langage. Dans la réalité quotidienne, la communication neutre n'existe pas. « Il n'y a pas de langage innocent », disait Roland Barthes, et toute parole proférée est expressive. Souvent même le contenu du message n'est pas à chercher ailleurs que dans son expression. C'est alors que, selon la formule de McLuhan : « Le medium est le message. »

Cela ne veut pas dire qu'il ne faut pas tenter d'intégrer la variation dans une théorie linguistique. Labov a montré la voie dans cette direction, en utilisant les données orales dans une perspective sociologique. Cependant l'approche de Labov n'est pas la description de l'objet phonétique mais son utilisation fragmentaire en tant qu'outil d'analyse. Quant aux théoriciens de la linguistique générative et transformationnelle, la plupart semblent avoir oublié le côté empirique du parler naturel, comme le constate Encrevé lui-même, avec d'ingénus regrets. Jørgen Rischel fait le même type de remarque au congrès de Barcelone, sur les *styles parlés.* Les acousticiens de la parole ont, à ce même congrès, souhaité que désormais l'on tienne compte de la parole spontanée expressive. C'est ce que l'on a essayé de faire ici avec des moyens plus modestes.

BIBLIOGRAPHIE

COSERIU E. (1962), *Systema, Norma y Habla*, Madrid, Gredos.

ENCREVÉ P. (1988), *La Liaison avec et sans enchaînement. Phonologie tridimensionnelle et usages du français*, Paris, Seuil.

LABOV W. (1972), *Sociolinguistique*, trad. fse P. Encrevé, Paris, Éd. de Minuit.

LÉON P. (1993), *Précis de phonostylistique*, Paris, Nathan-Université, Armand Colin, 2e édition, 2005.

MARTINET A. (1945), *La Prononciation du français contemporain*, Paris, Droz.

RISCHEL J. (1991), « Formal Linguistic and Real Speech », in Llisteri et Poch, (dir.), *Proceeding of ETRW*, 6-1 - 6-9.

REMERCIEMENTS

Les rééditions précédentes de cet ouvrage ont bénéficié des critiques des collègues dont les noms suivent. Je les remercie vivement de leurs comptes rendus :

CARTON F. (1995), in *Le Français moderne*, n° 2 : 213-216.

DOBROVOLSKY M. (1998), in *Studia Linguistica*, n° 55/2 : 185-189.

GALAZZI E. (1995), in *Studi Francesi*, n° 33-2 : 617.

GUIMBRETIÈRE É. (1995), *Le Français dans le monde*, n° 275 : 74-75.

Laeufer C. (1995), in *French Review*, n° 68/6 : 154.

MARTINET A. (1995), « Phonologie et phonostylistique », in *La Linguistique*, n° 31/1 : 131-136.

SAMPSON R. (1997), in *Le Français moderne*, n° 2 : 211-212.

WALKER D. (1993), in *Canadian Journal of Linguistics*, n° 39 : 369-371.

WUNDERLI P. (1993), in *Vox Romanica*, n° 52 : 347-352.

J'ai répondu à la critique d'André Martinet, dans : « Réponse d'un hérétique à André Martinet », in *La Linguistique*, 1996, n° 31/2 : 133-136.

Un ultime merci à Philippe Martin, dont la science et la patience ont compensé mes lacunes technologiques en informatique et dont le WindPitch ne cessera de m'émerveiller.

RÉPONSES AUX QUESTIONS

Les réponses données ci-dessous ne sont que des suggestions, lorsqu'elles portent sur des problèmes généraux. Elles pourront donner lieu à discussion. Ceux qui voudront s'auto-évaluer pourront attribuer des points à chacune des questions. À vous de jouer !

Attention ! S'il y a une question 11 ou 12, elle est parfois sans réponse ! Mais vous devrez la trouver facilement.

Nous vous rappelons que le A nasal peut être transcrit [ã] *ou* [ɑ̃] *et le O nasal :* [ɔ̃] *ou* [õ]

CHAPITRE 1 (P. 27)

1. Cette langue ne pourrait transmettre que 37 messages. Ces messages seraient difficiles à mémoriser, parce que la structure du mot serait trop courte. D'autre part, on pourrait difficilement se servir des consonnes à l'état isolé. Sans augmenter le nombre des unités phonématiques, on pourrait ajouter aux voyelles des durées, comme dans les langues germaniques, ou des tons (changement de hauteur à valeur lexicale), comme en chinois.
2. Parce que la diphtongue n'a pas d'incidence sur le plan linguistique en français.
3. À la forme de l'expression (la prosodie fait partie de l'expression). Mais cette variation a une incidence sur le contenu du message puisque le sens en est changé.
4. *Arbitraires* et *conventionnels*. La signalisation du croisement est représentée par une croix. Elle est donc *motivée*.
5. Motivés : *porte-plume*, *court-bouillon* et *court-circuit* ont une motivation au niveau du contenu. *Ronron*, *tintamarre*, *tic-tac*, *bataclan* et *grommeler* sont motivés au niveau de l'expression. Ils ont une forme onomatopéique. *Micmac* a une allure accidentellement expressive, soutenue par son contenu. *Macadam* a aussi une allure expressive mais sans rapport avec son contenu.
6. En anglais, le mouton fait *baa ! baa !*, le petit chien fait *ruff ! ruff !* et le gros chien *woof ! woof !* On a aussi *bow wow !* sur lequel les Britanniques ne sont pas d'accord. En français, le mouton fait *bê ! bê !* et le chien ne dit que *oua ! oua !*. Dans tous les cas, on a une analogie structurelle. La variation vocalique correspond à une habitude du système de la langue. Dans le cas de *ruff !* la notation de l'attaque de la syllabe indique l'imitation du grognement. Vous pouvez trouver de nombreuses variantes selon les langues.

7. Ce n'est que parce que le patient décrit verbalement ses rêves que l'on peut en analyser le contenu, donc identifier, classer, quantifier, évaluer les images, les phobies, etc. Imaginez un patient ne s'exprimant que par gestes et voulant dire à son médecin qu'il a des maux de tête, mais seulement au milieu de la nuit et qu'il dort généralement mal...
8. Comme tous les animaux, il ne sait ni dissocier le message qu'il connaît de la situation qui l'accompagne, ni associer un nouveau message à une nouvelle situation. Il a sûrement un cri qui, dans le langage des perroquets, signifie qu'il a soif ou faim. C'est peut-être tout simplement un cri de détresse général. Mais on lui a enseigné « J'ai faim » et il n'a pas réussi à substituer ce message appris à son propre message inné. Il y a des exceptions, comme celle du perroquet de von Lukamus (note de la question 4, chapitre suivant) mais elles sont rares.
9. *Les/ jeune/s direct/rice/s occup/aient des poste/s administratif/s important/s.* Dans le code écrit, le pluriel est marqué par *s* (7 fois), par les articles *les* et *des* (2 fois), et par la terminaison verbale *-ent.* Au total 10 marques de pluriel écrit. Le féminin est marqué 1 fois avec la terminaison *-rice* et le masculin 2 fois, avec les terminaisons *-tif* et *-tant.* À l'oral, le pluriel n'est plus marqué que 2 fois par les articles *les* et *des.* Le masculin et le féminin ont ici les mêmes marques que celles de l'écrit.
10. Dans le mot *carré*, le signifié est la figure géométrique dont les quatre côtés sont égaux et les angles droits. Le signifiant est phonétiquement rendu par [kaʀe]. Le signe linguistique de ce mot est arbitraire. Rien dans le signifiant ne renvoie à une image du signifié.

CHAPITRE 2 (P. 43)

1. On devra dessiner une *île*, un *nœud*, une *faux* et un *pas.* On aura obtenu un rébus à transfert grâce à l'homophonie des signifiants qui renvoient à un autre signifié.
2. Les écritures latines ont un nombre de caractère très réduit – 26 pour le français. Ce nombre de caractères n'est pas très éloigné de celui des unités phonologiques. Ces caractères, comme ceux du système phonologique, peuvent se combiner à l'infini.
3. C'est faux. Il n'y a aucun lien entre les deux. Il faudrait d'ailleurs définir ce qu'on entend par *grossière.* Les hiéroglyphes égyptiens comme la calligraphie chinoise ont toujours été associés à la poésie, comme le fait remarquer Claude Hagège.

4. *Les perro\quets | ont des organes vo\caux | qui per\mettent un langage articu\lé || \et | comme le \montre | leur poids céré\bral || ce sont des oi\seaux | intelli\gents. || Leur mé\moire | est exce\llente. || Von Luka\mus | en possédait \un || cé\lèbre par ses \mots. || Il vi\vait | avec une \huppe apprivoi\sée | du nom de Hö\pfchen || et le perro\quet | s'était \vite appro\prié | ce \nom. || À la \mort de la \huppe || le perro\quet | ne pronon\ça plus ja\mais | son \nom. || Neuf ans plus \tard, || Von Luka\mus | ac\quit une nouvelle \huppe || et le perro\quet || la première \fois qu'il l'aper\çut || s'é\cria immédiate\ment || : Hö\pfchen, | Hö\pfchen! ||*

Busnel : 115.

5. Transcriptions: 1) desin ynil: suʀləmy :ʀ usulavut ; 2) dɔnemwa-œ̃bõvɛ̃blɑ̃ ; 3) lɥielwi vuswɛt œ̃bõvwaja: ʒ ; 4) ɛlɛm legatosɛk ; 5) dɔne œ̃pødbœ:ʀ apɔl ; 6) o.tləsodo ; 7) vwala depatdəpulɛopɑ:t ; 8) lesemwa ladisjõ gzavje ; 9) aʃte kɛlkəʃozdəbõ puʀʒɑ̃eʒyli ʃeʒozɛf ; 10) aɲɛs ɛmbjɛ̃ lkɑ̃piŋ alamõtaɲ

CHAPITRE 3 (P. 58)

1. Les caractéristiques communes sont le *timbre*, l'*intensité*, la *hauteur* et la *durée*. Les sons du langage humain sont structurés et organisés en sons vocalisés et en bruits dont les caractères ne sont pas aléatoires. Ils ont été conventionalisés et servent d'outil de transmission du langage.
2. Voir figures 3 et 4, p. 49 et 50.
3. La courbe présente 6 vibrations doubles (ou cycles) en une période de 5 centisecondes, ce qui représente une fréquence de 120 Hz [(6 : 5) × 100].
4. Il s'agit d'un son plus aigu, puisque la fréquence du second serait seulement de 30 Hz [6 : 20) × 100].
5. 500, 750, 1 000, 1 250, 1 500.
6. Voir figure 3, p. 49.
7. Les voyelles sont des sons périodiques harmonieux et les consonnes sont des bruits de fréquences apériodiques plus ou moins aléatoires.
8. [lefɔʀmɑ̃ nsõpaadeotœ.ʀfiks || ilɛgzist dezo.naselaʀʒ | ʀɛspɔ̃sabl dyt:ɛ̃: bʀ devwajɛl ||]
9. Un oscillogramme représente le défilement de l'onde sonore. Sa courbe d'enveloppe montre les différences d'intensité, ce qui permet de délimiter les phones de manière assez nette. Les vibrations de la courbe permettent de voir grossièrement sa complexité et d'analyser la hauteur des voyelles

en comptant le nombre de vibrations par seconde. Le spectrogramme, au contraire, analyse la structure sonore : l'intensité en fonction de la fréquence et du temps.
10. Les formants contribuent à donner une indication sur le timbre de la voyelle et participent à celui des consonnes dans la mesure où ils marquent en même temps les transitions. Chaque infléchissement d'un formant est, en ce sens, responsable de la perception du timbre de la consonne voisine.

CHAPITRE 4 (P. 70)

1. Lorsque la hauteur de la voix dépasse celle du premier formant.
2. La structure du mot et des syntagmes est conservée et reste partiellement intelligible grâce aux consonnes. Mais il faut au moins une voyelle, quelconque, pour garder un minimum d'audibilité. D'autre part, la prosodie de la comptine aide aussi à retrouver un texte dont les paroles sont déjà connues.
3. Difficilement pour les voyelles qui, combinées, formeraient des unités mal structurées et mal différenciables. Certainement pas pour les consonnes, surtout les brèves [p t k] et les aiguës [f s ʃ] qui seraient trop difficiles à percevoir sans le secours d'un appui vocalique.
4. Les voyelles, parce qu'elles se situent dans les fréquences graves, les plus aisées à percevoir, et parce que leur sonorité intrinsèque est beaucoup plus forte que celle des consonnes.
5. Entre 1 000 et 2 000 Hz.
6. Environ 100 dB pour les deux.
7. Il commence à une intensité voisine de 100 dB pour les fréquences les plus basses, s'élève progressivement jusqu'à 140 pour les fréquences entre 1 000 et 2 000 Hz et redescend à 100 dB pour les fréquences les plus hautes que l'oreille humaine puisse percevoir, vers 16 000 Hz.
8. Cette zone commence avec la hauteur moyenne du formant le plus bas, celui de [i], vers 250, et s'élève jusqu'au formant le plus haut, également celui de [i], vers 2 500 Hz.
9. Il faut une grande intensité, voisine de 100 dB, pour percevoir des fréquences très basses (16 à 32 Hz) ainsi que les fréquences élevées (vers les 16 000 Hz).
10. [lodisjõfasil | səsity dɑ̃zynzo:n | kiva dswasɑ̃.t | adimilɛʀts | aynɛ̃tɑ̃site | de kaʀɑ̃:t | akatʀəvɛ̃desibɛl ||]

CHAPITRE 5 (P. 86)

1. Parce que l'air expiratoire est utilisé par la parole. Il faut donc le ménager. Au contraire, l'inspiration se fait courte, dans la parole, pour ne pas interrompre le discours.
2. Mersenne confond, comme beaucoup de descripteurs anciens (Pollux, Galien, et bien d'autres) l'épiglotte, qui joue effectivement le rôle de clapet de fermeture du larynx lors d'ingestion d'aliments, et la luette qui est une extension du voile du palais. C'est cette dernière qui ouvre ou ferme les fosses nasales. Quant au rôle prophylactique attribué, il relève de la fantaisie. La remarque sur le ton et la cadence est du même ordre.
3. On attribue à la longueur des cordes vocales ce rôle différenciateur. Les voix hautes correspondent généralement à des cordes vocales courtes et inversement. Mais d'autres facteurs peuvent aussi entrer en jeu. Une cavité de résonance buccale volumineuse donnera une voix riche en harmoniques graves et une cavité à volume réduit renforcera les aigus.
4. La comparaison est fausse, elle repose sur la métaphore de *cordes*, alors que les muscles thyro-aryténoïdiens sont accolés à la manière de la languette d'un hautbois. La pression d'air les écarte, leur élasticité les ramène à leur position initiale, etc. C'est le type de fonctionnement d'instrument à anche.
5. Cela veut dire que la partie antérieure du dos de la langue se rapproche de la partie antérieure du palais dur.
6. [t d n] ont une fermeture buccale (occlusives) ; [l] laisse passer l'air sur les côtés (fricative latérale) ; [s z] et [ʃ ʒ] sont des fricatives (dites aussi constrictives) médiales mais les deux dernières sont moins antérieures.
7. Un même son peut être articulé de façon différente par des personnes différentes ou même parfois par la même personne. Il y a des compensations articulatoires au niveau des volumes des cavités buccales. D'autre part, tant que le son ne sort pas de la place phonologique assignée par la langue, l'oreille tolère beaucoup de variations.
8. [h] et [p].
9. Les premiers sont sonores (ou voisés), les seconds sourds (ou non-voisés).
10. [ilnijapadmɔdɛl | dəvwatip || õdist:ɛ̃:g | tʀwaklasdəvwa || mɛletipɛ̃tɛʀmedjɛ:ʀ | sõnõbʀø ||]
11. Argumentatif, politique, militaire.
12. Parce que l'intonation est supprimée.

CHAPITRE 6 (P. 108)

1. Cela indique que le spectre sonore de la consonne contient un grand nombre d'informations acoustiques. On peut souvent retrouver un indice de fréquence et d'intensité qui nous aide à reconstituer la partie manquante. L'identification des voyelles dépend d'indices plus précis, plus limités et plus fragiles.
2. Le mot garde encore suffisamment d'information dans sa structure pour qu'on puisse le reconnaître. La chute du *b* peut s'expliquer parce qu'il s'agit d'une sonore, faible par nature, et d'une bilabiale, dont l'articulation est toujours moins nette que celles des linguales. Le cas de *dans 'a rue* est celui d'une autre consonne sonore, faible, très vocalisée, donc à articulation relativement ouverte, qui se trouve entre deux voyelles ouvertes. Il y a donc assimilation d'aperture, le *l* s'ouvre encore plus et finit par tomber.
3. [m].
4. [d].
5. Le E caduc est tombé, comme cela est normal en conversation spontanée. Il est ensuite plus facile d'abaisser le voile du palais en prévision de la voyelle nasale (loi du moindre effort). L'articulation du *d* ne change pas, elle se fait seulement avec le voile du palais abaissé. Un [d] nasal est alors un [n]. C'est un processus d'assimilation par anticipation, dite aussi assimilation régressive.
6. Dans l'ordre : [n], [b], [s], [l], [g].
7. La première est une dorso-uvulaire, la seconde une apico-alvéolaire.
8. Voir le schéma du [k], p. 93.
9. Si l'on syllabe [kɔ/my/nism/], le [s] et le [m] sont dans la même syllabe. La forte [s] assimile la faible qui se désonorise. Si, comme dans le Sud, on syllabe en ajoutant un E caduc final, on a /kɔ/my/nis/mə/. Cette fois le [s] est implosif (final de syllabe) donc en position faible. Le [m] explosif (en début de syllabe) donc fort par sa position, va assimiler le [s] avec lequel il est en contact et en faire une sonore, d'où [kɔmynizmə].
10. [apsɛ], [aʃte], [kuttɛt] [ʃpa:ʀ], [ʃfal] en québecois, l'assimilation s'est faite dans l'autre sens, en [ʒwal], ainsi qu'en normand où on est passé de [kv*a*], venant de *caballus*, à la forme moderne avec [k] sonorisée en [gv*a*].

CHAPITRE 7 (P. 128)

1. Les voyelles ont moins de traits distinctifs entre elles que les consonnes, dont les lieux et les modes articulatoires constituent des repères beaucoup

plus précis. Du fait même que les consonnes ont des articulations généralement fermées, elles sont plus faciles à localiser articulatoirement et leur structuration complexe de bruits les rend riches en indices faciles à percevoir. Les voyelles, éléments ouverts, ont de ce fait plus de sonorité, donc portent mieux que les consonnes.

2. On ne peut guère modifier les consonnes, responsables de l'intelligibilité. Les voyelles sont bien moins importantes de ce point de vue, d'où la tolérance de la langue pour les nombreuses variantes dialectales, sociales ou phonostylistiques. On pourrait ajouter que certaines langues, comme l'arabe, se contentent de 3 voyelles fonctionnelles.

3. En position inaccentuée où la tension musculaire se relâche. Le timbre de la voyelle devient alors moins précis. On ne sait pas toujours si la personne qui parle a prononcé le mot *maison* [mɛzõ] ou [mezõ].

4. Le [*a*] peut être une variante, indice dialectal, lorsqu'il est généralisé là où le français standard n'a que des [a], comme dans *à la gare*. Il est alors accompagné d'autres traits dialectaux. Mais lorsque le même [*a*] apparaît sans traits dialectaux, comme dans le parler emphatique, où on dira par exemple [m*a*d*a*:m], il s'agira d'un signal phonostylistique.

5. Le plus petit résonateur a toujours une fréquence plus aiguë. C'est donc à ce résonateur que correspond le formant haut. Dans une série de même aperture, comme [i] [y] [u] (correspondant au formant bas : 250), c'est le formant haut qui se modifie, quand on va de la voyelle antérieure, [i] (F_2 = 2 500) aux voyelles plus postérieures, [y] (F_2 = 1800) et [u] (F_2 = 750). Voir tableau 3 p. 116.

6. Voyelles accentuées fermées, en syllabes ouvertes dans : [ʀesite, plø, bo] ; voyelles accentuées ouvertes en syllabes fermées dans : [bɛl, sɛk, bɔn, sɔt, sœl] ; fermées à cause de la graphie : [so:t] et [o:z] ; [p*a*:t] A postérieur à cause de la graphie.

7. Aiguës : [i y e ø ɛ ø].

8. Dans l'ordre : [ø ɔ ɛ̃].

9. Dans l'ordre : [i ø ɔ].

10. [ilmɛm] [ilmaeme] [sɛbɛt] [ildidebeti:z] [ɛllǝsɛ] [lǝsety].

CHAPITRE 8 (P. 148)

1. Comme le français, l'espagnol privilégie les syllabes ouvertes (65,8 %), alors que l'allemand n'en a que 32 %.

2. su/lǝ/põ/mi/ʀa/bo/ku/lǝ/la/sɛn/

e/no/za/mu:ʀ/
fo/til/kil/mɑ̃/su/vjɛn/
la/ʒwa/və/nɛ/tu/ʒu/ʀa/pʀɛ/la/pɛn/

3. Sous le ˈpont(3) Miraˈbeau(3) ˈcou(1)le la ˈSeine(3)
Et nos aˈmours(4)
Fautˈ-il(2) qu'il m'en souvienne(4)
La ˈjoie(2) venait touˈjours(4) après la peine(4)

4. Dans la métrique classique le E caduc se prononce devant consonne. Le E caduc de *joie* n'est pas admis dans un cas comme celui-ci.

5. En supprimant la ponctuation, Apollinaire introduit l'ambiguïté, source de poésie. Ce genre d'ambiguïté est appelé « brouillage du code » par Jean Cohen. Ainsi le lecteur ne saura pas s'il faut faire une pause après *Seine*, reliant *amours* à *faut-il qu'il m'en souvienne* ou s'il faut plutôt enjamber et faire de *amours* un objet direct de *coule*, au même titre que *Seine*.

6. 24 sur 30, soit 80 %. Notez que la diction poétique enchaîne traditionnellement dans des cas comme *toujours après*, en [tu/ʒu/ ʀa..], favorisant ainsi l'ouverture syllabique. Néanmoins, l'ouvrier parisien a encore plus de syllabes ouvertes : 100 sur 115, soit près de 87 %.

7. [nɛ:ʒ] [o:t] [nɛf] [avwa:ʀ] [pik] [i:v] [ɑ̃:ʒ] [ɑ̃:ʃ] [buʃ] [bu:ʒ].

8. Les pauses de De Gaulle sont oratoires. Les deux premières sont très longues (presqu'une seconde) et peu justifiées si ce n'est pour créer un suspens. La troisième, qui est justifiée est extrêmement courte (5 cs) et celles qu'on attendrait dans l'énumération sont supprimées avec l'accélération du tempo. Dans le texte de l'ouvrier parisien, les pauses longues ne sont pas là pour le suspense mais à cause d'une hésitation, accompagnée parfois d'une rupture de construction ou d'une reprise. Ailleurs les pauses sont justifiées par la logique du texte.

9. On relève 47 groupes : 11 de 1 syllabe, 13 de 2 syllabes, 9 de 3 syllabes, 11 de 4 syllabes, 2 de 5 syllabes, 1 de 6 syllabes. Il faudrait un échantillonnage portant sur un texte beaucoup plus long. Mais on voit tout de même l'indication d'un rythme conversationnel à groupes relativement courts.

10. La pause virtuelle va souvent différencier des jeux dc mots : *Elle a glissé dans la vase# Line* dc *Elle a glissé dans la vaseline. Tu viens manger# mon enfant* de *Tu viens# manger mon enfant. Le tiroir est tout# vert* de *Le tiroir est˘ouvert. Les vêtements sacerdotaux* de *Les vêtements#ça#sert# d'auto. Des acteurs de cinéma#anglais* de *Des acteurs# de cinéma anglais.*

CHAPITRE 9 (P. 174)

1. *De la langue* : les accents démarcatifs, donc le rythme et les pauses qui en découlent. *Du discours* : les pauses d'hésitation, les pauses expressives, le débit, le tempo.
2. C'est que, contrairement à beaucoup d'autres langues, le français met très peu d'intensité dans l'accentuation. La durée, qui marque surtout l'accent français, est un indice acoustique peu facile à reconnaître, surtout dans une langue où elle n'a pas de valeur phonologique.
3. 4. 5. [\\nõ ʒən\pø | ˀa\\psɔlymã\pa | aksɛp\te || ilnija\pa ʔ \\œ̃sœldəvozaʀgy\m*ã* | ki\tjɛn || vuzɛtdə\\mɔvɛ.z\fwa ||].
6. Heu*reux*(2) qui comme U*lysse*(4) a *fait*(2) un beau vo*yage*(4)
   Et *puis*(2) est retour*né*(4) plein d'u*sage*(3) et rai*so*n(3)
   Vivre(1) entre ses pa*rents*(5) le *res*(2)te de son *âge*(4)

7. Ce sont des alexandrins classiques : 12 syllabes, 4 accents, la césure à la sixième syllabe.
8. Si l'on applique le principe d'isochronie pour la lecture de ces vers, cela revient à allonger les mesures courtes. Ici : *Heureux*, *a fait*, *et puis*, *le reste*, *vivre*. Or allonger veut dire souligner en même temps le sens. Les bons poètes évitent ainsi de mettre en relief des mots grammaticaux, comme ici : *a fait* et *et puis*. Par contre, l'effet d'allongement est justifié pour mettre en valeur *Heureux* et *vivre*.
9. *Je ne \\parlerai \pas, je ne \\penserai \rien.* Ici, on est obligé d'utiliser un accent d'insistance comme accent rythmique, sur le début de chaque verbe. Sinon on aurait deux accents de suite, ce qui est contraire aux habitudes rythmiques du français.
10. Le tableau de la distribution des durées nous donne pour le groupe rythmique du français standard, que l'on supposera de quatre syllabes (tableau 5, p. 163) : 13,2 + 14,5 + 16,3 + 25,7 = 69,7 cs. Une minute = 6 000 cs. En une minute, on aura donc eu théoriquement 6 000 : 69,7 = 86,08 battements. C'est donc un rythme légèrement plus rapide que celui du cœur. Pour les méridionaux, on aurait : 17,4 + 13,9 + 19,7 + 18,4 = 69,4, soit 6 000 : 69,4 = 86,4 battements ; ce qui revient, malgré une distribution différente, au même rythme que celui du français du Nord. Il y a sûrement du biologique là-dessous !

CHAPITRE 10 (P. 211)

1. Non, car il y a toujours un aspect subjectif (émotion, personnalité, attitude, etc.) qui se greffe sur le message du lexique et de la syntaxe. On peut fabriquer, par la synthèse de la parole, des messages *recto tono*. Les sourds profonds parlent généralement avec ce type de mélodie sans modulation.
2. La sémantique de l'intonation concerne essentiellement les aspects linguistiques, comme les modalités de phrase et la structuration phonologique de la phrase, qui permettent de marquer les dépendances, la hiérarchisation des unités, ou encore de suppléer ou de renforcer la démarcation.
La sémiotique est tout ce qui est interprétation de l'intonation pour en déduire les aspects qui concernent l'énonciateur, son origine dialectale, sociale, ses émotions, ses attitudes, etc.
3. Demain↘ c'est vous↘ qui partez↗ ? Demain↘ c'est vous↗ qui partez↘. C'est vous↗ qui partez↗ demain↘ ? C'est vous↘ qui partez↗ demain↘. Qui↗ part↘ demain↗ ? vous↗ ?
4. La sœur de Jacques Laval↗ et vous↘.
La sœur de Jacques↘, Laval↗, et vous↗ ?
La sœur de Jacques↘, la#valez-vous↗ ?
La sœur de Jacques↘, l'avalez-vous↗ ? (Le seul moyen de distinguer les deux dernières est la joncture #).
5. ${}_2$Ce soir^3, ${}_2$je sortirai^3 ${}_2$avec ma sœur$_1$. ${}_2$C'est for^{5}midable$_2$ ${}_2$ce que vous dites$_1$. ${}_2$Qu'est-ce que^3 ${}_2$vous allez faire$_1$, ${}_1$madame Dupont$_1$? ^{5}Qu'est-ce que vous allez faire^1 ! ^{4}Taisez-vous$_2$, ^{2}s'ilvous plaît$_1$. ${}_2$Vous sortez^3 ${}_3$quand$_3$? ${}_2$Et vous revenez le^3… ? ${}_2$Vous prenez du thé^3, ${}_2$ou du café$_1$? ${}_2$Du lait^3 ^{2}ou de la crème$_1$? ${}_3$Un sucre^4 ? ^{3}Vous en prenez trois^5 !
6. *Les premières qui n'ont pas l'air conditionné#* (il y a là deux sortes de premières). *Les premières #, qui n'ont pas l'air conditionné* (aucune des premières n'a l'air conditionné).
7. Les intonations dialectales, sociolectales et émotives sont des indices de la fonction identificatrice. Les intonations du doute et de l'ironie sont des signaux de la fonction impressive.
8. Prier↗, pleurer↗, gémir↗ est également↗ lâche↘
Fais↘ énergiquement↗ ta longue↗ et lourde↗ tâche↘
9. L'accumulation des accents et l'intonation d'énumération renforcent le sens de souffrance qui se dégage du texte.
10. Une mélodie de type ${}_2/^4$, combinée à un accent fort, pourra permettre de poser trois questions de sens différent, mettant en relief soit *cinéma*, soit *soir*, soit *mère*.

11. *Tout /autre que mon\ père l'éprouve/rait sur \\l'heure*
Ou : \ / / \
Elle a /trop de ver\tu pour n'être /point chré\\tienne
12. La règle d'inversion des pentes et celle de la différenciation entre accent lexical et accent syntaxique.

CHAPITRE 11 (P. 231)

1. [e] ou [ɛ] devant consonne double ou *sc* (à valeur de [s]), dans : *tennis, serrer, dessin, effet, descente*. E caduc en syllabe ouverte, dans : *tenir, serin, refaire*, et dans les mots *dessus* et *ressentir* où il s'agit d'anciens préfixes avec E en syllabe ouverte.
2. À demain; dans une semaine; un appartement; des petites fenêtres neuves; plus de trente demandes; sur ce, laissez-le. Pourquoi? – Parce que. Je ne sais pas.
3. porte noire, porte magnifique, garde-malade, garde-fou, appartement.
4 et 5. [ʒənsepa | usastʀu:v || skəvumdəmãde | sypo.zdõ:k | ynpətitʀəʃɛʀʃ ||]
6. Ce sont les mots avec H aspiré, comme : *dehors/ dors*; *le haut/ l'eau.*
7. [ʒvwa] [ʃse] [ʒli] [metsɛ̃] [pagbo]
8. *app(e)ler* est le seul cas où les deux consonnes sont dans la même syllabe ; la plus forte par nature, la sourde [p] assimile la fricative faible [l] et lui fait perdre sa sonorité. Dans les autres cas, la consonne implosive, en fin de syllabe, est assimilée par l'explosive en initiale de syllabe. On a une sonorisation de l'implosive dans :
noisetier, inconcevable, et un assourdissement dans : projeter, coup decœur.
9. Le E final s'élide devant la voyelle suivante, dans : *battue*, *pluie*, *languissante*, et le premier *feuille.*
Le E caduc se prononce devant consonne, dans : *de*, *elle* et dans *feuille déclose*. Il ne se prononce pas à la finale absolue : *déclose.*
10. L'orthographe française scolaire n'accepte pas la suppression graphique du E caduc ou son remplacement par l'apostrophe. Les graphies de ce genre sont connotées « populaires » et c'est pour produire cet effet que Queneau les utilise. Elles sont aussi les indices de la conversation familière des personnages de l'auteur. Lorsqu'il écrit le E caduc avec la graphie EU, il veut montrer que le E est gardé pour marquer l'insistance. D'autre part, Queneau produit un effet ludique.

CHAPITRE 12 (P. 250)

1. On ne fait pas la liaison dans les cas suivants où le premier terme est accentué : *De\main | on arrive. \Jacques| et Jean. Et en\plus | il crie. Vont-\ils | entendre ?* Pas de liaison après *Et*, qui marque une limite et est souvent accentué. Pas de liaison à cause du H aspiré, disjonctif, dans : *en | hurlant*. Par contre, liaison avec *un ˘ hameçon* et *un ˘ hiatus*, où le H n'est pas aspiré.
2. et 3. Groupements à forte cohérence, à liaison obligatoire : *les autres amis, des idées, ils en ont, en ont-elles*. Groupements à faible cohérence, à liaison peu probable : *idées impossibles, impossibles à réaliser.*
4. [õnɑ̃napaʀle] [lesezɑ̃] [alezi] [õnɑ̃na] [vuzɛtzɑ̃tʀe|ɑ̃nuʀagɑ̃] [ilalɛ|amɛksiko]
5. *Les héros/ les zéros* ; *les auteurs/ les hauteurs* ; *les Huns/ les uns* ; *en eau/ en haut* ; *les hauts/ les eaux.*
6. Parce que l'on peut toujours mettre un accent expressif au début de l'adjectif dans les trois premiers cas et un accent sur *depuis* et sur *rien*, dans les autres cas.
7. [mwajɛnɑ:ʒ] [bɔnami] [bɔnami] [bõzami] [bɔnzami] [sɛʀtɛnɑ:ʒ] [aʒsɛʀtɛ̃] [efɛsudɛ̃] [sudɛnefɛ] [ɑ̃fɑ̃ divɛ̃] [divinɑ̃fɑ̃].
8. Parce que les parlers ruraux sont plus conservateurs. Leur prononciation est moins éloignée de l'état de langue où l'on prononçait toutes les consonnes finales. Les vieux paysans en prononcent encore beaucoup plus que les gens des villes.
9. *Velours* est la métaphore de la douceur, donc de la liaison avec la fricative sonore [z] et *cuir*, la métaphore du durcissement, de la liaison avec l'occlusive sourde [t]. Mais ces métaphores ne sont employées, par dérision, que dans le cas de liaisons fautives, comme *Ils sortaient-Z-avec elle* et *Je suis-T-assez tanné.*
10. Elles montrent que ce type de liaison appartient à un style oratoire. Dans la conversation ordinaire, [z] est la liaison la plus fréquente. Elle est le plus souvent fonctionnelle. Au contraire, [t] qui est surtout la marque de la liaison de la troisième personne du singulier, est le plus souvent une liaison facultative. Si cette liaison sans enchaînement a une si haute fréquence, c'est qu'elle signale le caractère oratoire du discours politique analysé par Encrevé et si cette marque de recherche y a une distribution aléatoire, c'est qu'elle indexe aussi certains types de personnalités fort diverses.
11. *H muet* dans : hameçon, horrible, hurluberlu, hélice, humide, hôpital, hormone, hybride, homéopathie, hiver, hélicoptère.
12. Le corpus ne tient pas compte des situations de communication.

INDEX

B

C

D

E

H

I

M

N

O

P

Q

R

S

T

W

Y

Z